論創
ノベルス

八角関係

Ronso Novels 004

覆面冠者

論創社

目次

凡　例

一、「仮名づかい」は、「現代仮名遣い」（昭和六一年七月一日内閣告示第一号）にあらためた。

一、漢字の表記については、原則として「常用漢字表」に従って底本の表記をあらため、表外漢字は、底本の表記を尊重した。ただし人名漢字については適宜慣例に従った。

一、難読漢字については、現代仮名遣いでルビを付した。

一、極端な当て字と思われるもの及び指示語、副詞、接続詞等は適宜仮名に改めた。

一、あきらかな誤植や脱字は訂正した。

一、今日の人権意識に照らして不当・不適切と思われる語句や表現がみられる箇所もあるが、時代的背景と作品の価値に鑑み、修正・削除はおこなわなかった。

一、作品標題は、原則として底本の仮名づかいを尊重した。漢字については、常用漢字表にある漢字は同表に従って字体をあらためたが、それ以外の漢字は底本の字体のままとした。

八角関係

主要登場人物

河内秀夫……河内家の長男
河内信義……河内家の次男
河内俊作……河内家の三男
河内鮎子……秀夫の妻
河内正子……信義の妻。洋子の妹
河内洋子……俊作の妻。正子の姉
野上丈助……警察署に勤務する捜査課の警部補。
野上貞子……探偵作家。丈助の妻で洋子の姉
島貫警部……所轄警察署の捜査主任
宗像警部……野上の元上司

A

河内家の三人兄弟は、暢気《のんき》で退屈な金利生活者だった。亡父秀太郎の遺したかなりの財産を、新憲法の趣旨に則って仲良く三等分し、その分け前を三人三様の思惑でそれぞれ最も安全有利と信ずる事業に投資して、それから生れてくる利潤を唯一の頼みとしこの苛酷な世相を余所《よそ》に、惰眠を貪り、安価な享楽に耽り、懐手の咥《くわ》え楊枝で、我が世の春と太平楽をきめ込む分には、聊《いささ》かの破綻も来《きた》さないという、甚だ結構な身分である。

長男の秀夫《ひでお》は取って三十五の男盛り、次男の信義《のぶよし》は三つ違いの三十二才、末弟の俊作《しゅんさく》もやはり三つ違いの二十九で、三人共妻帯していた。が、申し合せたように子供は無く、三人共、妻と二人暮しの水入らずといった気楽さだった。と言っても、三人が別々に家を構えている訳ではなく、亡父が建てた宏壮《こうそう》極まる洋館の各部屋を、これも仲良く分《わか》ち合って、それを生活の本拠にしているのだった。障子一重《ひとえ》の隣室から、弟夫婦のひそやかな睦言《むつごと》が洩れ聞えたり、襖一枚を隔てた隣りの部屋から、兄夫婦の諍《いさか》いの毒舌が筒抜けに耳を劈《つんざ》いたり、夜毎の閨房《けいぼう》の私語《ささやき》を隣室の者に聴かれはしないかと気兼ねしなければならない日本家屋と違って、防音設備を施した厚い壁と、真昼でも部屋の中を真暗にする事の出来る、一分の隙もない鉄製の鎧戸と、鍵《かぎ》をかけ錠を嵌《は》めた以上、大の男が三人してぶっつかってもびくともしない頑丈な樫《かし》の扉を有《も》つこの洋館の各部屋は、完全に外部から遮断され隔絶されるので、その部屋の中で、どんなに喋々喃々《ちょうちょうなんなん》しようと、如何に喧嘩口論をぶちまけようと、どれほど乱痴気《らんちき》騒ぎを演じようと、誰に遠慮や気兼ねをする必要もなかったから、秀夫も信義も、そして俊作も、強《し》いて別に家を構えようとはせず、ホテル住まいのような環境に甘んじていた。

三人の妻はそれぞれその夫を愛している。

秀夫の妻は鮎子と云って二十五才、若鮎のようにピチピチした躰つきの水々しい女だった。十も年上の夫に、何かと言えば良く甘えかかって、鰻のようにその頸に巻きついて、水母《くらげ》の如くゆらゆらと軀を揺振《ゆすぶ》る。彼女はそうする事を夫操縦の把手《ハンドル》と心得て、夫攻撃の柔らかい武器としていた。

総領の甚六、と言う御多分に洩れず、秀夫は馬鹿でお人好しだった。うらぶれた友人の誰彼が、返済の当《あて》なき借金を申し込んで来ると無下には断り兼ねて、三度に一度は財布の紐を緩めるといった男、その癖投機心が強く、有利な事業を創《はじ》めるからと持ち込まれて、危うく欺されそうになったり、麻雀《マージャン》に負けて所持金を失《な》くしたり、競馬や競輪の穴が外れ、財布の底をはたいて始めて我に返って蒼くなったりして、弟達の憫笑を買い、妻の不安を唆《そそ》り立てる。夫そのものを愛していると同時に、その財産から生ずる利潤に依《よ》る生活の安定を、より以上に愛している鮎子は、その柔らかい武器である、鰻の如きクネクネ、水母のようなユラユラでもって、馬鹿でお人好しで投機心の強いがためにともすれば無軌道に奔《はし》り勝《がち》な夫を、安全に操縦し、やわらかく制御した。

信義の妻正子《まさこ》と俊作の妻洋子《ようこ》は姉妹である。洋子は二十六で正子は二十二、姉を薔薇の花に譬《たと》えれば、妹は楚々として可憐な白百合の花だった。姉の洋子が異国的《エキゾチック》な美貌の持ち主であるのに反して、妹正子の美しさは飽くまでも日本的だった。洋子は明るく朗かで、そして勝気だったが、正子はおとなしくしとやかで、かなり内気な女である。が、別に相反目するような理由もないので、姉妹の仲は睦《むつま》じく、お互いに相手を、ねえさん、と呼んでいた。正子が四つ年上の洋子を姉さんと呼ぶのは当然の事だが、洋子が夫俊作の兄である信義の妻正子を、嫂《ねえ》さんと呼ぶのは他の者には可笑《おか》しく聞えた。正子も嫂《ねえ》さんと呼ばれる事に照れ臭さと面映《おもは》ゆさを感じて、娘時代のように、正ちゃんと呼んで頂戴よ、と姉に苦情を言うのだが、こうして人妻となった以上どこまでも夫本位に言動しなければいけないわ、貴女は信義お義兄様《にいさま》の奥さんだから、私が貴女を嫂《ねえ》さんと呼ぶのは当然《あたりまえ》の事よ、と言って却って妹を窘《たしな》める洋子だった。その封建的な古臭い洋子の律気さを、正子はむしろ嗤うのだが、鮎子同様に、夫その人を愛すると同時に、生活の安定を愛している洋子は、幾ら妹に嗤われようと、夫奉仕に、嫂《ねえ》さんと呼ぶ習慣を改めようとはしなかった。

正子の夫である次男の信義は、音楽に趣味を有《も》ち、自分の部屋に電蓄を据え、本棚をレコード棚として、十二吋《インチ》の洋盤《レコード》を買い漁り、交響楽《シンフォニー》に明け、協奏曲《コンチェルト》に日を過し、奏鳴曲《ソナタ》に暮れるといった、音楽の申し子みたいな男である。長兄の秀夫や末弟の俊作などが、殺人的な燥音だと眉をひそめて耳をおさえる態のベートヴェン第五シンフォニーでさえ、彼にとっては母親の子守唄にも比すべき絶好の旋律《メロディ》以外の何物でもなかった。信義はまたダンスも好きだった。正子はダンスが出来ないので、時折りは洋子を誘ってダンス・ホールに出掛けた。が、キャバレーには滅多に行かない。酒は相当に飲《い》ける口だったが、キャバレーで飲んだり踊ったりするほど、不経済で不健康的な事はない、と彼は思っているのだから、止むを得ないお交際《つきあい》の外《ほか》はそういう場所には絶対に足を踏み入れなかった。正子はそういう夫を嬉しく頼もしく思っていたが、しかし夫が姉を誘ってホールへ出掛ける時などは何となくいやな気がし、仄《ほの》かな嫉妬をさえ覚えるのだった。

洋子の夫俊作は、文学趣味のおとなしい男である。いつも自分の書斎に閉じ籠《こも》って読書に余念がなかった。洋子は、そういう夫に飽き足りないものを感ずる事が間々《まま》あったが、優しくて物分りの良い夫を、彼女は愛していた。普通の場合、愛情の表現に関しては、夫が積極的であり妻は消極的であるものだが、彼と彼女の場合は全く正反対だった。優しくておっとりしている俊作は、妻を愛する夫ではなくして、妻に愛される夫だった。明朗で勝気な洋子は、夫に愛される妻ではなくして、夫を愛する妻だった。従って閨房の中では、彼女が夫であり彼が妻のようなものだった。そういう形式の愛情の交歓《こうかん》を、二人とも別に不自然に感じないほどに、夫と妻の位置転換は常習化されていた。

女中は一人も置いてないので、鮎子と洋子と正子が三人掛りで食事を作った。電話をかけさえすれば必要なものはすぐに届けてもらえるので、買い出しに出掛ける必要はなかった。三人の夫は、仲の良い兄弟の所為《せい》か、食べ物に関する嗜好は大体に一致していたので、三人の妻はその点やり易く、少しも気を使わないで済んだ。起床の時間は一定していないので、朝食はそうは行かなかったが、昼食と夕食は、いつも三組の夫婦、六人で一緒に摂《と》った。食事の後ではきまったように埒《らち》もない歓談が笑いさざめきの裡《うち》に面白可笑《おか》しく取り交される。そうして、話の種も尽き果てると、各自の部屋に引きあげて行く。

秀夫と鮎子の夫婦は別館を占有していた。本館と同じ赤煉瓦《れんが》作りの洋館で、三つの部屋を有ち、その一つは秀夫の書斎、一つは鮎子の居室、今ひとつは二人の寝室に使われている。信義と正子の夫婦は、本館の二階の二部屋を、二人の占有としていた。階下には応接室と食堂と浴室以外に二つの部屋があって、俊作と洋子の夫婦がその二室を占有していた。別館の方はそれで空室は無い訳だったが、本館の二階には二つの部屋が空いていた。その二室のうちのどちらかを、私の姉さん達夫婦に貸していただけないでしょうか、と洋子が遠慮がちに切り出したのは、正月の十日過ぎの事だった。

洋子の姉というのは、野上貞子《のがみさだこ》といって三十才、女には珍らしい探偵作家である。その夫の野上丈助《じょうすけ》は、市の警察署に職を奉ずる捜査課の警部補だった。郊外の農家に間借りをしているのだが、遠くて通勤に不便だし、警察署に近い河内家の二階の一室でも貸していただければ……と、姉貞子を通じて、洋子は野上丈助から頼まれていたのだった。捜査課に勤めている人なら、きっと面白い話が毎日きけるに違いないと、お人好しの秀夫はすぐにその話に同意した。信義にしたところで、妻の正子の姉夫婦の事であってみれば、無下に反対する事も出来兼ねて捜査課の警部補さんなら、泥棒の用心にもなっていいなどと、冗談まで言って、口では賛意を表したが、内心では同じ二階に他人を住まわせる事を不満に思っているふうだった。しかし、俊作は移り住む人が探偵作家であり、しかもその夫が捜査課の係官であるという事に興味を抱いて、秀夫と同様に快く洋子の願いを容れたのである。

そうした訳で、野上夫婦が引っ越して来たので、四組の夫婦が毎晩の食事に顔をつき合す事となった。野上丈助は温厚な人柄だったので、河内家のなごやかな空気をかき乱す事もなく、隔意《かくい》なく食事を共にし、腹蔵なく話し合う事が出来たので、始めのうちは冷たい眼でみていた信義も、やがては心置きなくつき合うようになった。

野上貞子は三十といっても子供が無い所為《せい》か、ひどく若ぶりな女で、妹の洋子と比べてみても、どちらが姉か妹か分らない位であった。顔貌《かおかたち》は正子に似て、上品な美しさを湛《たた》えており、撫で肩の細腰という大正美人的な軀つきをしていた。口数が少く、いつも考えに沈んでいるような影の薄い女だったが、一度口を開けば、何人《なんぴと》をも酔わせずにはおかないような巧みな話術を有《も》っていた。さながら物語の本でも読んでいるような、縷々として尽きない彼女の話に、最も熱心に耳を傾けるのは、文学趣味の俊作だった。彼の関心は彼女に向けて急速度に高められその結果、これまでは滅多にあがった事もない二階の貞子の居室を訪れて、長いこと話し込むようになった。洋子はそれを淋しく思い、仄かな嫉妬をさえ感ずるのだったが、自分が言い出して姉夫婦を住まわせるようにした手前、夫に対して聊《いささ》かの不満を訴《うった》える事も出来なかった。

貞子の夫丈助は、貞子より四つ年上の三十四で、浅黒い顔に引き緊《しま》った唇と鋭い瞳を有《も》つ、男性的な魅力に溢《あふ》れた風貌の持主だった。その丈助に対して、鮎子はかなりの好意を寄せているふうだった。晩餐の席で彼をみつめる彼女の瞳には、いつも熱っぽい輝きと、じっとりした潤いが充ち満ちているように見受けられた。それに気附いても、秀夫はしかし平気な顔をしていた。彼は、妻の鮎子よりもむしろ弟信義の妻である可憐な正子を愛しているのだったから……。

秀夫が、自分より十三も年若な正子に対して、いつも御機嫌をとり結び、チヤホヤするのが、はたの者の目に余る事も一再ではなかった。が、それに気附いても信義は平気な顔をしていた。彼は、妻の正子よりもむしろ弟俊作の妻洋子を愛しているのだったから……。信義はよく洋子を誘ってホールに踊りに行った。自分の部屋に連れ込んで、レコードの伴奏で踊る事さえあった。が、それを知っていながら、俊作は平然としていた。彼は、妻の洋子よりもむしろその姉の貞子を愛し慕っているのだったから。

俊作が貞子の居室を繁々と訪れて長いこと話し込むのが、はたの者の目に余る事は度々だったが、丈助は全然それには気附かなかった。彼は、秀夫や信義や俊作と違って、勤めを持つ身だったから、そんな事に気附く訳がなかったのである。気附いたとしても、彼は平静を装うべく余儀なくされたであろう。彼はこの河内家の単なる間借人《まがりにん》に過ぎないのだから。そしてまた、自分に思いを寄せているらしい鮎子の、若鮎のようなピチピチした軀に、多少の魅惑を感じないとは言えないのだから……。

三人兄弟と三人姉妹、それに丈助と貞子を交えた四組の夫婦は、一見したところでは、極めて平穏無事な起居を共にし、間借人である丈助と貞子の夫婦を除いては、三人とも暢気《のんき》で気楽な、しかし、それが故に聊《いささ》か退屈で単調な生活を送り迎えしていたが、彼等の胸奥《きょうおう》は決して平穏無事でもなく、暢気で気楽でもなく、また、必ずしも単調で退屈でもなかったのである。

秀夫、信義、俊作、丈助の四人の夫達、それに配する、鮎子、正子、洋子、貞子の四人の妻達、外見上は飽くまでも四組の夫婦であったが、内面的にはむしろ四組の恋人同志……それが相思相愛の仲であるかどうかは別問題として……と言えるのであった。

これは甚だ穏やかならぬ事だった。がしかし、彼等四組の夫婦が、半ば共同的の生活を営んでいる以上、内面的の精神の問題まで制約する事は不可能だった。肉体的には四組の夫婦はそれぞれ固くくっついて離れなかった、が、精神的にはバラバラに離反している。妻達はともかくとして、夫達はそれぞれ違った相手を求めて精神的に狂奔していた。それが精神だけの問題にとどまっていれば問題はなかったが、それが行動に現れてくると、大変面倒な事になると言わねばなるまい。その行動も傍《はた》の者が見てちょっと目に余る程度のそれだったら、殊更にとやかく言うべき事柄ではなかったが、夫婦関係の破綻を来すほどの露骨な行動にまで進展しては甚だ困りものだと言わねばならなかった。

丈助はともかくとして、秀夫、信義、俊作の三人が、それぞれ自分の妻を嫌悪して、他人の妻を愛し、それだけならまだいいが、その肉体をまで慾求するようになっては、事面倒位では済まなかった。四組の夫婦に、三人の兄弟と三人の姉妹が含まれているだけに、尚更のこと、事は重大だった。甚だ厄介至極なトラブルと言わねばならない。

B

ある日の午後、秀夫が正子の居室の扉を遠慮がちにノックして、

「ちょっとお話したい事があるんですが、入っても構いませんか?」と言った。

「ええ、どうぞ」正子としては、夫の兄である秀夫の入室を拒む訳にも行かぬので、お義理にもそう応えずにはいられなかった。

秀夫は部屋にはいって扉を閉め、

「信義はどこへ出掛けたんですか?」

「さあ。多分、夢路へ行ったんでしょう」

夢路と言うのは、信義が行きつけのダンス・ホールである。

「洋子さんも一緒なんでしょう」と言って、秀夫は、ニヤリと笑った。

「私、存じませんわ」正子は低く答えて俯向《うつむ》いた。着物の襟からこぼれて見える白い項《うなじ》が、彼女を愛している秀夫の瞳に、堪《たま》らないほどの蠱惑《こわく》となってなまめかしく映る。

「洋子さんも仲々ダンスがお好きですね」

「お掛けなさい……」

正子が勧める椅子に浅く腰かけて、

「貴女は信義をどう思っていますか？」

秀夫はオズオズと要談に触れた。

「どうって、別に」正子は困ったような顔をして、硬張《こわば》った面《おもて》をあげて義兄をみつめた。彼の視線が自分の胸の辺りに強くそそがれているのに気附くと急いで襟をかき合せた。

「……愛していますか？」

「ええ。でも、何故そんな事を？」

彼女には秀夫の意中がある程度まで読めていた。それを訴《き》き糺《ただ》す事はいやだったが、しかし、一時も早くそれを確かめて、きっぱりと拒絶してしまいたいような、無性《むしょう》に苛立《いらだ》たしい彼女の気持ちだった。

「信義は洋子さんを愛しているんじゃないでしょうかね？」

正子は何とも返事が出来なかった。

「僕は、そう思っているんですけど……」

「お話と仰言《おっしゃ》るのは何でしょう？」

改まった口調で正子にそう訊かれても、秀夫はさすがにすぐには言い出しかねて、紙巻に火を点《つ》けて、喫《ふか》すでもなく、それを指先で弄《もてあそ》んでいる。長い事そうして黙っていた。正子はたまりかねて「私、気分が悪いんですけど……何でしたらまた後《のち》ほど……」

「おや、それはいけませんね？　風邪でもひかれたんですか」秀夫は、さも心配そうに言って、紙巻を灰皿に投げて立ち上り、そっと彼女の傍に寄って行った。

「そうじゃないんですけど、ただちょっと」

それ以上の事は言いかねて、正子は面映《おもは》ゆげに面《おもて》を伏せた。その故障《さわり》のために昨夜は夫の要求を拒んだのだが、信義はそれをきき入れず、却って激しく燃え上って散々な目に遭わされた事を思い出したからである。

「でも、顔が火照《ほて》っている……熱でもあるんじゃないですか」秀夫は、咽喉の奥につかえたような声で言って、彼女以上にその頰を紅潮させ、いきなり右掌《みぎて》を彼女の額に触れた。正子はさっと蒼ざめて、彼の掌《て》を避けて上体をのけ反《ぞ》らせた。が、彼の掌《て》は執拗にくっついて離れず、それだけならまだいいが別の手が彼女の背中に廻されて、柔らかく抱き締められてしまった。

「あら！　いけませんわ！」

「正子さん！　僕は……僕は……」

「放して下さい！」正子は椅子から立ち上ろうとしたが、彼の手がそれを押えて、彼女の軀を椅子の背に釘づけにした。

「僕は、貴女を愛している！」秀夫は、喘《あえ》ぎながら言って、彼女の額に唇を触れた。正子は真っ赧《か》になってもがきながら、

「いけません！　放して下さい！」

しかし、秀夫は放さなかった。椅子ごと彼女の軀を抱き締めて、額に触れた唇を徐々にずらして、頰から唇に近寄せて行った。

彼女はもう声が出なかった。呼吸《いき》を喘《あえ》がしながら、精一杯の力を両手にこめて、膝の上にのしかかっている男の軀を突き放そうと悶え狂った。

「正子さん！　僕は貴女が好きで好きで堪《たま》らない！　ね、許して……」

秀夫は、熱っぽい声で囁いて、何か叫ぼうとする彼女の唇を自分の唇でぴったりと塞いだ。そして、甘い蜜でも舐めるかのように、その柔らかな唇を貪り吸った。

「いやよ！　いやよッ！」彼女は心の中で叫びながら、必死の思いで男の軀を突き放そうとした。しかし重くのし掛っている男の全身の重量を、彼女のたおやかな手ではどうする事も出来ない。彼女は及ばずと知りながらなおも両手を彼の胸に当てて突き放そうと焦った。が、彼はもはや狂った獣みたいに、ありったけの力をこめて彼女の嫋《なよ》やかな軀を抱き締めて放さなかった。当然、椅子が後に傾いて、彼がさすがにハッと唇を放した時には既に遅く、彼女は椅子ごと後に引っくり返ってしまった。後頭を床に打ちつけたとみえて、彼女は顔をしかめて物を言う事も出来なかった。着物の裾が乱れて太股《ふともも》の方まで露われているのを繕いも得ず投げ捨てられた百合の花みたいに、絨氈の上にあられもない姿態を曝け出してしまった。

「ど、どうも、済みません！」

秀夫はようやく我に返ったように吃りながら言って、慌てて椅子を退《の》け、彼女の軀を抱き起こそうとした。が、その手を払い除けて「いやです！」彼女はやっとそう叫ぶ事が出来た。「何をなさるんです！」彼女は、叫びながら握り拳を作って男の横腹を突いた。その突きがよほど応えたとみえて、秀夫は片掌《かたて》でそこを押えたまま、彼女の軀の上にへばり込んでしまった。着物の裾が乱れて、彼女の脚が直接に彼の膝に触れた。

「退《ど》いて下さい！」正子は起き直ろうとしたが、男の体重の下から抜け出す事が出来なかった。

「正子さん！」

秀夫は苦しそうな声で呻くように言って、矢庭に彼女の腰に両手をかけ、床の上に押えつけた。温かく柔かい彼女の太股の触感が、彼の慾望を激しくかき立てた。押えつけたままで、唇を、彼女のはだけた胸に触れた。その時、廊下に跫音がして、扉がノックされた。秀夫はハッとして起き直り、着物の乱れを繕った。正子も慌てて立ち上ると、裾前を繕いながら、ふらふらとした足どりで扉の方に歩み寄った。

もう一度扉がノックされた。正子が黙って扉を開けると、姉の貞子が不安そうな面持《おもも》ちで立っていた。貞子はちらッと秀夫の方を見、それから妹の取り乱した顔を瞶《みつ》めて「どうかしたの？」と低く訊いた。

「……いいえ、何でもないの……」

正子は消え入るような声で答えた。

貞子は、しかし、納得出来なかった。

「どうも、お邪魔をしました」

秀夫は低く言って、逃げるようにして部屋を出て行った。それを見送ってから、

「義兄《にい》さんが、何か変な事を仕掛けてきたんでしょう?」と、貞子が訊いた。

正子は黙っていた。唇を震わせていた。

「ねえ、本当に、どうしたと言うの?」

「何でもないの！　いいえ、何でもないのよ！」と言いながら、しかしそうでない証拠を見せつけでもするかのように、正子は姉の胸に取り縋《すが》って、口惜《くや》し泣きに咽《むせ》び始めた。

「何でもないの……ちょっとした拍子に椅子が倒れただけなの、本当に何でもないのよ。だから、

信義さんには何も言わないでよ。黙っていてネ、誰にも言っちゃいやよ」

口惜《くや》し泣きに泣き咽びながら、正子はかき口説くような調子でそう言うのだった。


バンドは、タンゴの甘い調べを奏でていたが、信義は、それが何の曲であるかに注意してはいなかった。彼の全神経は、必要以上に強く抱いて踊っている相手《パートナー》の洋子に集注されているのであった。洋子は、妻の正子と異《ちが》って、豊満な、はち切れんばかりの肉体を有っている。そして、その柔かな感触が、彼女を憎からず思っている彼の官能をぞくぞくと唆《そそ》り立てた。ウールのドレスを通した官能的なタンゴである事も、彼の情感を刺戟する原因となっているのだったが、しかし、彼はそんな事は意識していない。抱き締めている彼女の肉体以外の事は何も考えないで、夢中でステップを踏んでいた。ターンする毎《ごと》に、信義はそれとなくチークを試みた。洋子はそれを別にいやがりもせず、と言って、喜んでいるふうにも見えなかった。

「貴女は素敵ですね！」

彼は彼女の耳に唇を触れて囁いた。

「まあ、何故でしょう?」

彼女は甘ったるい声で囁き返した。

「僕作の奴は幸福です。僕は、弟を羨ましく思いますね」

「妾は嫂《ねえ》さんを羨ましく思いますわ」

「ねえさんとは?」

「貴方の奥さん」と囁いてクスリと笑う。

「それは、本当？」信義は真摯《まじめ》に言った。

「嫂《ねえ》さんが泣きますわ」

　と、洋子も今度は真面目に応えた。

「泣くものですか！　正子は兄貴が好きなんだから。僕なんかどうなったって……」

「そんな事はありませんわ！　嫂《ねえ》さんは心から貴方を愛しているのです」

「僕はしかし、正子を心から好きになる事が出来ないのです。僕はこの頃、貴方のことばかり考えています」

「いけませんわ！　そんな事をお考えになっちゃ。妾には俊作という夫があるんですもの。貴方とこうして踊っている事が、妾は苦しいのです。ずるずると引き摺られて行きそうになって……」

「いいじゃありませんか、構わないですよ……」信義は、熱っぽく囁いてから、強くチークした。

洋子は、電流に触れたかのようにピリッと軀を震わせて、

「いけないわ？」と、喘ぐように言った。

「俊作は義姉《ねえ》さんを愛しているんでしょう。僕には、どうも、そういうふうに思えるんですけど……」

「俊作は姉さんを愛しているんじゃなくって、文学を愛しているんですわ。妾はそう思って安心していますの」

「しかし、油断は禁物ですよ。趣味思想を同じくする者は、得《え》てして恋に陥《おちい》り易いものですからねえ」

「妾は、俊作を摑えて放しません」

「おや、お惚気《のろけ》ですか?」

「いいえ、真面目に言っていますの」

「しかし、たまには僕とも附き合って下さい」

言いながら、彼はその頬を彼女の上気してあからんだ頬に強く押しつけた。

「妾、ダンスのお相手だけは、遠慮させていただきたいと思いますの」

彼女は苦しそうな声で低く言った。

「ダンス以外の相手にはなって下さるんですね? その他の事だったら何でも……?」

信義は口辺に微笑を刻みながら、彼女の瞳に深々と見入った。

「その他の事って?」

信義は返事の代りに彼女の背中に廻した手に力を罩《こ》めて、その膝を彼女の太股の間にぐっと割り込ませた。瞬間、彼女はちょっと蹣跚《よろめ》いて、その拍子にいやと言うほど彼の靴を踏みつけていた。

「痛ッ! これはご挨拶ですね」

「あら、ごめんなさい、つい、うっかりして」

信義は苦笑した。それから急に真摯《まじめ》な顔つきになって、弾んだ声で囁いた。

「僕は、一度どこかでゆっくりと貴女にお話したいと思っているんですが、そういう機会を作っていただけないでしょうか」

「妾の部屋にいらっしゃればいいじゃありませんか。どんなお話か存じませんけど、いつだってお聞きしますわ」

「家じゃ具合の悪い事なんです。貴女と二人きりになれる場所でなければネ」

「どうしてでしょう？」

「はぐらかすもんじゃありませんよ」

信義は苦笑しながら甘く彼女を睨んだ。

「貴女は案外手強い女《ひと》ですね」

「そうですかしら？　自分では弱い女だと思っているんですけど……」

「ね、これからどこかへ行きましょう。一緒に食事でもしようじゃありませんか？」

「いけませんわ、そんなこと。……妾、もう、すっかり疲れてしまいましたわ」

「だから、どこか静かな所へ行って休みましょう。何か美味《おいし》いものでも食べて、ね」

彼は執拗《しつこ》く誘ったが、彼女は首を振って
「それよりも、もう帰りましょう。俊作や嫂《ねえ》さんに、変に思われるといけませんから」

誘いの手には乗らなかった。

「どうしてもいけないんですか？」

「ええ、どうしても！」

「憎らしい女《ひと》！」抱いた手にグッと力を罩《こ》めて彼は素早い動作で彼女の頬に接吻した。

「そんな事、なさらないで下さい！」と、彼女は強く言った。「でなければ、妾だって、堪《たま》らなくなるんですもの……」

「貴女が好きで堪《たま》らないんです！」

彼はそう囁いて、ちょっと頬を染めた。

「何故それを、正子と結婚なさる前に仰言《おっしゃ》いませんでしたの」彼女は切なげに喘いだ。

「あの頃は、貴女を良く知らなかったからです。貴方よりも正子の方を愛していると思っていたんだが、貴女が俊作と結婚して同じ家に住むようになってから、僕は、正子よりも貴女をより以上に愛していた事に気づいたのです。今からでも遅くはない。俊作と別れて僕と結婚してくれませんか？」

「そんな、無茶でしょうか？」

「無茶ですとも！　無茶な事を仰言《おっしゃ》っちゃいや！」

「無茶ですとも！　正子は貴方を心から愛しているんですのに。それに、妾は、俊作と別れようなどとは思いません。妾だって俊作を愛しているんですもの」

そうまでハッキリと言われては、信義としてもそれ以上何も言う事は出来なかった。今日こそは彼女の肉体を完全に征服してやろうと、邪《よこし》まな慾望に胸をふくらませていた信義も、一応、それを諦めざるを得ないのであった。

C

ある日の朝、貞子が机上に置いた白紙の原稿用紙と睨めっこをして、ようやくまとまった構想を再吟味しつつ、如何に書き出したらいいかと迷っていると、廊下にひそやかなスリッパの音がし、コツコツと遠慮がちに扉《ドア》がノックされた。（俊作さんがまたやって来た！）貞子はちょっと忌々《いまいま》しく思いながら、万年筆を原稿用紙の上に置いて、しずかに立ち上った。鍵を廻して扉をあけると、和服姿の俊作が、蒼白い顔を仄かに染めて、もじもじしながら突っ立っていた。

「お仕事中だったんですか？」

朝の食事の時、顔を合せたばかりなのにひと月も会わないでいたような懐しげな瞳の色でまじまじと彼女の顔を打ち眺めながら俊作はそう訊ねるのだった。

「仕事中って事もありませんけど……」

貞子は微笑《ほほえ》みながら曖昧に言って、

「どうぞ、おはいりなさい」

「じゃ、ちょっとお邪魔します」これは彼が彼女の部屋を訪れる時の口癖だ。ちょっとと言うのは無論口先だけの事で、部屋の中へはいって椅子に腰かけた以上、長くて三時間、少くとも一時間は動こうともしない俊作だ。

「今度はどんな作品《もの》をお書きになるんです……」彼は机上の原稿用紙を覗き込み、

「やはり、探偵小説ですか？」

娯《たの》しそうに瞳を輝かせながら訊いた。

「探偵小説になるか、愛慾小説に終るか、書いてみなければ分りませんわ。興が湧いてくると、構想を無視して、とんだ横道に外《そ》れることがありますから……」

「いや、同感です。それが本当に文学するもののやり方なんですから……」

「でも、それじゃ探偵作家としての資格は零《ゼロ》って事になりますわ。感情に囚われないで、冷静に筋を運んで行かなければ……」

「そりゃそうですが、しかし、情熱をもって書いた作品《もの》なら、読者がそれを探偵小説と思おうと、愛慾小説と思おうと、少しも構わないじゃありませんか？」

「でも、それじゃ作家としてあまりにも無責任ですわ。作家も一種のメーカーですから探偵小説を書こうと思ったら、探偵小説を作らなければいけないと思うのです。それに今度は本格物を書いてみようと思っているのですから、情熱の赴くままに勝手な横道にそれる事を防止しなければ、とんでもない作品《もの》になるでしょう」

「それはそうですね。……で、どんなトリックを使用されるんですか？」

「密室ものですわ。四つの殺人に四つの異なる密室トリックを使ってみようと思いますの。大それた野心かも知れませんが」

「四つの異なる密室トリックって？」

と、俊作は妙な顔をした。貞子は微笑《わら》って「出来上ったらお目にかけますわ。今そのトリックの種明しをしたのでは、不可解性を減殺する事になりますもの。犯人が捕まるまでは秘密にしておきましょう」と、悪戯《いたずら》っぽい調子で言う。俊作は苦笑して「すると、一家の内部に起る連続殺人ですね？」

「そうですわ。〝四つの死の部屋〟という題にしようと思っていますの」

「四つの死の部屋……。すると、当局では自殺と推定する訳ですか？」

「と思わせるように書いて行こうと思ってはいるんですけど、思い通りには運ばないでしょう。でも、努力はしてみるつもりです」

貞子は立って、ストーブに石炭をくべた。

俊作は紙巻をとり出して、赤く灼《や》けた所にこすりつけて火を点《つ》け、美味《うま》そうに深く吸う。貞子の地味な和服姿を、目を細めてうっとりと瞶《みつ》めていたが、ふと気附いたように「貴女はどうして男性のペン・ネームを使っておられるんです？　筆名を二つもっている作家は沢山ありますが、貴女のように男女両様の筆名《ペン・ネーム》を使っている作家は、珍らしい事だと僕は思うんですけど……」

「別に理由はありませんの」

と、貞子は火かきを弄《もてあそ》びながら「ただ、本格物は男性の筆名の方が貫禄があっていいと思って使っているだけの事ですわ」

「なるほど」と、俊作は苦笑しながら「女性では読者がバカにして掛りますからね。女探偵では犯人が甘くみて掛ると同じようにね……なるほど、そういう訳なんですか」

「それから、女性としては書き難《にく》いような事を、男性になった気持ちで思う存分書いてみたいという気持もありましたの」

と言って、貞子はちょっと含羞《はにか》み笑いをした。薄桃色に塗った唇の間から、皓《しろ》い歯並《はなみ》が美しくこぼれた。恍惚《うっとり》としたまなざしでさながら母親の笑顔に見入る幼児のように、俊作はじっと貞子の口許を瞶《みつ》めた。貞子はそれに気附いて、面映《おもは》ゆげに片掌《かたて》をあげて口を掩《おお》う。透き通るほど色の白い華奢な指に、猫眼石《オパール》の指環《リング》が光っていた。

「何故そんなに妾の顔ばかり御覧になりますの？　何かついていますかしら？」

貞子が微笑《わら》いながらそう言うと、俊作は戸惑《とまど》って視線を床に落し、

「義姉《ねえ》さんはとても若振りですね。洋子の姉さんとは思われない位です」

「いいえ、妾はもうお婆さんよ。主人がよくそう言いますの。せめて服装《みなり》やお化粧だけでももっと若々しくしたらどうかって」

「僕はそうは思いません。幾ら地味な着物を着ておられても、そして薄化粧をしておられても、

若々しさは隠し切れません。僕は派手にする事は何事によらず嫌いな性分です。洋子がいつもまるで夜の女みたいな厚化粧をしているのを、僕は時々文句を言うんですけど、洋子は美しい方がいいでしょうと言って相手にしません。女性の美しさは、化粧の仕方に依《よ》っては却って損われるものですね」

「洋子に注意しておきましょう」

「いや、そういう意味で言ったんじゃないのです。……僕はただ、貴女が……」

「妾が？　どうかしまして？」

「貴女が若くて美しいと言ったまでです」

「そう言っていただけるのは貴方だけですわ」

貞子はにっこりと微笑《わら》って、あかくなっている俊作の顔を探るように瞶《みつ》めた。

「僕は貴女のような美しい義姉《ねえ》さんを持って幸福です。貴女がこの家に来られてから毎日の生活が仄々《ほのぼの》と娯《たの》しくなってきました」

貞子は黙って微笑していた。そう言われる事は、決していやな気持ちではなく、むしろ何だか擽《くすぐ》ったいような心地だった。

「僕が度々お邪魔をして、御迷惑じゃないでしょうか？」

「いいえ、そんな事ありませんわ。貴方とお話していると、何だか若返って来るような気がして、私だって楽しく思いますの」

「そうですか？」俊作は疑わしげに言って貞子の顔をじっと瞶《みつ》めた。まるで可愛い弟でもあるかのように、貞子は彼の面《おもて》を親愛の罩《こも》った優しいまなざしでじっと見返す。

「本当に……」と言って、貞子は誘いかけるような媚笑を泛べてみせた。その微笑《わら》いが臆病な俊作に勇気を与え、先刻から言おうか言うまいかと迷っていた事を口にするキッカケとなった。「僕は義姉《ねえ》さんが好きです」俊作は真っ赤になったが、しかし、貞子は平然として顔色も変えなかった。

俊作はつと椅子から立ち上って、彼女の傍に歩み寄った。「僕は、率直に言って、貴女を愛しています！　僕の胸は、このストーブのように熱く火照《ほて》っています！」

貞子は苦笑したが、俊作は大真面目だった。いきなり絨氈の上に跪《ひざまず》いて、両手を彼女の膝の上に置いて言った。

「僕を……僕を愛して下さい！」

貞子は困惑の面持《おもも》ちで、

「だって、貴方には洋子という奥さんがあるじゃありませんか。妾だって野上の妻なんですもの」と、優しく言いきかせた。

「それは分っています！　しかし僕は、洋子より貴女を愛しているのです！」

「だから妾にも、主人よりも貴方を愛してくれと仰言《おっしゃ》るの？」

「いえ、そういう意味で言ったのじゃありません。貴女が御主人を愛される事は御自由です。だから御主人の次に、僕を……」

「それだったら構いませんわ。お希《のぞ》みならそうさせていただきましょう」貞子は冷静に言って、膝の上に置かれた彼の掌《て》をそっと握り「でも、貴方も、洋子の次に妾を愛していただくのでなくては困りますわ。洋子は妾の妹ですから、それに、妾達夫婦は貴方の家の間借人なのですから、そういう条件でないと妾の立場が危うくなってきますもの」

「そうします！　だから、僕を……」

「妾は、洋子や正子を愛しているのです。ほかの誰よりも……。ですから、妹の幸福を奪うような結果になる事を何よりも懼《おそ》れているのです。どうぞ、洋子を今まで通りに愛してやって下さいませネ」

「愛します！　洋子を愛してやります！」

「そういう条件つきでしたら、妾は貴方のお希《のぞ》みに応じますわ。ただ一つのことを除いては、どんなことでも」貞子は俊作の肩に掌を置いて「お判《わか》りでしょう？　それだけは洋子にお求めになるのが当然ですから」

「僕は、そんな事まで貴女に求めはしません、決して！」と、俊作は強く言った。

「物分りのいい方ね」母親の子供に対する褒め言葉のような調子で言って、貞子は俊作の頬を両掌《りょうて》で軽く挟んだ。

「そんな事は洋子だけで沢山です！」俊作はきっぱりと言って、始めて男の腕に抱き締められた処女の如く、耳のつけ根まで赧《あか》らめてぶるぶると小刻みに戦《おのの》き震えた。

「妾に出来る事はどんな事でしょう？」

「僕を、抱き締めて下さい！」

貞子は言われる通りにして「貴方って、まるで女のような方ね」と囁きながら、彼の頬にそっと唇を触れた。彼はその顔を捻《ね》じ向けて真正面《まとも》に彼女の顔を瞶《みつ》めた。唇を微かに痙攣させながら、恍惚《うっとり》として目を細めた。心娯《たの》し気にそれを見つつ「接吻なさってもいいのよ」と、彼女が微笑みながら言った。しかし、俊作はじっとしていた。じっとしたままで、そっと眼を瞑《つむ》った。

「貴方って、本当に可愛い方ね！」彼女は上ずった声で囁いて、自ら唇を寄せて行き彼の唇に犇《ひし》と重ねた。彼は呼吸《いき》を弾ませてマラリヤの発作みたいに激しく軀を顫わせた。それまでは、肉身の弟に対するような虚心な気持ちでいた彼女も、さすがに悩ましい昂奮を覚えて、しっかりと唇を合せたまま、激しく喘いだ。彼の手がそっと懐にはいってくるのも気附かないでいた。が、乳房に触れた彼の掌に、ハッとして唇を放した。

「いけない？」と、彼が低く言った。

「いいえ、いいのよ」と、彼女も低く応えて「いいのよ、貴方の思うようになさっていいのよ！」

彼の掌が遠慮がちに乳房をまさぐり始めると、彼女は堪《たま》らなくなって胸を拡げた。

「接吻して頂戴！」

彼の唇が彼女の乳房を吸い始めると、彼女は狂ったように身悶えをしながら、

「妾、貴方が可愛くて可愛くて堪《たま》らなくなったわ！　ねえ、どうしたらいいの？」

それに応えるかのように、彼は彼女を抱きしめたまま立ち上らせて、蹣跚《よろめ》きながらベットの方に連れて行った。彼がそうさせるまでもなく、彼女は自らベットの上に倒れた。薄目を開けて彼の顔を瞶《みつ》めながら、じっとして息をとめていた。やがて、彼の軀がその上に折り重なって倒れた。しっかりと抱《いだ》き合って、二人は戦《おのの》き震えながら唇を合せた。彼女は心の片隅で、男が最後の行動に移る事を半ば期待し、半ばそれを懼《おそ》れ危ぶんでいたが、彼は彼女を抱きしめたまま、いつまで経っても、動こうともしなかった。

「貴方って、本当に臆病な方ね！」内心ほッとしながら、口先では怨ずるように言って彼女はやさしく彼を睨むのだった。

その夜、俊作はいつもと異って、妻の洋子に激しい愛撫を加え、彼女を吃驚《びっくり》させた。

「貴方、どうなさったの？　妾、何だか変な気持だわ。まるで人が変ったみたいよ」

「僕は君を愛しているんだ！」

「まあ、嬉しいわ！」

「君の次には義姉《ねえ》さんが好きだ」

「いやよ、そんな事を仰言《おっしゃ》っちゃ……」

「でも、真実だから仕方がない」

「妾も、貴方の次には義兄《にい》さんが好きよ」

「兄貴は君の夫に相応《ふさわ》しい人だからね」

「いやよ、そんな事を仰言《おっしゃ》っちゃ……」

言いも終らぬうちに、彼女の唇は彼の唇でぴったりと塞がれてしまった。近頃にない事だったので、洋子は、身内の血をより一層に熱く沸き滾《たぎ》らせて、夫の胸にしがみついて行くのだった。

ともすれば信義の誘惑の手中に引き摺り込まれて行きそうな気持ちを、この一夜に依《よ》って、洋子は完全に食いとめる事が出来た。そしてまた、俊作は俊作で、辛うじて堪《た》え忍んでいた貞子に対する肉体的の慾望を熱狂的に妻を愛撫する事によって、幾分なりとも満足させる事が出来たのであるが。

D

ある土曜日の午後、野上丈助が警察署からの帰り途、今日は貞子の誕生日だから、何か買ってやろうと思い、行きずりの小間物店にはいって行くと、

「あら、いまお帰りですの？」

と、いきなり甘ったるい声で呼び掛けられた。鮎子だった。駱駝の外套《オーバー》の襟からはみ出したピンクの絹マフラーに深々と頤《あご》を埋《うず》めて、彼女は婉然《えんぜん》と微笑《わら》いかけて来た。

突然だったので、丈助が面喰ってドギマギしていると、彼女はなおも、

「奥様のお買物ですの？」

と、親《した》しそうに言って、馴れ馴れしく彼の傍に近寄って来た。丈助は面映《おもは》ゆげに、

「家内《かない》の誕生日なので、何かと思って」

「まあ、そうですの。じゃ、あたくしが見立てて差し上げますわ。でも、あたくしの見立てじゃ奥様のお気に召さないかしら」

「そんなことはありませんが……」

と、丈助は照れ臭そうに微笑《わら》って、

「貴方の見立てられたものを買い求める程の資力《しりょく》が僕にはありませんから……」

「まあ、あんなことを仰言《おっしゃ》って……」

鮎子は娯《たの》しそうに言って「で、どんなものをプレゼントなさいますの？」

「ハンド・バッグでも……」と、丈助は低く言って「安物でいいんですが、どれか適当なやつを見立てていただきましょうかね」

「あたくしの見立てでよろしければ……」

鮎子は語尾に妙なアクセントをつけて言い、飾窓《ショウ・ウインドウ》の中をのぞき込んで、あれこれと物色した。

「奥様はお幾つですの？」

「取って三十のお婆さん……」と、巫山《ふざ》けた調子で言い、丈助は磊落《らいらく》に哄笑《わら》った。

「ですから、あまり派手なのはいけませんよ。家内は地味な方が好みなんです」

「あれがいいわ」

彼女が指したのは、緑色のナイロン製のピカピカ光るバッグだった。

丈助はそれを求めて表に出た。鮎子も自分の買物を済ませて跟《つ》いて出ながら、

「まっすぐにお帰りなさいますの？」

「ええ、別に用事はありませんから……」

鮎子は黙って、彼の傍に寄り添って歩いた。彼は何だか面映《おもは》ゆかった。行き交う人達が二人を物珍らしげに見て通るからだ。向うからやって来た巡査が彼に目礼し、それから鮎子の方に訝《いぶか》し気な視線をチラと投げて行った。小さな喫茶店の前まで来た時、

「何か温かい飲物《もの》でも召し上りません？」

彼女が立ちどまって彼の横顔を仰ぎ見た。

「僕はどちらでも……」と言ったが、彼は先に立って中にはいって行った。片隅のボックスに向い合って坐り、注文は彼女に任せて、彼は紙巻を喫《ふか》した。

「奥様の探偵小説は、貴方の職業的御経験を材料にして出来るのではございません」

「いや。僕はまだ小説になるような事件にぶつかった事は一度もありません。始めから犯人の目星のついたコロシばかりでした」

「コロシって、何の事ですの」

「殺人事件の事をコロシと言うんです」

「恐ろしそうな言い方ですのね」と言って鮎子は眉をひそめた。間もなく、珈琲とケーキが運ばれてきた。かわいらしいおちょぼ口をしてそれを一口啜《すす》ってから、

「奥様は本当にお美しいわ」

と、鮎子が溜息まじりに言った。

「そうでもありませんよ。貴女の方がよっぽど美しい。雲泥の差がありますね」丈助がお世辞を言うと、鮎子は含羞《はにか》んで、

「まあ、あんなことを。お口の上手な警部さんだこと」媚びるような微笑を湛《たた》えて、甘ったるく彼を睨んだ。丈助は照れて横を向き「貴女こそ。僕はまだ警部になってはいませんよ。恐らく万年警部補でしょうよ」

「でも、貫禄が充分にありますわ。とても御立派ですもの。奥様が……」

「何ですか?」と丈助は彼女の瞳を見た。

「奥様がお羨やましいくらいですわ」

「僕も、貴女の御主人が羨ましいです」

「まあ、あんなことを仰言《おっしゃ》って……」

丈助は哄笑《わら》って「本当ですよ！」

彼を瞶《みつ》める彼女の瞳に、突然のように熱っぽい輝きとじっとりした潤いが漲《みなぎ》ってきた。

「本当に、そうお思いですの？」

丈助は微笑《わら》って返事もしなかった。やがて「出ましょうか」と、低く言い、彼が勘定をしようとすると、彼女が逸早く立って行ってそれを済ませた。

表に出て電車に乗った。ラッシュ・アワーで混み合っていた。丈助と鮎子はデッキから中に入る事も出来ず、冷たい風に吹き曝《さら》されねばならなかった。鮎子は外套《オーバー》の襟に顔を埋《うず》めてむっつりと押し黙っていた。

「寒いですね」と、彼が言った。

「ええ……」と、彼女は低く応えたきりですぐに口を噤《つぐ》んでしまった。何が彼女の気持ちを損ねたのだろうか？　丈助はそれを訝《いぶか》しく思っていると、突然、電車が大きく揺れた。弾みを喰《くら》って、彼女はよろよろッと横に蹣跚《よろめ》いて、危うく放り出されようとしたが、その前に、彼の手がしっかりと彼女の右手を摑んでいた。

「危いとこだった！」と、彼は喘いだ。鮎子も呼吸を弾ませて、彼の掌を握り締めた。そして、いつまでも放そうとはしない。手袋越しだったが、丈助は彼女の体温を意識して、その温かさに顫えた。手袋が邪魔《じゃま》っ気《け》に思われた。意識して強く握ると、微《かす》かながらも反応があって、彼女もそっと握り返してきた。彼は彼女の掌を自分のオーバーのポケットに入れて、弁解がましく言った。

「貴女にもしもの事があっては、河内さんに済まないですから……」

彼女は黙っていた。しかし、その掌は強く彼の掌を握り締めて放さなかった。仮令《たとえ》電車が引っくり返っても決して放しはしないと言わぬばかりに――。

　彼がプレゼントの包みを渡さないうちに彼女はいきなり彼の首っ玉にとびついて来て、彼の唇に強く吸いついた。一年振りに会った恋人に対するように、彼女は熱い接吻を彼の唇や頬に雨の如く降りそそがせた。

　丈助は呆《あ》っ気《け》にとられて、

「どうしたんだ？　まるでヤンチャ娘みたいに。気でも狂《ちが》ったんじゃないのかね？」

「今日はとても、貴方が恋しかったのよ」

　貞子は、夫の胸にしがみついたままで、甘ったるく言った。

「いい年をして何だ！」

　丈助はちょっと苦い顔をしたが、すぐに笑って「誕生日だからお土産を買って来たよ」

「まあ、何でしょう！」

　貞子は夫の手から包みを引ったくって、

「今日が妾の誕生日って事をよく覚えていて下さったのね」と、嬉しそうに声を弾ませて、もう一度彼の唇に接吻して、包みをほどいたが、すぐにいやな顔をして「こんな派手なもの……貴方のお見立て……？」

「うん、まあ、そんなものだよ」

「こんな派手なもの持って歩かれやしないわ。妾には黒が相応《ふさ》わしいのよ」

　丈助はむっとして「せっかく買って来てやったのに文句を言うな！　君に派手過ぎるなら洋子さ

んにでも呉れてやればいいじゃないか！　洋子さんにもうつらなけりゃ正子さんに……」と、棘々《とげとげ》しく言った。

「ごめんなさい。そんなつもりで言ったんじゃないのよ。そんなに憤《おこ》っちゃいやよ！」

丈助はそっぽを向いて黙っていたが、ふと机の上にある小さな紙函に眼をとめて、手に取って蓋《ふた》をあけた。紺青色《こんじょうしょく》の丸いコンパクトだった。函には熨斗《のし》がついている。

「これは？」と、丈助は、妻を見た。

「俊作さんにいただいたのよ」貞子は、照れ臭そうな顔をして俯向《うつむ》いた。

「派手過ぎて持って歩かれないだろう」皮肉を交えた棘々しい口調で、彼は言った。

貞子は困ったような顔をしてもじもじした。

「誕生日の贈物《プレゼント》って意味なのか？」

「そうなの。お断りしたんだけど、是非ともと仰言《おっしゃ》るものですから……」

「今日が君の誕生日って事を、俊作さんはどうして知っていたのかね？」

「訊かれたからお答えしたのよ」

「変なことを訊く人だな！」

貞子は何とも言う事が出来なかった。

「俊作さんにするつもりで、僕に武者ぶりついたのじゃないかね？」

「変なことを仰言《おっしゃ》らないでよ」と、強く言ったが、急所を抉《えぐ》られた痛さに、彼女は狼狽して思わずも赧くなってしまった。丈助は妻のぎこちない様子を、しばらくの間黙って睨んでいたが、やがて皮肉な調子で、

「実は、そのハンド・バッグは鮎子さんのお見立てだ。妾の見立てでは奥様のお気に召さないでしょう、と鮎子さんは言ってたが案の定、君のお気に召さなかった」

「鮎子さんと、どうして？」

「そのバッグを買った店で出会《でくわ》したんだ」

貞子は疑わしげなまなざしを夫にそそいで、探るようにその顔を瞶《みつ》めた。丈助は忌々しげに「ただそれだけの事なんだ。そんな眼で見られるような筋合じゃないんだ。君と俊作さんのような関係とは訳が違う……」

「妾、別に俊作さんと何の関係も……」

「無いと言いたいのだろうが、僕は盲《めくら》でもつんぼでもない。大体の想像はつく……」

貞子は夫の胸に取り縋《すが》って「妾、ほかの誰よりも、貴方を愛しているのよ」

丈助は邪慳に突き放して「君が若い燕をつくるんだったら、僕だって、君よりも若くて美しい女《ひと》と附き合うよ」

「どうぞ！」と、貞子は反抗的に言った。

丈助は、コンパクトの紙函を机の上に叩きつけるように投げ出して、ぷいッと部屋を出て行った。

それを見送ってから、貞子はチッと舌打ちをし、夫が投げ出して行ったコンパクトを取りあげ、蓋をはねて鏡に映る自分の顔と、しばらくの間睨めっこをしていたが、やがてニッと苦笑《わら》ってパチンと蓋を閉《とざ》し、机の抽斗《ひきだし》の中に抛《ほう》り込んだ。俊作の部屋に持って行って、突っ返したいような彼女の気持ちだったが、しかし、そのプレゼントを受けた後で、彼と交した熱情的な甘い接吻の事を思うと、妙に擽《くすぐ》ったい、ゾクゾクするような情感に囚われるのだった。

鮎子と洋子と正子の三人は、夫達が済んだ後で、いつも一緒に風呂に入る習慣になっていた。その夜も、丈助があがってから彼女達三人は浴室にやって来たが、鮎子が不意に、エスをお湯に入れて洗ってやると言い出した。エスと言うのは彼女の愛犬で体重五十瓩《キログラム》もあるセパードの牝である。

それまでにそんな事をした事がなかったので、洋子も正子も面白がって、すぐさまそれに賛成した。鮎子は二人を脱衣室に待たせておいて、いやがるエスを引き摺るようにして連れて来た。鎖をつけたままで浴室の中に追い込んでおき、三人は裸になってキャッキャッとはしゃぎながら浴室の中に飛び込んで行った。エスは驚いて、ウ、ウ、ウ……と唸《うな》った。美しい裸の人間を三人も同時に見たのでエスはきっと仰天したのに違いなかった。白いタイルの上をギャラギャラと鎖を引き摺りながら、二坪もある浴室の中をあちこちと走り廻った。が、やがて温順《おとな》しくなって、浴槽《ゆぶね》の縁に前脚をかけ、お湯に浸っている三人の白く美しい項《うなじ》や肩の方を、ペロペロと交る交る舐め廻った。

充分暖まってから、彼女達は流しに足を投げ出して、まず自分の軀を洗った。三人のうちでは鮎子が最も均整のとれた美しい肉体を有《も》っていた。洋子は少し肥《ふと》り気味で乳房も大き過ぎ、お尻も出っ張り過ぎていた。正子はそれに反して少々痩せ気味で、乳房だって処女のように小さかった。エスがのそのそ這い寄って来て、その小さな乳房をペロッとひと舐めしたので、正子はキャッと言って慌てて浴槽の中に飛び込んでしまった。が、鮎子はどこを舐められても平気だった。しかし、太股の方まで舐められるとさすがに擽《くすぐ》ったいのか、足をばたつかせてクネクネとまるで水母《くらげ》の如く腰をくねらせた。洋子と正子が両方からエスを摑まえて鮎子が石鹸を塗って洗い始めた。始めのうちはいやがって、前肢を摑まえている洋子の腕に咬みついたりしたが、終いには気持ちよさそうに眼を細めて、鮎子のするがままに任せきっていた。かけ湯をして浴槽の中に入れてやると、びっくりして唸りながら慌ててとび出してしまった。鮎子がそれを捉まえて、乾いたタオルで丹念に拭いてやった。不意に洋子が、乗ってごらんなさいと笑いながら言った。鮎子は少時逡巡《しばらくためら》っていたが、やがてタオルで腰を包んでエスの背中にそっと跨ってお尻を据えた。エスはちょっとへたばりそうになったが、すぐに四つ肢《あし》を踏ん張って、ぐっと持ちこたえた。そして、鮎子をのせたまま二、三歩ほど、よろめきながら歩いた。洋子が面白がって浴槽から飛び出して、鮎子がおりたばかりのエスの背中に馬乗りになった。鮎子と違って重いので、エスはへたばりこそしなかったが歩く事は出来なかった。四肢を踏ん張って、必死に支えている。

「正子さんも乗って御覧なさいよ」と鮎子が言った。「貴女なら軽いから大丈夫よ」

いやがる正子を、鮎子と洋子が引っ張って行って、無理矢理に乗せてしまった。鮎子の言った通り、エスは正子をのせたまま、蹣跚《よろめ》きもせず流しの上をあちこちと歩き廻った。始めはいやがっていた正子も、そのうちに面白くなったのか、両手でエスの首っ玉にしがみつくようにして珍妙極まる乗馬、いや、乗犬の姿勢を保っていた。五分もそうしていると、エスはさすがに疲れたとみえて、舌を出してハアハアと荒い呼吸をし始めた。正子がエスの背中から降りると、エスは、いきなり彼女のお尻をペロリと舐めた。キャッと悲鳴をあげて彼女が浴槽《ゆぶね》の中に飛び込んだのが可笑《おか》しく、鮎子と洋子は声を揃えて吹き出した。

「エスは正子さんが好きなのね」

と、笑いながら鮎子が言った。

「嫂《ねえ》さんばかり舐めてるわ」と、洋子も面白そうに言って、不満げに「妾の軀は、ちっとも舐めてくれやしない」

正子はそれを聞いて、温かいお湯の中でぶるッと軀を震わせた。エスだからいいようなものの、義《に》兄《い》さんにああされたらどうして逃げ出そうか？　彼女はふとそう思ったのだ。

E

正子の不安は、無慙にも事実となって彼女を襲った。それは、二月初旬のある日の晩の事だった。夕食後、正子は夫信義に言いつかって、別館に行くべく余儀なくされたのである。

「今日の新聞を貰って来てくれ。ちょっと見たい事があるから」

夫にそう言われた時は、彼女も別にさしたる不安を感じなかったが、行ってみると義兄《あに》の秀夫が一人きりだったので、彼女は思わずハッと身を固くした。

「何か御用ですか」秀夫は、食後に飲《や》ったウイスキーで顔を赧くしていた。どろんとした眼つきで舐めるように彼女の顔を瞶《みつ》めた。彼女はゾーッとして、

「今日の新聞をいただきたいんですけど」

秀夫は気軽に立ち上って、それを捜すふうに机の上をかき廻していたが、いきなりつかつかッと彼女の傍に歩み寄って来たかと思うと、ぐっと彼女の軀を抱きすくめた。

「あら、何をなさるの！」彼女は強く言って義兄を睨みつけたが、秀夫は少しの容赦もなく、なおも叫ぼうとする彼女の唇を、アルコール臭い自分の唇でぴったりと塞いで強引にその場に押し倒し

た。

「……お嫂《ねえ》さん！　来て下さい！」唇が放れた拍子に、彼女は大声で叫んだが、誰も駈けつけて来てくれる者はなかった。

「鮎子は洋子さんと映画を観に行った。正子さん！　僕は、堪《たま》らないんだ」

彼女は愕然とした。幾ら大声で絶叫しようと本館までとどかないのだから。救いを求めても無駄だと知ると、彼女は、有らん限りの力を振りしぼって必死に抵抗した。けれども、男の強い力には到底及ぶべくもなかった。彼女がもがけばもがくほど、男の腕は益々《ますます》力が加わって、まるで締め木にかけられたように、遂《つい》には身動きも出来なくなった。

「お願い！　そんな事をしないで！」抵抗しても徒労だと悟ると、彼女は悲痛な声音で泣くように哀願した。が、慾情に燃え上った男にとっては、その哀願の声自体が、より一層に官能を煽り立てる事にしか役立たなかった。内股に這い上る男の掌を意識して
「他の事ならどんな事でも……だけどそれだけは許して！　お願いですから、ねえ！」

しかし、秀夫は、彼女の哀訴《あいそ》を斥《しりぞ》け、嘆願を無視して、強引に彼女の下着を引きむしった。それはもはや人間に非ず、一匹の慾獣に過ぎなかった。酒臭い呼吸を慾情に弾ませながら、その獣は彼女の腰をしっかりと抱き込んで、絨氈の上に押えつけた。

ああ、どうしよう？　夫の兄と……これっぽっちの愛情も感じない人と……いけない！　いけない！　とんでもない事だわ！

心の中ではそう叫びながら、肉体はそれと全く裏腹に、異性のそれを喘ぎ求めている矛盾に慄然とした時、軀全体がジーン……と妖しく痺れて、彼女はぐったりとなった。

真《ま》っ蒼《さお》な顔をして戻って来た正子を見て信義は、ほとんど直感的に妻と兄との間に行われた醜い事実を悟った。が、彼は強いて平静を装うべく努めながら「新聞はあった？」と、妻の顔を見ないようにして言った。さすがに正視するに堪えなかったのだ。正子が差し出す新聞を受け取って、ちょっと見て、それを机上に置き、彼は静かに訊ねた。

「兄貴は酔っていただろう？」

「……ええ……」

「鮎子さんは、いなかったの？」

「……ええ……」

「酔うと思慮も分別も失《な》くしてしまうのが兄貴の欠点だ。根はお人好しなんだが……」

「…………」

「君が悪いんじゃない。そうだろう？」

そう言われると、正子は何とも応える事が出来ず、俯向《うつむ》いて、せぐりあげようとする嗚咽《おえつ》をじっと嚙み殺すのだった。

信義はその軀をそっと優しく抱き締めて

「兄貴がいけないんだ。僕には良く判《わか》っている。だが、許してやってくれ。酔っ払って正気を失っていたんだろうから、災難だと諦めておくれ。僕は決して憤《おこ》らない」

「……済みません！」

と一言いって、彼女は夫の胸に犇《ひし》と縋《すが》りつき、堰を切ったように激しく泣き崩れた。

「他人だったら許しはしないが、相手が兄貴では仕方がない。僕は、我慢するよ」

「……済みません！　妾、何と言ってお詫したらいいか……」咽《むせ》びながら彼女は言った。

「止《よ》せ。お詫もへちまもあるもんか。済んだ事は仕方がない。これから気をつける事だ。二度とこんな事のないように……」

「妾、もう、貴方の妻の資格がないわ」

「もう何も言うな！　僕は、気が狂いそうになる！　僕を昂奮させないでくれ！」

信義は呻くように言って、力一杯彼女の軀を抱き締め、泣き濡れたその頬に、狂おしく接吻の雨をそそぎかけるのだった……。


その日は午後から雪になった。

貞子は原稿用紙にさらさらと音をさせてペンを走らせていた。その傍《そば》で正子は姉の書きあげて行く探偵小説の原稿を熱心に読み耽っていた。彼女の瞳は段々と輝きを帯びてきて、時折りホッと溜息を洩らした。

「どう？　面白い？」貞子がペンを置いて、妹の方を振り向いた。

「これ、この家のことじゃない？」

「判《わか》る？　モデルに使ったのよ」

「いやだわ！　こんな事書いちゃ……」正子はいやな顔をして、怨めしそうに姉を睨んだ。自分と義兄との間に起った忌わしい事実がそっくりそのまま取り入れられているからである。彼女は棘々しい調子で「妾、小説の材料にしてもらおうと思って姉さんにあの事をお話したんじゃないのよ！」

「それはよく分ってるわ。……でも、これはどこまでも小説なんだから、そんなに気にする事ないわよ。もっと先を読んでごらんなさい。貴女が吃驚《びっくり》するような事が書いてあるから……」貞子はそう言ってから、再びペンを執った。正子は先を読んだ。用紙を一枚々々めくって行く彼女の指先が微かに震え戦《おのの》いてきた。顔色が徐々に蒼ざめてきて、唇がピクピクと痙攣した。やがて、正子はそれを読み終って、そっと机の上に置いた。（まあ、何て恐ろしい！　でも、私は……いいえ、もしかすると本当に！）

熱く燃えさかるストーブの傍に居るにも拘らず、正子は精神的な寒気を覚えて、ガタガタと震え戦《おのの》いた。

「どう？　奇抜でしょう？」貞子が微笑しながら振り返ったが、正子は黙って震えている。

「どうしたの？　顔色が真《ま》っ蒼《さお》じゃないの？　風邪でもひいたんじゃなくって……？」

「いいえ、どうもしないわ」

「こんな事を書いたのが気に障ったの？」

と、貞子は急に不安そうな顔をした。

「いいえ、そんな事ないけど……妾、自分で自分が怖いの！」

「正ちゃん、貴女は、それほどに……？」

「ええ、いいえ、何とも思ってやしないの……心配しないで、妾、大丈夫だから」

「そう？　それならいいけど……」

と、貞子は不安そうに言って、マジマジと妹の顔を矚《みつ》めた。「本当に大丈夫？」

「ええ、大丈夫よ」

正子は強いて笑顔を作ってみせ、そっと椅子から立ち上って、窓際に歩み寄った。

牡丹雪《ぼたんゆき》がサラサラと微かな音を立てて静かに降り積っている。庭園も花壇も芝生も一面の白銀色に塗りつぶされていた。正子は冷たい窓硝子に熱した額を押しつけて、虚《うつ》ろな視線を別館の方に投げた。不意に、その建物の横手からエスが飛び出して来て降り積んだ雪の上をあちこちと走り廻った。

「何を見ているの?」

と、貞子が立って傍に寄って来た。

「雪が降るもんだから、エスが嬉しがって……飛び廻っているわ……」そう言う正子の声は思い做《な》しか微かに震えているようだ。


夕方になると雪は降り止んだ。風はなかったが、シンシンといやに底冷えがした。

頭が痛いと言って二階の自室に引き籠《こも》っていた正子も、朝から別館の書斎にくすぶっていた秀夫も、夕餉《ゆうげ》の席へは顔を出して皆と共に娯《たの》しく食事をし、愉快に話し合った。ひとしきり歓談が賑やかに取り交されて、正子の顔にさえ微笑が見られたが、話の種が尽きると急に気まずい沈黙が来た。

丈助と貞子がまず引き取って行った。すると、秀夫もすぐに出て行き、続いて、信義と俊作もそれぞれ自室へ引きあげて行った。鮎子と洋子は食事の後片附けをした。正子もそれを手伝おうとすると「嫂《ねえ》さんは頭痛がするんでしょう」と洋子が言って「いいわよ、私達二人でするから……」

「……済みません、勝手ばかりして……」

「いいのよ。別に大した仕事じゃないんだもの」と、洋子が言えば、鮎子もそれに口を添えて「顔色がまだ良くないわ。お湯に入ってすぐにお寝《やす》みになるといいわ」

と、劬《いたわ》るような調子で言った。

「妾、今夜はお湯に入りませんから……」

「じゃ、早くお寝みなさい」

「じゃ、お寝みなさい」正子は二人に挨拶して食堂を出た。そこに、秀夫が彼女を待ち構えていた。

正子が黙って裏階段の方へ歩いて行くと、秀夫も黙然としてその後に跟《つ》いて来た。階段の上《あが》り口で、正子は立ちどまって「何か御用ですの？」

振り向いて、秀夫の顔を瞶《みつ》めた。

秀夫は何も言わないで、いきなり彼女の肩に手をかけて、グッと抱き寄せた。

「いけませんわ！」と正子は低く言った。

「この間は、本当に済まなかったね」

「いいえ、妾、何とも思ってやしないわ」

「本当に？　僕を許してくれる？」

「ええ、仕方のない事ですもの」

秀夫は無言のまま彼女を抱き締めて、強く烈しい接吻をした。正子は喘いだ。彼女の心と肉体がバラバラに離れた。暴力で妾を犯した憎い人！　でも、肉体は裏腹により激しい愛撫を求めている。この矛盾！　この相剋！　妾は一体どうしたらいいのかしら？　彼女の苦悩を知ってか知らないでか秀夫は彼女の嫋《なよ》やかな軀を、ちぎれるほどに強く抱き締めたまま、ぴったりと合せた唇をいつまでも放そうとはしなかった。

洋子と鮎子の二人は、食事の後片附けを済ますと、連れ立って浴室に来た。

「正子さんはこの頃浮かない顔をしてばかりいらっしゃるけど、どうなさったのかしら」鮎子が着物を脱ぎながらそう言った。彼女は夫と正子の関係を全然気附いていないのだった。洋子もそれは知らなかった。彼女は単に信義が自分を愛するが故に、正子につれなくし、それが原因で正子がいつも鬱《ふさ》いでばかりいるのだ、と思っている。

「さあ、どうしたのかしら?」洋子は、さり気なく言って、着物を脱いだ。

「もしかすると妊娠じゃないのかしら」

「でも、そんな徴候はないようだわ」

湯槽《ゆぶね》に浸《ひた》って、洋子がぼんやりと物思いに耽っていると、不意に鮎子がプッと吹き出した。何を思い出したのかと、洋子が唖然として、鮎子を瞶《みつ》めていると、

「この間、可笑《おか》しかったわネ……正子さんがエスにお尻を舐められて、慌ててお湯の中に飛び込んだときの恰好が……」

と言って、鮎子はクスクスと笑った。

洋子も思わず吹き出して「滑稽だったわね」と言った時、脱衣室に誰かが入って来る跫音が聞えてきた。四人の夫達はもう済んでいるし、貞子も夕食前に入っているので、洋子が不審に思って「誰?」と声を掛けた。「私よ」正子の声だった。

「ああ、正子さん、早くお入りなさい」

と、鮎子が言った。衣《きぬ》ずれの音がして、やがて正子は蒼い顔をしてガタガタ震えながら入って来

た。「寒いわねえ……」

「貴女、お湯に入ってもいいの？　風邪をひいてるんだったら入らない方が良くはないこと？」と、洋子が心配そうに言うと、

「でも、もう裸になっているんだもの」正子は口許を歪めて苦っぽく笑い、手桶を取ってお湯を抄《すく》うと、肩からそそぎかけた。抄っては浴び抄っては浴びして、彼女はまるで水車みたいに機械的にそれを繰返した。

「何遍かかったらいいの！　早くお入りなさいよ」と、洋子がそれを見兼ねて言った。

正子がようやく湯槽に浸ると、鮎子が微笑みかけて「今、貴女の事を話してたとこよ」

正子は顔をあげて二人を見較べた。

「エスに乗っかった時の恰好、とても素敵だったわ」と洋子が揶揄的の調子で言った。

するとと、正子はいやな顔をして、

「貴女達二人して無理矢理に乗せたんじゃないの。妾、あんな事したくなかったのに……貴女達が二人して、無理矢理に……」

と、突っかかるように言ったと思うと、いきなりタオルで顔を掩《おお》ってしまった。

「……憤《おこ》ったの？」と洋子が微笑《わら》った。

「……いいえ……」

「恥ずかしいのでしょう？」と鮎子。

「……いいえ……」

「どうしたって言うの？」

正子は顔を露《あら》わして「何でもないのよ」と言い、眉をひそめて「エスに舐められた時の心地、思い出してもゾッとするわ」

さもいやらしそうに言うのだった。

三人がお湯からあがると、信義が脱衣室のそとで待ち構えていた。

「麻雀《マージャン》をしようと思うんですが、牌《パイ》はありますか?」と、鮎子に訊いた。

「ありますわ。持って来ましょう」と、鮎子はすぐに応えたが、

「でも、メンバーは揃いますの?」

「洋子さん、つき合って下さるでしょう?」

まるで押しつけるような言い方だったので洋子はちょっといやな気がしたが、断る訳にもいかないので、仕方なしに頷いた。

と、鮎子が言った。

「秀夫さんを連れて来ましょうか」

「出来ればそうして下さい。僕と、野上さんの奥さんと、正子と洋子さんで、メンバーは揃うんだけど、兄貴が来れば五人打ちにしてもいいから……」

鮎子はすぐに出て行った。

「応接室でやろう」と、信義は先に立って歩きながら「正子、君もするだろう?」

「……ええ」と、彼女は低く応えた。

「貴女、大丈夫? 早く寝《やす》んだ方が良くはなくって?」と洋子が心配そうに言った。

「どうかしたのか?」

信義は振り返って妻の顔を覗き込んだ。

「ちょっと頭痛がするの……」

正子は、夫の瞳を見返して、訴えるように言った。信義は彼女の額に掌《て》を当ててみた。

「少し熱があるようだな。だったら早くおやすみ。湯冷めをするといけないから……」

「でも、メンバーが足りなくては……」

「兄貴がきっと来るよ。麻雀《マージャン》は飯よりも好きな方なんだから。遠慮しないで早くおやすみ。寝込むようにでもなったらいけない」

信義は優しく言って妻を慰《いた》わった。

「じゃ、妾、失礼するわ」正子は、夫へともなく姉へともなく言ってから、頭を押えてよろめきながら二階への階段を上って行く。

信義と洋子は応接室にはいって、鮎子を待った。が、彼女は仲々戻って来ない。

信義は窓際に寄って窓帷《カーテン》をあけ、硝子越しに別館の方を窺った。雪が美しく積って月光を受けてキラキラと輝いている。

「降っています?」と洋子が立って来た。

「いや、よく晴れてます。御覧なさい、とても美しい景色ですよ」

洋子は信義の傍に寄り添って、夜の雪景色をのぞいた。白く美しく、光っている。

「まあ、綺麗だこと! 別館が、まるでクリームをかけた洋菓子《ケーキ》のように見えるわ!」

彼女がうっとりとした調子でそう言った時、玄関口から鮎子が飛び出して来た。走るようにしてこっちへやって来る。それまでどこに居たのか愛犬のエスが飛び出して来て彼女の先になり後になりして一緒に走る。

「どうしたんでしょう?」洋子が訝《いぶ》かった。

鮎子は牌《パイ》の箱を提げてはいなかった。信義が窓を開けて上体を出し「鮎子さん! どうしたんです?」と、大声で呼びかけた。

鮎子はすぐに窓の下まで走り寄って来た。真《ま》っ蒼《さお》な顔をしてゼイゼイと呼吸を喘がしている。

……信義が性急に訊ねた。

「兄貴がどうかしたんじゃないですか?」

「……シ、死んでいるんです!」

「えっ、ほ、本当ですか?」

鮎子は、ゴクリと生唾を呑んで、がっくりと点頭《うなず》いてみせた。信義は激しい語調で「ど、どうして死んでいるんです?」

「寝台《ベット》の上で……胸にナイフが突き刺って……もう、冷たくなっているの……」

鮎子は呟くようにそう言ったが、急に瞳を輝かせて「誰が殺したのかしら?」

「鮎子さん!」と、信義が激しく言った。

「自殺か他殺か分りもしないのに、そんな事を言っちゃいけません。……とにかく、行ってみましょう」

「野上さんに告げて、一緒に行ってもらった方が良くはなくって?」洋子が、震え声でそう言うと、信義は困惑の面持《おもも》ちになって「そうですね……そうしなければいけないでしょうね」と低く呟いた。

「妾が知らせに行って来ますわ」

洋子はすぐ応接室から走り出て行った。

「鮎子さん、貴女は、兄貴が殺されたと思っているんですか?」と、信義が訊いた。

「……そうとしか思えませんもの……別に自殺するような原因は無いのですから……」

信義は少時《しばらく》黙っていた。

「で、誰に殺されたと思われるんです?」

「そんなこと、分りませんわ……」

「兄貴は、お人好しなんだから、誰からも恨まれるはずはないんだが……」と、信義は低く呟いたが、ようやく気附いたように「寒いのに、そんなとこに立ってないでおはいりなさい」と言って、鮎子の躯を窓から中に抱き入れてやった。窓を閉め、錠を下し、二人は急いで裏口の方に走って行った。

F

信義と鮎子が裏口へ来てみると、俊作と洋子がそこに居て、間もなく、二階から丈助と貞子が降りて来た。

「秀夫さんが御災難だそうで……」

丈助は鮎子に言って暗い顔つきになり、

「他殺だとすると危険ですから、御婦人達は戸外《そと》に出ないでいて下さい。私と信義さんがとにかく一応現場を視《み》て来ますから、俊作さんはこちらに残っていて下さい」

きびきびとした命令口調で言って、信義と二人で戸外《そと》に出た。戸外は月の光りで明るかった。二人は別館に向って雪を踏んで歩いた。二寸ばかり積った雪の上に、下駄の足跡がクッキリ残っていた。丈助が不意に気附いたように「他殺とすれば足跡が重大な証拠になりますから、踏み消さないように用心して下さいよ」と、信義に言った。

「これは鮎子さんの下駄の跡ですよ」

信義は苦笑したが、丈助は真面目に、

「検証が済むまではどんな足跡でも、いや誰の足跡でも保全して置かねばなりません」

「じゃ、足跡を避《よ》けて歩きましょう」

「私の後に跟《つ》いて来て下さい。私が道を選びますから」丈助は注意深く地面を瞶《みつ》めながら歩いて行った。女の下駄の足跡の他に、もう二すじ、これは男の下駄の足跡がある。

「これは兄の足跡でしょうね」と信義が言った。その足跡は往復しており、重なった所もあったが、大体において二すじに別れていた。所々では女の下駄の跡と重なっていた。丈助は、その二種の足跡を避《よ》けて、ぴょんぴょんと跳《と》ぶようにして歩いた。

玄関口の扉《ドア》は開け放してあった。慌てて出て来た鮎子が閉め忘れたものに違いなかった。丈助と信義は中にはいって行った。

スリッパが一足、離れ離れに脱ぎ捨てられて、片一方は裏返しになっていた。

「これは鮎子さんのスリッパでしょうか?」

と、丈助が訊いた。

「多分そうでしょう」

「寝室はどこですか？」

　信義は先に立ってリノリウム張りの廊下を歩いた。右側に部屋が三つ並んでいる。真ん中の部屋の扉は開け放したままになっていた。信義は黙ってその部屋にはいった。三坪位の洋間で、深紅の絨毯が敷きつめられ豪華な調度で飾られ、どっしりと落ち着いた感じの部屋だった。部屋の略《ほぼ》中央にこれも深紅色の重そうなカーテンが垂れ下り、半開きになったそのカーテンの向うに寝台《ベット》が据えられている。二人はカーテンをくぐって寝台の傍に歩み寄って行った。

　秀夫の屍体は、そのダブル・ベットの中央に仰向けに倒れていた。夕食の時着ていた和服のままで、しかも、羽織だけは脱いでサイド・テーブルの上に置いてあった。その胸に、着物の上から小さなペンナイフが突き刺《ささ》っている。丁度心臓部と思われる箇所だった。流出した血液が着物の胸に沁《し》み込んでじっとりと濡れしめっている。左手は真横に投げ出し、右手は胸の上に置いて、両足はまっすぐに伸しており、その足元には羽根蒲団が手繰《たぐ》り寄せられていた。顔面には苦悶の表情が認められ、両眼はしっかりと閉《とざ》されており、むしろ穏やかな死相だった。

　信義は、じっと佇立《ちょりつ》したまま、少時《しばらく》の間その屍体の顔を睨むように瞶《みつ》めていたが、

「自殺でしょうか？　それとも？」押し殺したような声で言って、丈助を見た。

「まだ分りませんよ」と丈助は苦笑して、

「これだけの状況ではどちらとも推定出来ません。遺書でもあれば。しかし、遺書らしいものが置いてない所を見ると、あるいは他殺なのかも知れません」と言ったが、急に真摯《まじめ》な顔附きになり、じっと信義の顔を見詰め「貴方には何か心当りはありませんか？　自殺他殺のいずれにしても……」と訊いた。

「兄は至極お人好しだったのですから、他人から恨みを受けるはずはないと思うのです。と言って、別に自殺するような原因にも思い当りませんが。まさか、鮎子さんが夫を殺したりはしないでしょうね」信義がそう言うと丈助はハッとしたように顔色を変えて、暫くの間むっつりと押し黙って屍体を瞶《みつ》めていたが「鮎子さんは、そんな恐ろしい女《ひと》じゃないでしょう。いや、私はそう思いますね」

いつだったか、電車の中で握り締めた彼女の温かい掌《てのひら》の触感を想い起しながら、丈助はきっぱりとそう言った。

「そうでしょうね。女に出来る事じゃない。犯人はきっと男です！」今は屍体となって冷たく横たわっているこの男に、暴力をもって貞操を蹂躙された哀れな妻の事を想いながら、信義も強く言い切った。が、それを聞き咎《とが》めて「犯人は男と言われますが、貴方は他殺だと思っておられるんですか？」

丈助が鋭く突っこんだ。それはもはや、警察当局者野上警部補としての訊問口調だった。信義は聊《いささ》か狼狽して、

「いえ、別に他殺だと決めている訳じゃないんですが……他殺だと仮定すれば、犯人は男に違いないと言ったのですよ」

「で、貴方が犯人じゃないかと疑《うたぐ》っておられる男というのは一体誰ですか？」

「まるで訊問ですね」と信義は苦笑して、

「僕にはさっぱり分りません。警部補さんには何かお心当りはありませんか？　もう一月《ひとつき》もこの家にお住いになっているんですから、この家の内情は詳しく御存知でしょう」

「大体のところはネ」と、丈助も皮肉な調子で言って「この男《ひと》が貴方の奥さんに執拗《しつこ》く纏い附いていた事、奥さんはそれを煩《うる》さがっておられた事、従って、貴方がこの男《ひと》を憎んでおられたであろう事位は、私にも良く判《わか》っています」

「僕は決して兄を憎んではいません」

「そうですか？」丈助は、語尾にアクセントをつけて、疑わしげに、信義の面《おもて》をジロジロと打ち眺めた。

「貴方は、僕を疑っておられるんですか」

丈助は、それには答えず「犯人の足跡を調べてみましょう！　あれだけ積っている雪の上に、足跡を残さないようにこの家へ往復する事は絶対に不可能な事ですからね」

「往復と言いますと？」

「犯人は、本館とこの別館の間を往復している訳でしょうが？　この家の中に、未だ隠れているというような事は恐らくないでしょうから、犯人が鮎子さんでないとすれば、あの二つの下駄の足跡以外に、犯人の足跡が残っていなければならない訳ですからね」

「すると貴方は、本館に住んでいる者の中、誰かが犯人だと言われるんですか？」

「まだ断言は出来ませんよ」と、野上丈助は苦笑して「足跡を調べて見た上でなければ、自殺か他殺かさえ断定する事は出来ません。が、その前に、一応この家の中を捜してみましょう！　犯人が外部の者とすれば、案外どこかに隠れているというような事があるかも知れませんからね」

この部屋には窓が二つあり、どちらも鉄製の鎧戸がおろされ、上下開閉式の硝子戸もぴったりと閉《とざ》して掛金が掛けてあった。その二つの窓と、廊下に面した扉口《とぐち》を除いては他に出入口は無く、従って他殺とすれば犯人はその扉口から侵入《はい》ったものに違いなかった。扉《ドア》の鍵は内側から鍵穴に挿《さ》し込んである。

「この家の出入口は？」と丈助が訊いた。

「玄関口の他に裏口が一つあります」

信義は答えて廊下に出た。丈助が続いて、

「秀夫さんが本館に食事に行っていた間は戸締りはどうなっていたんでしょうかね」

「玄関の扉《ドア》に鍵を掛けていたんでしょう。ちょっとでも家をあける時には、必ずそうしていたようですから……」

寝室の隣りは書斎だった。鍵は掛けてなく扉の内側の鍵穴に挿し込んであった。二人はその部屋にはいってみたが、無論誰も居なかった。約三坪の部屋で、寝室と同じような窓が二つあり、どちらも鎧戸がおろされ、閉め切った硝子戸には掛金が施してある。大きな机、深々とした安楽椅子《ソファー》、書棚、丸卓子《テーブル》、その傍に三脚の肘掛椅子、壁際に洋服箪笥、電熱煖炉《ストーブ》といった調度を有《も》つ、ありきたりの書斎で別に異状は認められなかった。二人はその部屋を出た。寝室の先隣りは鮎子の居間であるが、扉には鍵が掛っているので入れなかった。廊下の突き当りには頑丈な樫《かし》の扉《ドア》があって、鉄棒の閂が施してあった。裏口である。

「犯人は玄関から出入りしたものとみえる！」

丈助が低く呟いて、扉《ドア》の把手《ノッブ》を廻してみたが、鍵が掛けてあるとみえてびくともしない。二人は廊下を後戻りして玄関の方に歩いた。左側に三つの部屋が並び、右側は壁で二つの明り窓があった。いずれも鎧戸と硝子戸でぴったりと閉《とざ》され、完全に施錠されている。丈助が低く訊いた。

「この家には台所が無いのですね？」

信義は頷き「部屋が三つあるだけです」

玄関の扉は観音開きになっており、上下に差込錠がついていて、鉄棒の閂を施すようになっている。その扉の鍵は内側の壁にかけてあった。土間には茶革の男子靴と秀夫の下駄があり、下駄の歯は濡れていた。

丈助はその茶革の靴を取り上げて裏をあらためた。「これは秀夫さんのでしょうね」

「無論そうです。この家には兄夫婦が住んでいるだけですからね」と、信義が訝《いぶか》ると
「いや、私は犯人のじゃないかと思ったのですよ」と、丈助は苦笑して「しかし、よく乾いているからそうでもないらしい」

その土間には片隅に下駄箱が置かれ、その傍に扉がついていた。丈助がそれを指して「この部屋は？」と不審を打った。

「物置なんですが、今ではエスの部屋になっています。外側にも扉があって、エスはそこから出入りするようにしてあります」

「ああ、そうですか」と、丈助は納得して扉の把手《ノップ》に触ってみた。鍵が掛っており、上下の差込錠も嵌《は》められていた。

「この扉はいつも閉め切ってあるんです。犬小屋にしているんですから開《あ》け閉《た》てする必要がない訳です」と、信義が説明した。

二人はポーチへ出た。丈助は懐中電燈を取り出して「すると、犯人はこの玄関口から出入りした訳になりますが、念のために、家の周囲《まわり》を調べてみましょう。……ここは閉めておいた方がいいで

すね」

　信義は扉をしめて鍵をかけた。二人はポーチから雪の上に降り立って、壁際を通って歩いて行く。物置の扉は発条仕掛《バネじかけ》けになっており、内外いずれにも自由に開閉できた。

「この扉はエスの便利のために改造したのです。勝手に出入り出来るように」

　丈助は頷いて、その扉を押して中にはいった。約一坪半のガランとした混凝土《コンクリート》の土間で、片隅に藁を敷いた浅い木箱が置いてある。その傍に鎖が投げ出してあった。

「晩方からは、いつも解き放す事にしてあるんです。泥棒の用心のためにネ」

と、信義が言って「エスはどこへ行ったのかな？」と、低く呟いた。

「私が、他殺とすれば犯人は部内の者と言った理由がお判《わか》りでしょう」と丈助が言った。

「外来者だったらエスに吠えつかれてとてもこの家に近づく事は出来ないでしょうからネ。秀夫さんだってすぐ気附くはずです。夕方からこっち、エスの吠えるのを少しも聴《き》かなかったようですから、犯人はやはり……いやこれは失言。あるいは自殺なのかも知れませんからね……それを確かめてみましょう」

　二人は、エスの部屋であるその物置を出て、再び壁に沿って歩いた。丈助は懐中電燈の光りで辺りの地面を入念に照らして行く。書斎の窓と寝室の窓は無論の事、鮎子の居室の窓にも、全部鎧戸が下されていた。各部屋にそれぞれ二つ、都合六つの窓を閉《とざ》しているこの鉄製の鎧戸は、外側から開閉する事は絶対に不可能だった。その窓下には無論の事、辺りの地面には一個の足跡をも認め得なかった。家の周囲は一面の芝生……その平らかな地面に降り積った雪の上には所々エスの足跡がついているだけで、人間の足跡は皆無だった。館の横手にも裏手にも、そして反対側の横手にも、人間の足跡は全然見当らず、平滑な雪の面《おもて》が、月光に濡れて白く美しく光っていた。

　丈助と信義は、家の周囲《まわり》をひと廻りしてポーチに上った。そこから本館の方に向って続いている二種類の足跡をすかして見ながら「この足跡が秀夫さんと鮎子さんのものとすれば、秀夫さんの死は自殺という事になりますネ」と、丈助が呟くふうに言った。

「そうですね」信義もそれに同意して「鮎子さんはまさか兄を殺しはしないでしょうから他に誰もこの別館へやって来た者が無いとすれば自殺としか推定の下しようがない」

　と、ようやく安堵の胸を撫で下した、と言った調子で相槌を打った。

「念のために確かめてみましょう」と丈助は鍵を受け取って扉を開け、秀夫の下駄を持ち出して来た。雪の面にクッキリと痕《あと》を残している足跡にその下駄を当てがってみるとぴったりと一致した。

「やはり、間違いない！」

「貴方が仰言《おっしゃ》ったように、足跡は重大な証拠になりましたね」信義が感嘆して言うと、

「なに、これは捜査の定石ですよ。雪が積っているのを見て、これは足跡が問題だと習慣的にピンと来たまでで、誰でも気附く事です」丈助は謙遜するような調子で応えた。

「鮎子さんが嫌疑を受けるような事はないでしょうか？」と、信義が不安げに言うと、

「そうですね」丈助は急に暗い顔つきになって「鮎子さんが屍体の発見者なんですから、最初の発見者をまず疑え、という捜査の定石から言って、一応は嫌疑を受けるかも知れませんが、私はあの女《ひと》を疑ってはいません。そんな女《ひと》じゃないと思ってます」

「すると、貴方は自殺と確信しておられる訳ですね？」

「そうとしか思えないじゃありませんか？　この足跡からみて、秀夫さんと鮎子さん以外にこの別

館へやって来た者は絶体に無いと言えるのですから、鮎子さんが殺したのでないとすれば、答えはただ一つ……」

「兄は自殺したんですね？」

「私はそう思いますね。貴方だって、鮎子さんを疑ってはおられないでしょう？」

「勿論です！　鮎子さんには疑わしい節は全然ありませんでした。夫の屍体を発見して驚いてこの玄関から飛び出してくるのを、僕は応接室の窓から見ていたのです」

「鮎子さんは、風呂から上るとすぐにこの別館へやって来たのですか？」

「そうです。麻雀《マージャン》をやろうと思って、牌《パイ》を取りに来てもらったのです」

「その間、つまり、鮎子さんが本館から出て戻ってくるまでに何分位掛りましたか？」

「そうですね……十分位のものでしょうか、ハッキリしたことは覚えません」

丈助は黙って考え込んでしまった。

「今すぐナイフの指紋を確かめてみる事は出来ませんか？　ナイフの柄《つか》についた指紋が兄のものであれば、自殺と確定する訳ですけど……」と、信義が低く言った。

「生憎《あいにく》、検出用の粉を持ち合せていないのです……警察からやって来るまで待たなければ仕方がありませんよ」丈助は残念そうに答えて「とにかく、鮎子さんに詳しい事を訊いてみようじゃありませんか……ここに立って待っている訳にも行きませんからね」

玄関の扉を閉めて鍵を掛け、丈助と信義は本館の方へと雪の上を踏んで行った。歩きながら、丈助は懐中電燈の光りで辺りの地面を照らし廻った。

秀夫の下駄の跡と確かめられた足跡は、本館の裏口と別館のポーチの間を、完全に一往復していた。これは、秀夫が夕食をするために別館から本館へ来た時の足跡と、食事を済ませて別館に帰って行った時の足跡に違いなかった。鮎子のそれと覚しき女の下駄の足跡は、本館の裏口から別館のポーチに向ってほとんど一直線に痕《あと》を残しており、別館のポーチから本館に向った足跡は途中で彎曲して、応接室の窓の下まで続いていた。これは鮎子が牌《パイ》を取りに別館へ行った時の足跡と、夫の屍体を発見して驚いて飛び出し（もっとも、この点はまだ疑問である）本館の裏口を目指して走り、その途中で応接室から信義に声をかけられたので、方向を変えてその方に走り寄って来た時の足跡に違いなかった。丈助と信義の二人の足跡は問題外として、この二種類四条の足跡以外には、如何《いか》なる足跡をも認める事は出来なかった。と言っても、その他にエスの足跡が裏口の方にも応接室の窓の外にもあちこちと残っていたが、これは動物の事だから問題外として、この足跡が物語る事実は、秀夫と鮎子の二人以外には絶対に誰も別館へ行った者は無く、従って秀夫は自殺死であるか、他殺とすればその犯人は鮎子である……という事になるのだ。

「自殺の原因は何でしょうか？」

と、丈助が言った。信義の顔を瞶《みつ》めて、

「何かお心当りはありませんか？」

「全然ありません」と、信義は答えた。

応接室の窓下から裏口の方へ歩きながら、

「何のために自殺しなければならなかったのか、僕にはさっぱり納得が行きません。しかし、誰でも、心の中には苦悩を秘めているものですから、兄も、そういう秘密の苦悩に堪《た》えられなくなって、遺書も残さずに自殺してしまったのかも知れませんよ」

信義は沈痛な口調でそう言うのだった。

丈助は黙然として歩いていた。裏口から中にはいりかけた時、彼は不図《ふと》気づいて、そこに脱ぎ捨てられている女下駄を取り上げ「これは誰の下駄ですか？」

と、信義を振り向いて訊ねた。

「鮎子さんのです。応接室の窓からはいってここへ提げてきたのですよ」

丈助はその下駄を持って行き、雪の面にクッキリ痕《あと》を残している女下駄の足跡に当てがってみた。無論、ピッタリと一致した。

彼は立ち上って言った。

「他殺とすれば、鮎子さんが犯人という事になるが、しかし、私はあの女《ひと》を疑う事は出来ない。貴方はどう思いますか？」

「鮎子さんはそんな恐ろしい女《ひと》じゃありませんよ」と信義は強く言って「兄貴はきっと自殺したのに違いないでしょう……僕はそう思いますね」


「あのナイフに見覚えはありませんか？」

と、丈助が鮎子に訊いた。

彼女は蒼ざめた顔を真正面《まとも》に向けて、縋《すが》りつくようなまなざしで丈助の顔を瞶《みつ》めながら、

「妾達の寝室の、机の抽斗《ひきだし》に入れてあったものです。鉛筆削りに使っていましたの」

「自殺の原因にお心当りはありませんか」

鮎子は訝《いぶか》し気な顔をして、

「主人は、自殺したのでしょうか?」

「そうとしか思えない状況なんです」

と、丈助は簡単な説明を試み、それでもまだ半信半疑といった面持《おもも》ちの鮎子に、

「まさか、貴女が犯人じゃないでしょう?」

と、苦笑しながら言った。

鮎子は、すると顔色を変えて丈助を睨みつけるようにしながら「妾が何で夫を殺しましょう!殺す理由が無いじゃありませんの」

と、突っかかるように激しく否定した。

「そうでしょうとも!」丈助も強く言い切って「それを聞いて僕も安心しました」と、彼女の顔をじっと見た。鮎子も丈助の面《おもて》を瞶めたまま「主人は本当に自殺でしょうか?」

「貴女が殺されたのでないとすれば、それ以外に解釈のしようがありませんよ。先刻《さっき》も言いました通り、貴女と御主人の足跡しかついていないのですからね」と、丈助は苦笑しながら「まさか、エスには人殺しは出来ないでしょう?」と、お道化《どけ》た調子で言った。

鮎子もつられて微笑したが、すぐに暗い面持ちになって「でも、主人が自殺したとは、妾にはどうしても信じられませんわ」

「何か分らないが、貴女にも言えないような苦悩を兄貴はきっと有《も》っていたのでしょう」

と、傍から信義が口を挟んだ。

「そうでしょうか……?」

「酔狂に自殺する奴はありませんからね」

「でも……」と言いかける鮎子を抑えて、

「兄貴は自殺したのです！　野上さんもそう思っておられるのです！　だから、貴女もそう思って諦《あきら》めた方がいいですよ。その方が貴女のためなんです。そうでしょう？　他殺とすれば、貴女以外に兄貴を殺し得た者は絶対に無い訳ですからね。……無実の罪を着て、いや、そういう嫌疑を受けて拘引されるのはいやでしょう？」信義が、さとすような調子で言うと、鮎子は黙って俯向《うつむ》いてしまった。着物の膝に置いた彼女の掌《て》は、何故かワナワナと異様に震え戦《おのの》いていた。野上丈助は彼女のその様子を、不安そうなまなざしで探るようにじっと瞶《みつ》めていた。

G

所轄警察署の捜査主任である島貫《しまぬき》警部が警察医と数名の部下を伴って、この河内家へ到着したのは、それから間《ま》もなくの事であった。野上警部補から簡単に前後の事情を聴取すると、島貫警部は、まず鮎子を疑《うたぐ》っているような口吻を洩らしたが、ともかく現場を視《み》ようと言って、この家の同居人であると同時に、彼の部下である野上警部補に案内されて、別館へ赴いた。河内秀夫が冷たく横たわる死の部屋。屍体を一瞥した島貫警部は「君はこれを自殺だと思っているのか」と妙な顔をして野上の方を振り向いた。

「私はそう思うんですが……？」

「被害者の妻を疑ってはいないのかね？」

「他殺とすれば、犯人は鮎子さん以外の者ではないと言える状況なんですが、鮎子さんはこの男《ひと》を愛していたようですから、夫殺しの犯人とはどうしても考えられません」

「ふん。君はこの家に一緒にいるんだからある程度までは鮎子の性格を知っているだろうが、しかし、遺書もないのに自殺だと推定するのは、ちと早計じゃないかね？」

野上は困惑の面持《おもも》ちになって、

「しかし、私だけではなく、信義さんもそう信じているようです。鮎子さんはそんな女《ひと》じゃない、とハッキリ言いました」

「しかし、ナイフで心臓を刺して自殺するなんて、ちょっと考えられない事だ。それに着物の上から刺しているのがどうも可怪《おか》しい。自殺なら直接に突き刺すだろうが」

島貫警部は腕組みして考え込んでしまった。

ナイフの柄《つか》には指紋が附着していた。それは被害者（島貫警部はまだ他殺説を捨ててはいない）秀夫の右手のものだった。その指紋は、ナイフを逆手《さかて》に持った場合のつき方をしていた。屍体の右手が胸の上に置かれ、その掌《て》に血痕が認められるので、仰向けに寝たまま、自らの胸を突き刺したと推定出来なくもなかったが、島貫警部はその状況を、犯人が兇行後に施した偽瞞策に違いないと言った。つまり、犯人は兇行後ナイフの柄《つか》についた自分の指紋を拭い去って被害者の手に握らせてその指紋をつけ、同時に血液をその掌《てのひら》に附着させておき、着衣の乱れを直して屍体の姿勢を正し、自然を装わせたと言うのだ。それに対して野上警部補は一言も無かった。それほどまでに奸智に長けた鮎子とは思えなかったが（もしかすると？）恐ろしい疑惑に囚われて慄然とするのだった。

遺書は発見されなかった。室内には他に異状は認められなかった。死因は心臓部の一刺しに依《よ》るものと診断された。別に外傷は認められない。死亡時刻は午後六時から七時に至る一時間の間と推定された。その警察医の検屍所見を訊くと「その間、鮎子はどうしていた？　君は知らないかね？」

と、島貫警部は野上警部補に言った。

「私は六時十分頃に食堂を出て自分の部屋に行きましたので、誰がどうしていたかは全然知りません」と、野上は低く応えた。

部下の刑事がそれを確かめて来た。

その調査報告に依《よ》ると――

一、秀夫は六時十分頃に食堂を出た。その後の行動は誰も知らない。恐らく、すぐに別館へ帰って行ったのであろう。

二、鮎子は洋子と共に食堂の後片附けをし、それが済んでから二人で一緒に湯に入った。湯からあがると、鮎子はすぐに別館へ行った。その時刻は六時五十分頃だったと思う……と、これは信義の証言である。それまで、つまり、六時十分から六時五十分までの間、鮎子は始終洋子と一緒に居た……と、これは洋子の証言である。

三、麻雀《マージャン》の牌《パイ》を取りに別館へ行った鮎子は始め夫の書斎にはいったが、その部屋には牌《パイ》が見当らなかったので、どこに置いてあるか夫に聞こうと思って、寝室にはいって行った。ノックしても返事がないので寝ているのだろうと思っていたのだが、はいってみると、夫は寝台《ベット》の上に冷たくなって死んでいた。確かに体温は無かった。鮎子はその屍体の手に触れてそれを知った。彼女は恐怖と驚愕とで呆然自失して暫くの間その場に凝然《ぎょうぜん》と佇立《ちょりつ》していた。やがて、我に返った鮎子は、慌てて寝室を飛び出した。本館の人達に夫の死を告げようと思って、本館の裏口に向って走っていると、応接室から信義に声を掛けられたので、その窓下に走り寄って、訊かれるままに夫の死を告げた。その時刻は七時頃だった（洋子の証言）と、これは鮎子の陳述である。なお、彼女は夫の自殺理由には全然心当りが無い、足跡によると自分以外に別館へ行った者は無いというのだから、無論、夫の死は他殺ではなく、何か秘密の苦悩に原因した自殺に違いないと思っている、と述べた。

四、鮎子は午後二時頃からずっと本館の方にいた。夫が書斎に閉じ籠って鬱《ふさ》ぎ込んでいるので、彼女は所在無く本館に行って洋子と話していた。それから夕食を済ますまで、そして湯から上って別館に牌《パイ》を取りに行くまで、鮎子は一度も別館には帰らなかった。と、これは洋子の証言。

五、念のために六時十分以後屍体発見までの家人の動静を聴取した。それに依《よ》ると——秀夫、鮎子、洋子の動静は前述通り——俊作は食堂を出るとすぐに階下の自室に引き取って、読書に耽っていた。信義は俊作と同時に食堂を出、二階の自室に入ったが、すぐに廊下を隔てた筋向いの野上夫婦の部屋を訪れて、丈助と貞子と共に三人で雑談を交していた。その内に麻雀《マージャン》をしようという事になり、信義は階下《した》に降りて鮎子を捜した。台所にいないので浴室だろうと思ってそこへ行き、鮎子と洋子の二人が湯から上ってくるのを、二三分の間廊下で待っていた。鮎子に牌《パイ》を持ってきてもらうように頼み、それから洋子と一緒に応接室へ行った。そして、戻ってきた鮎子に秀夫の死を告げられた。正子は、少し頭痛がしていたので、食事の後片附けは手伝わないで、食堂を出ると二階の寝室に引き取り、暫くの間じっとしていたが、その内に堪《た》えられない程の寒気を覚えてきたので、お湯に入って温まろうと思い、浴室へ行った。洋子と鮎子はそこに居た。湯から上ると、夫に言われて麻雀《マージャン》の相手をする事になったが、洋子がそう言うし、また夫も心配して早くお寝《やす》みと言うので、すぐに寝室に引き取って風邪薬を飲んで寝てしまった。洋子に起されて秀夫の死を知ったが、頭が痛くて堪《たま》らないので起き上る気力もなく、洋子もそう言って劬《いた》わるので、そのまま寝台《ベット》に横たわっていた。

野上丈助と貞子は、六時十分頃に食堂から出て、二階の部屋に引き退った。間もなく信義が訪れてきたので、三人して雑談を交していた。信義が彼等の部屋を出たのは、大体のところ六時四十分……と、これは貞子の証言である。七時頃になって、洋子の急告で秀夫の死を知った。

×

「すると、この別館へ来たのは鮎子だけという訳だな」と確かめて、島貫警部は野上警部補に向い「先刻《さっき》、足跡の事を言っていたが、秀夫と鮎子がそれぞれ本館とこの別館の間を一往復した足跡だけなのだろう?」

「そうです。その他には誰の足跡もありませんでした。鮎子さんが午後二時頃に本館へ行った時の足跡は、その跡に降った雪で埋《うず》まってしまったのでしょう。秀夫さんが本館へやって来たのは五時頃だったと思いますが、その時には雪はもう降り止んでいましたから、足跡は完全に残っている訳です」

「足跡以外に何かの痕跡は無かったかね? 例えば自転車の車輪の跡といった……」

「足跡以外には何の痕跡もありませんでした。もっとも、エスの足跡はあちこちに残っていましたが……」

「エスと言うのは？」

「鮎子さんが飼っているセパードの牝で、晩方からはいつも解き放すという事です」

「犬は問題外だ！」と、島貫警部は吐きすてるように言って「すると鮎子以外に秀夫を殺し得た者は絶対に無いという事になる」

「しかし、鮎子さんが来てみた時には、既に冷たくなっていた、と言うのですから」

「それは口先の誤魔化しだ！　事実は温かかったのだ。生きていたのだからね。十分の時間があれば、本館からここへやって来て秀夫を殺し、自殺と見せ掛けるように小細工を弄し、驚愕のふうを装って駈け戻って行く事が出来たはずだ。犯人はきっとその鮎子だ」

島貫警部は飽くまでも自説を固執して捨てなかった。が、鮎子が犯人だと断定する証拠は一物も発見し得なかった。強いて言えば足跡がその証拠だが、しかし、その足跡は彼女がこの別館にやって来た、という事を証明するだけで、彼女が秀夫を殺した、という証明にはなり得ない。秀夫と鮎子が本館と別館の間を往復した足跡は、鑑識の結果、次の如き事実を証明する事が判《わか》った。（仮りに、秀夫が別館から本館に向った足跡をA、本館から別館に向った足跡をB、鮎子が本館から別館に向った足跡をC、別館から本館に向った足跡をD、とする）
一、AとBは所々で交錯しているが、その交叉点ではBがAの上に重なっている。これはBがAより後に印《しる》された事実だ。
二、BはAよりも深い。その差は平均して約一糎《センチ》である。これは何に原因するものか判然としない。
三、CとA、CとBはそれぞれ所々で交錯している。その交叉点では、CはAまたはBの上に重なっている。これは、CがBよりも後に印されたという事実を物語る。

四、CとDも一箇所程交錯しているが、そこではDはCの上に重なっており、これは前項と同様にDがCよりも後に印されたことを証明している。

五、従って、足跡はA、B、C、Dの順序に印された訳であり、この事は既知の事実と時間的に符号する訳だ。即ち、Aは午後五時頃、Bは六時十分頃、Cは六時五十分頃、Dは七時頃に印されたと言えるのである。なお、その歩幅及び前後の状況から、ABCは並足でDは駈け足であった事は信義がそれを目撃しているのだ。

六、AとBは秀夫の下駄とピッタリ符合し、CとDは鮎子の下駄と完全に一致する。念のためにその他の家人の下駄とも対照してみたが、AB、CDのいずれとも一致しない。これはABが秀夫の足跡、CDが鮎子の足跡であって、他の誰のものでも決してない、という事実を証明している。

七、ABCDはいずれも、平均約二寸の積雪の上にクッキリと跡を残しており、交錯した箇所を除いては、完全無欠にそれぞれの下駄と合致するので、二重足跡に非ずと推定出来る。この事は秀夫と鮎子が本館と別館の間を、それぞれ一往復したに過ぎないという事実を物語っている。もっともBはAよりも約一糎《センチ》深い点から、Bは二重足跡に非ずや？　と思惟されるが、しかし、その完全無欠な痕跡からみて、二重足跡と推定する事は聊《いささ》か妥当を欠くものであるとも言えるので、Bが二重足跡か否《いな》かは早急の判定が不可能である。

八、秀夫も鮎子も足袋を穿いているので、その下駄には足裏の指紋は附着していない。この事実は前項但《ただ》し書《が》きと重大な関係を有つと言わねばならない。

×

「このBは問題だね！」

と、島貫警部が言った。「BはAよりも何故一糎《センチ》も深くついたのだろう？」

野上警部補がそれに応えて、

「積雪《ゆき》が柔らかくなっていたためじゃないでしょうか？　BはAよりも約一時間後に印《しる》された訳ですから、積雪《ゆき》がその間に融《と》けて軟らかくなり、そのために足跡が深く残った……と考えられなくもないと思うのですが」

「融《と》けて、と君は言うが、今はカチカチに凍っているじゃないか！　だから、Aが印された五時頃よりも、Bが印された六時十分頃の方が積雪《ゆき》がむしろ固まっていたと考えるのが至当だよ。それとも君は、六時頃に一応融けかかった雪が、気温の急激な低下に因《よ》って、このようにカチカチに凍った、とでも言うのかね？」

島貫警部は、聊《いささ》か皮肉な調子でそう突っ込んで「確実な事は測候所にでも問い合せてみなければ分るまいが、この分では五時頃よりも六時頃の方が気温は下っていたと見るべきだよ」と、苦笑しながら言った。

と、野上警部補も苦笑して「すると、主任さんはどう解釈されているんですか？」

島貫警部は苦い顔をして「僕にもそれがさっぱり分らん！　二重足跡と考えられなくもないが、それでは秀夫の行動と符合しない事となる。そうだろう？　これは六時十分頃に秀夫が本館から別館に帰って行った時の足跡なんだからね、その下駄は当然別館の玄関に脱ぎ捨ててあったはずだ。そして秀夫は無論別館の書斎か寝室かに居たはずだ。その秀夫が、その下駄を履《は》いて再び本館から別館に歩いて行く事は不可能であり、例え可能であったとしても、そんな、前の足跡を一分一厘も履《ふ》み違えないように歩くなんてバカバカしい事をする必要はないはずだ。また、例えそうする必要があったとしても、こうまで完全無欠に前の足跡を履んで歩く事は並大抵の事ではない。非常に困難でそして面倒な事だよ。二間や三間の距離なら造作はないが、本館と別館は大分離れているんだからね。五十米《メートル》は隔っているだろう。その距離を何の必要があって？　第一これは不可能な事だよ。別館に居た秀夫が、どうして本館から別館に歩く事が出来よう！」

「秀夫さん以外の者が秀夫さんの下駄を穿いて歩いたのじゃないでしょうか？」

と、野上警部補が言った。

「本館から別館へ？」

「そうですよ。ついている足跡を注意深く踏んで、新たな足跡を残さないようにしたのじゃないかと思うのです」

「しかし君、その下駄は別館の玄関にあったはずだぜ！　その下駄を、どうして本館の方へ持って来ることが出来たと思うのだ？」

「エスが運んだのかも知れませんよ」

「エスが？」と、島貫警部は呆《あ》っ気《け》に取られたように、まじまじと野上の顔を瞶《みつ》めた。

「突飛な想像ですが、そうとでも解釈しなければしようがありませんからね」

「エスが下駄の緒を咥《くわ》えて別館から本館の裏口へ持って来たという訳だな？」

「そうです。エスは大変利口な犬で、それ位の事は容易に行《や》ってのけます。何でも、それを指差して咥えさせ、それから方向を示してみせると、指差された方にその品物《もの》を持って行く事が出来るのです。また、暗示を与えておいて、次に方向を示せば、その方向から暗示を与えられた品物《もの》を咥えて来る事も出来るのです。ですから、秀夫さんが自分の下駄を咥えさせて本館の裏口を指せばエスはその下駄をそこへ持って行くでしょう。また、誰かが本館の裏口へエスを呼んで、まず自分の足先を指して歩く真似をしてみせ、履物だという暗示を与え、次に別館の方を指してみせれば、エスは別館の玄関に脱ぎ捨てられている秀夫さんの下駄を持って来るでしょう。その場合、この命令者が和服を着ていれば下駄を、洋服を着ていれば靴を持ってくるほどに、エスは利口です。その程度の理解力は有っているらしいんです。無論、これは鮎子さんがそういうふうに訓練したためです」

「しかし、誰の言う事でもきく訳じゃないだろう?」

「それはそうです。無論鮎子さんの言う事を一番良くききます。その次には秀夫さんでしょう。しかし、大体においてこの家の人達の言う事なら、それを理解して言われた通りに間違いなく行《や》ってのけるようです」

「なるほど!」と、島貫警部は感心したように言って「すると、秀夫がエスに命じて自分の下駄を本館に持って行かせたか、または誰かが本館の裏口へエスを呼びつけて、秀夫の下駄を別館の玄関から持って来させたか、いずれにしてもその誰かはその下駄を穿いて、ついている足跡を踏んで新たな足跡を残さないように別館へ行く事は出来たかも知れんが……しかし、しかしだよ! その誰かは、如何にして本館へ帰って行く事が出来たと思うのだ? 鮎子が秀夫の死を告げ知らせた時には、信義と洋子は無論の事、俊作も正子もそして君達夫婦もみんな本館に居たんだろう? それから君と信義の二人が別館へ行ってみた時には秀夫の下駄は玄関に脱ぎ捨ててあったのだろう？　とすれば、その誰かはどうして本館に立ち戻っている事が出来たと言うのかね？」

「もう一度同じような事をやったのでしょう。つまり、その誰かは、別館へ行った時の足跡を履《ふ》んで本館に帰り、裏口へエスを呼んでその下駄を咥《くわ》えさせ、別館を指し示して持って行かせたのじゃないかと思います」

「え！　すると、三重の足跡という事になる訳だな」と、島貫警部は驚いたように言った。

「そうです。いや、私はそう思うのです。Bが三重足跡とすれば、一重足跡のAよりも一糎《センチ》ばかり深く痕跡《あと》を残している理由が明白になってきます。実験してみましょう」

　野上はそう言ってから滑らかな雪の上を二三歩あるき、その靴跡を一つ残して、もう一度その足跡の上を歩き、その靴跡を更に一つ残して、もう一度その足跡の上を歩いた。それで一重足跡と二重足跡と三重足跡の三重のそれが出来た訳である。較《くら》べ計ってみると一重足跡と二重足跡はその深さが約六粍《ミリ》程違い、三重足跡は二重足跡よりも約四粍《ミリ》程深い。当然、三重足跡は一重足跡よりも約一糎《センチ》程深くへこんでいる訳だ。

「ふうむ！」島貫警部は唸って「すると、その誰か即ち犯人は、秀夫が本館から別館へ帰った足跡を履んで別館を訪れ、兇行を遂げてから、再びその足跡を踏んで本館へ立ち戻ったと言うのだな？」

「……と、私は思うのです。でなければ、BがAよりも約一糎《センチ》深いという事実に対する適切な解釈が下されませんからね」

「すると、別館から本館に帰る時には後向《うしろむ》きに歩いた事になる訳だが、そんな事が出来るだろうか？　前の足跡を一分一厘も踏みはずさないようにするだけでも相当に困難で且《か》つ面倒な事なのに後向きに歩いてまで！」

「積雪の表面がある程度凍って固くなっていたのでそれが出来たのでしょう。下駄を雪の上に置いただけなら跡はつきませんからいきなり後に足を踏み出さないで、そっと下駄を雪の表面におろし、前の足跡の窪みに嵌《は》め込んでからその下駄に重量をかけ、今度は前の足をそっと持ち上げて後にやり同様にそっと次のくぼみに下駄を嵌めてからその下駄に重量をかける、といった調子でじわりじわりと後じさりして行ったのでしょう。あるいは、こういう事も想像されます。鼻緒《はなお》の方に踵《かかと》を向けて下駄の上に足を置き、それを紐か何かでくくりつけて、後向きではなく正面に向いて歩いた、とね。人間は前向きだが下駄は後向きに歩いたという訳です。この方が楽だしまた容易《たやす》くもありますから、恐らくそうしただろうと思うのです」

「うむ！」と島貫警部は感心したように呟いたが、不意に気附いたふうに「何もそんな煩わしい事をしなくとも、A、つまり秀夫が別館から本館へ行った時の足跡を踏んで歩けばいいじゃないか？それなら後向きに歩く事も要らぬし、あるいは下駄を足にくくりつけるような不細工な事をする必要もないのだからね。それに、そうすればAもBも、どちらも二重足跡となって、深さが一糎《センチ》ばかり違うという不自然な痕跡を残す事を避けられるのだからね。にも拘らず、何故そうしなかったのだろう？　この点が可怪《おか》しいじゃないか？　君はそれをどう解釈しているのかね」と言って、野上警部補を瞶《みつ》めた。

「AとBが所々で交錯しているから、それが出来なかったのですよ」

「……？」

「BはAより後の足跡ですから、従って交錯した箇所ではBはAを踏みつけている訳です。ですからBを踏んで別館に行く事は問題なく出来た訳ですが、Aを踏んで本館に戻る事は、不自然な足跡を残す事になるので、困難で面倒な事をあえてしてまでBを踏んで歩いたのでしょう」

「あ、そうか！　なるほどね……」

「Aを踏んで帰ると、Bとの交叉点ではAの上を踏んだBを更に踏む事になりますから、AとBの時間的前後が曖昧となり、従って二重足跡である事が判《わか》ってしまいますからね、そういう不自然な痕跡を残さないためにBを踏んで往復した訳でしょう」

「すると犯人は、足跡が無いという不連続のトリックに依《よ》って、自己のアリバイを作るために、それを行った訳だな？」

「他殺とすれば、そういう事になります」

「他殺だよ！　自殺なもんか！」

と、島貫警部は激しく言って「その場所的不連続のトリックに依《よ》って、自殺と見せかけようとし、あるいはまた、鮎子に嫌疑を向けようとしたのだ。そうだろう？」

野上はホッとしたふうに「他殺とすればそうとしか解釈のしようがありませんね。鮎子さんは信義さんに言われて別館へ牌《パイ》を取りに行くまで、ずっと洋子さんと一緒にいた訳ですから、六時十分頃から五十分に至る間のアリバイは確実です。従って他殺とすれば犯人は鮎子さん以外の人物だという事になります」

「洋子さんの証言が事実とすれば、ね」

「洋子さんが虚偽の証言をするはずがありませんよ！」と、野上は強く言い切った。

島貫警部は妙な顔をして「君は、何故鮎子さんをそんなに庇うのだ」

「あの女《ひと》は、そんな恐ろしい人間じゃないと信じているからです」

「君は、鮎子さんを愛しているのじゃないかね?」と、島貫警部は苦笑した。

野上は狼狽《ろうばい》の面持《おもも》ちになって「そういう訳じゃないかね?」と、島貫警部は苦笑した。人者とは決して思われないので……」と、しどろもどろに応えた。

島貫警部は訝《いぶか》し気なまなざしを、少時《しばらく》の間探るように野上の顔にそそいでいた。が、やがて「すると犯人は誰だと思う?」と訊いた。

野上丈助は応えなかった。

「俊作か信義が臭いと僕は思うんだが」

「信義さんは完全なアリバイがあります」

「完全じゃないよ! 信義は六時四十分頃に、君の部屋を出ている。浴室に行ったのは六時五十分頃だったと言うのだから、その間十分の間《ま》がある。前後とも(頃)という漠然とした時刻の証言なんだから、あるいは十五分から二十分位の間《ま》があったかも知れない。君だって信義が君の部屋を出た時刻をハッキリ覚えてはいないだろう?」

「ええ、それは……。しかし、大体六時四十分頃だったと思いますが……」

「頃と思います、では確実な証言とは言えない。信義にはアリバイが無い。その代りに殺人動機がある。兄を殺して嫌疑を鮎子に向ければ、兄の財産を弟の俊作と分け合う事が出来るのだからね。……麻雀《マージャン》をしようと言い出したのは信義だろう?」

「そうです。信義さんが私の家内《かない》に言ったのです」

「その事だって、鮎子に殺人の嫌疑を向けるための狡猾なトリックだと考えられなくもない。つまり、兄を殺して、麻雀牌《マージャンパイ》にかこつけて鮎子を別館に行かせ、鮎子のそれまでの完全なアリバイを破り、それに依《よ》って他殺とすれば犯人は鮎子だと思わせるように、予めその準備工作を施しておいた、とね」

「そうしておいて、すぐに別館へ秀夫さんを殺しに行った、と言われるんですか？」

「……と疑う事も出来ると思うのだよ。君はこの家に同居しているのだから、ある程度の事は知っているだろう、河内の家庭の内情を？　兄弟仲はどうだね？　信義が兄を憎んでいるふうは無かったかね？」

「兄弟仲は至極睦《むつま》じいようですけど……」

「睦《むつま》じい……？」と、島貫警部は疑わし気《げ》に言って「で、夫婦仲はどうだね？」

「夫婦仲はあまり睦《むつま》じくはないようですね」

「三夫婦とも子供が無いので夫婦生活に倦怠しているのだろう。それとも、他に何か特別の理由があっての事だろうか？」

「秀夫さんは鮎子さんよりもむしろ正子さんを愛しているようでした。その正子さんの夫である信義さんは、正子さんよりもむしろ洋子さんを好いているようです。そして、洋子さんの夫の俊作さんは、洋子さんよりもむしろ……」と言いかけたまま、野上は慌てて口を噤《つぐ》んだ。さすがにそれは言い兼ねたのだ。

「鮎子さんを愛しているのか？」

と、島貫警部はその眼をキラリと光らせ「とすれば、俊作は情痴という殺人動機を有《も》っていた訳になるが……？」

「いいえ、そうじゃないのです」

「じゃ、誰を愛しているのか？」と、島貫警部は鋭く追求した。「まさか、君の奥さんを愛しているんじゃあるまいね」

「いいえ、どうも、そうらしいのです」と、野上は照れ臭そうに答えた。島貫警部は唖然《あぜん》とした面持《おもも》ちで少時《しばらく》、野上の顔を打ち見守っていたが、やがて苦笑しながら、

「君が平気でそう言うところを見ると、君も奥さんよりはむしろ鮎子さんの方が好きなんだろう？　鮎子さんを愛しているんじゃないかね？　とすれば、君も、秀夫を殺す動機を有っていた事になるが……？」

野上は狼狽して「そ、そんな事はありません。私は別に、鮎子さんを、な、なんとも思ってはいませんと吃りながら弁解した。

「いや。そうだろう！　そうとしか思えないよ！」と島貫警部はきめつけるように言い、

「三角関係が四つ組み合った八角関係だ」

と、大きく哄笑《わら》った。が、すぐに真摯《まじめ》な顔付きに返り「で、妻達はどうなのだ？」

「私の家内《かない》は別として、鮎子さんも洋子も正子さんも、それぞれ自分の主人を愛してるふうです。みんな、夫を大切にしています。私はそう観ていますが……」

「ふん！　で、君の奥さんは俊作を愛しているのかね？」と、島貫警部はニヤリとした。

「愛している、と言うのとは少々趣きを異にしていると思うのです。むしろ弟のように可愛い、と言うのが適切でしょう。俊作さんはそんな男《ひと》です。子供のように可愛がられるに相応《ふさ》わしいような

おとなしく気立てのいい」

「君はそれで嫉妬を感じないのかね？」

「多少はね。しかし、私はあまり責めません」

「何故？　鮎子さんを愛しているからか？」

「いや。私は家内《かない》に頭が上らないのですよ。私の月給などは及びもつかない程の収入《みいり》が家内にはあるんですからね」

「いや、羨ましいよ！」と、島貫警部は苦笑《わら》って「僕も探偵作家の妻を持ちたいものだ」と、野上の肩をポンと叩くのであった。

H

応接室で家人の個別訊問が行われた。

――河内鮎子（二十五才）

彼女は二十二の春、秀夫と見合結婚をし、円満にそして幸福に暮して来た。心から夫を愛している。その夫を殺したなんて飛んでもない！　他殺としても犯人に心当りはない。夫はバカと言われるほどにお人好《ひとよ》しなのだから、兄弟には無論の事、誰からも恨みを受けるような事はないはず。……夫は正子を愛しているようだったが、正子は夫を嫌っているらしいので、別に不安にも思わず、また嫉妬を感ずるような事もなかった。夫と正子の間には別に深い関係は無かったと思う。……牌《パイ》を取りに別館へ行った時、玄関の扉《と》は細目に開いており、内側の土間にエスが臥《ね》ていた。エスは夫の死に気付いているふうは無かった。エスは良く訓練してありとても賢い犬だから、仰言《おっしゃ》る通り、下駄ぐらいのものだったら指差した所へ持っても行くし、また指し示した所からそれを持って来ることも出来る。誰かがエスに命じて、別館から履物を持って来《こ》させたのだとすれば、その人はきっと男で、しかも着物を着ていたのに違いないと思う。洋服を着ていれば靴を持って来るし、女だったら女の下駄を持って来るはずだから。……最近夫には別に変った様子は見られなかった。今日はちょっと頭が痛くて気分がすぐれなかったと見えて、書斎に閉じ籠っていたので、二時頃に本館へ来て洋子と話していた。夫の屍体を発見するまで、一度も別館へは戻って行かず、始終洋子と一緒に話したり、食事の仕度《したく》や後片附けをしたり、お湯に入ったりしていた。

——河内正子（二十二才）

彼女は二十《はたち》の年の秋、信義と恋愛結婚をした。無論、心から夫を愛している。それが故に、義兄《あに》の秀夫からチヤホヤされ煩《うるさ》く附き纏われるのを大変迷惑に思っていた。が、だからと言って決して義兄《あに》を憎んでいた訳ではない。夫の兄として敬愛していた。その義兄《あに》から一度接吻を求められた事がある。拒み切れずその接吻を受けた。しかし、それ以上の関係は無い。義兄《あに》もそれ以上の事を要求はしなかった。……食堂から出て二階にあがろうとした時、裏階段の上《あが》り口《ぐち》の所で義兄《あに》に接吻を求められ、それを受けてしまった。それから義兄《あに》はすぐに裏口から戸外《そと》に出て行き、自分は二階の自室に行った。夫はその部屋にも隣室の書斎にも居なかった。野上の部屋に行っていたのだと後で分った。自室で暫くじっとしていたが、堪《た》えられぬ程の寒気を覚えてきたので、お湯に入って温まろうと思い浴室へ行った。時刻は六時半過ぎだったと覚えている。湯から上るとすぐに自室に戻り、風邪薬を飲んで寝た。うつらうつらしていると、姉の洋子がはいって来て、義兄《あに》の死を告げたので吃驚《びっくり》してしまった。起きようと思ったが、頭が痛くてその気力もなく、姉もそう言うので、そのまま寝ていた。……義兄《あに》を決して憎んでもいず、といって愛してもいない。自分で分らない気持である。決して義兄《あに》を殺しはしない！　殺すほど憎んでいたら、求められた接吻を受けたりはしない、接吻を交している時には、義兄《あに》を愛し求めている今ひとつの自身の心を意識した。……義兄《あに》を殺した犯人には全然心当りがない。自分はむしろ自殺だと思っている。内心の苦悩《なやみ》を紛らすために自分を愛し求めていたのではないかとも思われる節があったのだから……。

——河内信義（三十二才）

四年前に物故した父秀太郎の遺産を、兄秀夫、弟俊作の三人で等分し、それから生ずる利潤に依《よ》って生活してきている。三人兄弟だけで姉妹は無い。……兄は至極好人物だから他人の怨恨《うらみ》を買うような事は絶対にないと信じている。従って、兄は何か秘密の苦悩に堪《た》え切れないで、遺書も残さず自殺したものであろう。他殺ではないと思っている。自殺の理由には全然心当りが無い。兄の投資している事業はうまく行っており相当の利潤を得ているので、無論、金銭的の窮迫ではなく、自殺を決意させたものは何か精神的の窮迫に違いないと思う。……犯人が兄の足跡を踏んで別館へ往復したなどと、そんなバカバカしい事を信ずることは出来ない。むしろ、有り得ない事だと思う。兄が別館から本館に向った足跡よりも、本館から別館に向った足跡の方が約一糎《センチ》深いのは、積雪の硬軟と歩行の遅速に原因するものであろう。ゆっくり歩けば当然足跡は深くなる道理だから。……野上の部屋を出たのは六時四十分である。鮎子を別館に行かせた時は六時五十分だから、その間《かん》僅か十分。その間にエスを呼んで兄の下駄を持って来させ、その下駄を穿いて兄の足跡を一分一厘も踏み外《はず》さないように辿って別館へ行き、兄を殺して自殺の状況を作り、再びその足跡を辿って一分一厘も踏み違えないように逆行し、そしてその下駄をエスに本館へ持って行かせる、というような事は、時間的に到底不可能である。……正子は寝室に居た。自分が野上の部屋へ行ってから間もなく、その部屋の扉の開閉する音を聞いた。途中でちょっと用事があってその部屋へはいった時にそれを確かめている。その時刻は六時半頃だった。それから間もなく正子は浴室へ行ったのだから、アリバイは完全だ。自分は六時四十分に野上の部屋を出て階下《した》に降り、食堂や台所に行ってみたが鮎子が居ないので浴室へ行ってみた。そこで鮎子達があがって来るのを二三分の間待っていた。その間に別館へ行って兄を殺したなんて、それは邪推である。……兄を決して憎んではいない。兄が正子に邪恋を抱き、一度などは接吻という直接行動にまで出た事を正子の口から聞き知っていた。あまり気持ちの快《よ》い事ではないが、その時の兄は酔っていたのだから、別に憎しみは感じなかった。むしろ仕方のない事だと思っていた。肉体の関係は無かったと思う。いや、そう信じている。正子はそんな貞操観の乏しい女ではないのだから……。

――河内洋子（二十六才）

昨年の正月、俊作と交際結婚をした。正子の実姉《あね》と義弟《おとうと》、信義の義姉《あね》と実弟《おとうと》、という関係の交際が結婚にまで発展したのである。……義兄《あに》の死は自殺だと思う。別館へ行ったただ一人の鮎子は、決して夫殺しをするような恐ろしい女《ひと》ではないと信じているので、自殺としか思いようがない。……鮎子が別館へ牌《パイ》を取りに行くまでは、彼女と共に始終一緒になっていた。……正子が浴室にはいって来てから十五分ばかりは浴室に居たと覚えているから、鮎子が別館へ行ったのが六時五十分だったとすれば、正子が浴室へ来たのは六時三十五分という事になる。自殺の原因には全然心当りが無く、他殺としても、犯人は誰か想像する事も出来ない。

——河内俊作（二十九才）

兄は自殺したのだと思う。鮎子が犯人とはどうしても思えないので、そうとしか解釈のしようがない。……六時十分頃に食堂を出、それからすぐに階下の自室で読書に耽っていたが、七時頃に妻が来て兄の死を告げたので驚愕した。従って、自分のアリバイには証言者は無い訳だが、決して兄を殺しはしない。好人物の兄を憎悪する理由は爪から先も無いのだから……。兄の足跡を踏んで往復し、その下駄をエスに持ち来らせ、また持ち行かせるなどというような巧妙極まるトリックは、探偵作家の妻を持つ捜査課の警部補だからこそ想像出来たので、自分は無論の事、兄信義、鮎子、正子、洋子などには思いもつかぬ奇抜な着想である。だから、犯人が足跡が無いという不連続のトリックを用いて兄を殺した、というのは単なる臆測《おくそく》にとどまり、事実的根拠の薄弱な想像であると自分は思う。(俊作は、野上丈助の目の前で、皮肉をまじえた調子で言った。それに対して野上は、秀夫の足跡の深さが、往《ゆき》と復《かえり》では約一糎《センチ》違うという事実をもって論駁《ろんばく》したが、俊作はそれに応えて、それは積雪の硬軟及び歩行の遅速に基くものであると、信義と同じ解釈をして、野上の駁論《ばくろん》に対抗した。これは結局、水掛け論に終った)

——野上貞子(三十才)

この河内家の二階を間借りして引っ越して来たのは、一月の十五日である。部屋代及び二人の賄費《まかないひ》として、毎月六千円宛《ずつ》支払う事になっている。引っ越して来てから一月余りになるが、自分はいつも部屋に閉じ籠って創作に余念がないので、家庭の内情についてはあまり詳しい事は知らない。夫の丈助は勤《つと》めを持つ身だから、これも同様にこの家の内情には関知していない。……六時十分頃、丈助と共に食堂を出て、二階の自室に引き取った。間もなく信義がはいって来たので三人で雑談を取り交していた。信義が部屋を出たのは六時四十分頃で、それよりも前、六時半頃だったと思うが、信義はちょっと中座して自室に行ってきた。正子は? と訊くと、頭痛がすると言って鬱《ふさ》いでいる、と信義は答えた。……正子が二階に上って来て自室の扉を開閉する音は自分も聴いた。それは信義が自分達の部屋に来てからすぐの事だったから、六時十五分頃という事になる。従って正子と信義のアリバイは確実である。六時四十分頃に信義が出て行ってから、洋子が秀夫の死を告げに来るまで、自分も夫の丈助も部屋から出なかった。……秀夫が正子の部屋へやって来て、半ば暴力的に正子の唇を奪った事は、自分も知っている。が、正子は別に秀夫を憎んでいるふうには見えなかった。むしろ心の片隅では仮令《たとえ》それが暴力によるとは言え接吻を許した秀夫を、ひそかに愛していたのかも知れない。そのような事を一度自分に洩らした事がある。自分で自分が怖い……と正子は言った。接吻を許した義兄《あに》に惹かれて肉体をまで許すような結果にならぬか？　とそれを懼《おそ》れ危ぶんでいるのだ、と自分は思った。……足跡が秀夫と鮎子の二人だけしか無いとすれば、他殺とすれば鮎子が犯人という事になるが、鮎子が夫を殺したとは考えられないから、秀夫の死は、きっと、自殺に違いないと思う。

×

「すると、秀夫さんが、ナイフで、しかも着衣の上から自分の胸を突き刺した点を、奥さんはどう解釈されますか？」

島貫警部はそう訊いて、じっと貞子の顔をみつめた。貞子は急に声を低めて言った。

「もしかすると、これは悪意を含めた自殺なのかも知れませんわ！」

「悪意を含めた自殺とは……？」

訊き返して、警部は妙な顔をした。

「つまり、他殺とみられた場合に、その嫌疑を鮎子さんに向けるためにそういう不自然な方法に依《よ》る自殺を選んだと疑うのです」

「何故、そんな事を思われるのです？　秀夫さんは、鮎子さんを憎んでいたのでしょうか？　何か、その理由を御存知ですか？」

「鮎子さんが、夫以外の男《ひと》を愛しておられるからですわ」と言って、貞子はチラッと丈助の方を見た。揶揄的な微笑をその唇《くち》もとに湛《たた》えて。島貫警部は苦笑して「夫以外の男とは、この人の事でしょう？」と、傍に居る野上の肩に掌《て》を置いてみせた。丈助はいやな顔をした。貞子は頷いて微笑《わら》いながら、

「そういうふうに思える節がありますの」

「つまらん事を言うな！」

丈助は憤《おこ》って、妻を睨みつけた。

「しかし、それ位の事で自殺したりはしないでしょう？」と、島貫警部は苦笑した。

「原因は他にあったのでしょう。だから、悪意を含めた……と言いましたの。自分が自殺した場合、未亡人となった妻は、きっと、愛する男をこの寝室に連れ込むに違いないと思うと、死を決意していながら、さすがに嫉妬を覚えずにはいられず、そのような悪意を含めた自殺の方法を選んだのではないかと、妾は思いますの」

「なるほど、そうかも知れない」と、丈助が相槌を打って「あの足跡も、そういう悪意を含めたトリックだったのかも知れない」

「悪意を含めたトリック、って君、秀夫がわざとそのような深い足跡を残しておいたと言うのかね？」島貫警部は呆《あ》っ気《け》に取られたような顔で、野上の顔をマジマジと見つめながら「そんな、バカバカしい真似をするだろうか？」と、疑わしげ気に言った。

「自殺とすれば、ほかに解釈のしようがないじゃありませんか？　秀夫さんは夕食に本館へやって来た時には、既に自殺の決意を固めていて、食後、別館へ帰って行く時に一歩々々、積雪《ゆき》の上を強

く踏みつけて、二重足跡または三重足跡と疑われるような足跡を故意に残しておいたのでしょう」

「それは、君の考え過ぎだよ！」

島貫警部は、吐きすてるように言った。

「好人物だったという秀夫に、そんな邪悪な智慧があったとは思えないよ！」

「エスに訊いてみてはどうでしょうか？」

と、貞子が奇妙な提案をした。

「エスに訊くって、犬じゃ口がきけない」

と、島貫警部は大きく哄笑《わら》った。

「そうじゃないの。エスに下駄を咥《くわ》えさせて、誰の所へ持って行くかを験《ため》してみてはどうかと思いますの」

「なるほど、それは良い考えだ！」島貫警部は瞳を輝かせて「早速、実験してみよう」と気負い込んで、言った。

本館の裏口に、信義、俊作、鮎子、洋子、正子の五人を並ばせておき、島貫警部と野上警部補は別館へ行った。野上が口笛を吹いてエスを呼んだ。まず肉を与えて御機嫌を取り、それから秀夫の下駄を指《さ》してみせ、その手をあげて本館の方を指《さ》した。それを二三度繰り返していると、エスはいきなり下駄の緒を咥えて走り出て行った。警部と野上はポーチへ出て固唾を呑んでそれを瞶《みつ》めていた。エスは下駄を咥えて本館の裏口へ向ってまっすぐに走って行き、そこでしばらく躊躇《ためら》っていたが、鮎子の足元にそれを置いて、千切れるほど尻尾を振った。

「やっぱり、鮎子だ！」

島貫警部が押し殺したような声で言った。

「しかし、鮎子さんにはアリバイがあります。始終、洋子さんと一緒に居たと言うのですからね。……誰の所へ持って行っていいか分らないので、エスは最も懐いている鮎子さんの所へ持って行ったのでしょうよ」

「それもそうだな」と警部は呟き「もうひとつの実験をしてみよう」と本館に向った。

野上が靴を脱いで裏口にあがり、エスを呼んで肉を与えた。夢中でそれを喰べ終ったエスは、まだ欲しそうな眼つきをして激しく尻尾を振りながら、野上を見上げた。野上は自分の足先を指《ゆびさ》してみせ、それから歩く真似をしてみせた。エスはキョトンとしてそれを瞶《みつ》めている。野上がその素振りを二三度繰り返していると、エスは土間に置いてある野上の靴を咥《くわ》え、その足許に置いた。彼は苦笑しながら、右手を激しく振ってみせ、その手をあげて別館の方を指した。するとエスはすぐに走り出して行った。

「賢い奴だな」と警部が感心して言った。

間もなくエスは、別館の玄関から走り出て来た。その口に何か長いものを咥えている。走り寄って来てそれを野上の足許に置いた。それは玄関に置いてあったステッキである。警部が苦笑しながら言った。

「君が手を振ってみせたから、靴じゃなくってステッキの事だと思ったのだ。しかし、それにしても随分と悟りの良い犬だよ！」

もう一度やり直すと、今度は間違いなく秀夫の靴を咥えて来た。野上がその頭を撫ぜてやると、エスはほんの御愛想のようにその掌《て》を舐め、すぐに鮎子の傍に寄って行き蹲《しゃが》んだ彼女の膝にその軀をしきりにこすりつけて甘えた。結局、この実験は、エスの利口さを確認しただけで、他には何等得る事は無かったと言えるのである。

「エスは犯人を知っているのだが……」

と、島貫警部は低く呟いた。

「ここへ呼びつけて、別館から秀夫の下駄を持って来させた人間を、この犬は良く知っているのだが、しかし、相手は、畜生《ちきしょう》だからそれを訊き糺《ただ》す事も出来ない……」

屍体は、解剖に附される事となって、運び出されて行った。被害者、あるいは自殺者秀夫の死亡時刻を確認するためである。

自殺か？　他殺か？　他殺とすれば犯人は誰か？　現場の検証を終えた島貫警部は有耶無耶のままに別館の死の部屋をあとにして部下達と共に引きあげて行った。

I

明るくなごやかな雰囲気に包まれていたこの河内家に、秀夫の不可解な死を契機として、暗く重っ苦しい空気が充ち漂ってきた。それは冬の空のように晴れ晴れとしない灰色の疑惑だった。固く凍結した湖の如き冷さだった。薄氷の上を歩むような不安さだった。大吹雪《ふぶき》に行く道を見失った登山者の如き心もとなさだった。そしてまた、雲催《もよ》いの夕空の如き寂しさおぞましさでもあった。

積雪に重く冷たく掩《おお》われた草木に、暖かい春が待たれるように、この暗く冷たく重っ苦しい空気を、綺麗さっぱりと掃い除けるべき事件の解決が待たれた。

が、あの日降り積んだ雪が、連日の寒気にいつまでも融《と》けないように、事件は未解決のままで、憂愁と不安と疑惑に充ち充ちた毎日が、三日、四日、五日と徒《いたず》らに過ぎ去って行った。自殺か、他殺か、それさえ分らぬ人の、しかし、初七日の仏事は滞りなく済んで、鮎子はエスと共に別館で寂しく日を送った。悲しさ痛《いたま》しさは、日と共に薄らいでいったが、淋しさ遣る瀬なさは、夜毎《よごと》に増し加わってくる。空閨《くうけい》の淋しさに堪《た》えかねて、愛犬のエスと戯れて味気ない一夜を明す事もあった。甘えかかる人の無い遣る瀬なさに、トランプの独り占いに溜息に明け涙に暮れる日を過す事もあった。

そういう彼女は、野上丈助の男性的魅力に溢《あふ》れた風貌が、狂おしいまでに恋しく慕わしい対象となって映り始めたのも、無理からぬ事と言わねばなるまい。妾《わたし》の淋しさを慰め和《やわら》げ、遣る瀬ない想いを満たしてくれる人は、この男《ひと》を措いて他には無いと、心底から彼女がそう思い詰めるようになった頃には、彼を瞶《みつ》める彼女の瞳に、目に見えない焔が燃えさかり、じっとりとした潤いが満ち溢《こぼ》れんばかりに甘く湛《たた》えられてきた。この強く激しい彼女の思いが、いつまでも思いのままで済むはずはなかった。

その日は日曜日で、貞子は午後から外出して、丈助は一人で部屋の中にくすぶっていた。所在無さに彼はやたらに紙巻《シガレット》を喫《ふか》しながら、窓越しに戸外《そと》を瞶め、時折り、さも退屈そうな欠伸をした。ぼんやりと投げた視線に赤煉瓦の別館が映り、その玄関口からエスがパッと走り出したと思うと、続いて鮎子の姿が……。

彼女はポーチに佇んで空を見上げ、その視線を落して、丈助が覗いている窓を瞶めた。そして、にっこりと微笑《ほほえ》んだ。彼女の着ている緑色のセーターが建物の赤に対比して美しく麗《うる》わしく彼の眼に映った。

丈助は階下《した》に降りて、裏口から戸外《そと》に出た。目指すともなく別館へ向って足を運んで行く丈助を、鮎子はポーチに佇んだまま、さり気《げ》ない様子で待っていた。彼が近付いて行くと、彼女は面《おもて》をあげて「今日はお休みですの」と、分り切った事を訊いた。

「ええ、今日は日曜日ですから」と、彼も面を硬張《こわば》らせたままで応えた。

彼女は暫く躊躇《ためら》ったのち「おはいりになりません？」と、低く言った。

「ええ」と応えて、彼もしばらく逡巡した後《のち》「じゃ、ちょっとお邪魔しましょうか」

彼女は、いそいそとして彼にスリッパを勧め、自分の部屋へ導き入れた。

「貴女は、どう思っていられますか？」

「何をでしょうか？」

「秀夫さんの事です。……警察の見解は、段々と自殺説に傾いて行くようですけど」

「妾も、そう思っています……」

彼女は低く答えて俯向《うつむ》いた。スカートの膝に掌《て》を置いてじっとそれを瞶《みつ》めている。

「本当に、そう思っていられますか？」

「ええ……。でも、何故？」

彼女は顔をあげて彼の面を仰ぎ見た。

「何故って事もありませんが、僕には、何となくそうではないように思えるのです」

「妾を、疑っていらっしゃいますの？」

「いや、そうじゃないのです！」

「じゃ、誰を?」と、彼女は呼吸《いき》をとめ、瞳を輝かせた。彼は応えなかった。迂闊に口には出しかねる人。彼は内心その人を疑っているのだ。

「こんなお話は、もう止《よ》しましょう」彼女は呟くふうに言って、ホッと溜息を洩《も》らした。

「妾は、もう思い出したくありませんの。自殺でも他殺でも、死んだ主人が生き返って来るはずはありませんし、どっちだって構《かま》いませんわ」

「それはそうですが……しかし僕は……」

「貴方は警察官でいらっしゃるから、飽くまでも真実を追究なさりたいのでしょうけど、妾は、主人の事を忘れてしまいたいの」

彼女は、切なげに言って、膝に置いた掌《て》をもじもじと動かした。

「妾は、いけない女でしょうか?」

熱っぽいまなざしを彼の顔に強くそそいで、彼女は、ほーッと大きく溜息を吐《つ》いた。

「妾は、もう、自分の心を抑える事が出来ませんの! いけない事でしょうか?」

彼女の声は、微かに震え戦《おのの》いていた。

「心からそう思っていられるんでしたら、許される事だと、僕は思いますけど……」

「妾、心から……でも、貴方には……」

「僕には妻があります。しかし、僕はその妻に束縛されてはいません。また、束縛されたくもありません。僕は、自由なのです」

丈助は、まるで熱病患者の譫語《うわごと》みたいに上《うわ》ずった声で呻き叫ぶように言った。

彼女は、ポッと頰を赧らめて、

「貴方は、妾をどうお思いでしょうか？」

「好きです！」と彼は言った。言うと同時に、つと椅子から立ち上って、彼女の傍に歩み寄って行き、白く柔らかいその掌《て》をとってぐっと握り締め「貴女を愛しています」

「妾だって……」彼女はそっと椅子から腰を浮かせた。その腰に彼の両手が廻されていきなりぐっと抱き締められた。「貴女を心から愛して……」言いかけた彼女の口を彼の唇がピッタリと塞いだ。彼女は激しく喘いだ。喘ぎながら、その手を鰻のようにくねらせて、彼の頸に搦みつけ、その胸を、腰を、水母《くらげ》の如くユラユラと妖しく揺振《ゆすぶ》った。

　彼の胸に押しつけられた豊満な乳房の触感が、彼の官能を疼かせ燃え上らせた。

「妾、嬉しいわ！　もっと強く抱いて！」

彼女は甘えた。自ら唇を寄せて、彼の頬にぴったりと吸いついた。彼は彼女を抱き上げた。が、彼女は唇を放さない。抱いたままで椅子に掛け、囁いた。

「僕は、もう堪《たま》らなくなった……貴方が可愛くって可愛くって堪らない！」

「妾も！」唇を放して彼女も囁き返した。

「貴女を、どうしても構わない？」

彼女は微かに頷いて、そっと眼を瞑《つむ》り、「あっちへ連れてって……」と、消え入るような声で言った。彼は椅子から立ち上って寝台《ベッド》の上へ彼女の軀を運んだ。若鮎の如きピチピチした彼女の肉体が、ぶるぶると微かに顫《ふる》えながら、やがて、妖しく、美しく崩れていった……。

「妾、いけない女だわ……」ぐったりと伸した軀を、それでもまだピッタリと彼の軀に寄り添わせて、鮎子は甘ったるく囁いた。

「主人が亡くなって、まだ間《ま》もないのに、それに、立派な奥さんのある方と……こんな事になってしまって……妾、どうしようかしら、奥さんに会わせる顔がないわ」

丈助は微笑《わら》って「後悔しているの？」

「いいえ！　そんな事ないわ……でも、これから先の事を思うと、妾、自分で自分が怖くて……貴方なしでは過ごせないような気がして……ネ、どうしたらいいかしら？　ずうっと、妾を愛して下さって？」

「愛しますとも！」

彼は激しく言って、彼女を抱き締め、

「僕は貞子よりも貴女を愛している！　貞子と別れて、貴女と結婚してもいい！」

「真実《ほんとう》に、そう思っていらっしゃるの？」

彼女は息を弾ませて、喘ぐように言った。

「真実《ほんとう》ですとも！　何で嘘を言いましょう」

「でも、それじゃ、奥さんに悪いわ」

「貞子は、僕よりも俊作さんを愛しているのですから、僕と別れても淋しくはないでしょう。それに、俊作さんも貞子を愛していられるようですから……。僕が貞子と別れれば、貴女は僕と結婚してくれますか？」

彼は、彼女の上気した頬に軽く唇をふれて、熱っぽく囁いた。

「ええ、それは……」と彼女は含羞《はにか》んで、

「もう、結婚したようなものですわ」

彼は苦笑して、

「実質的にはそうですが、形式的にも、貴女は僕の妻になってくれますか？」

「ええ、それは……。でも、そうなると、洋子さんがお可哀想ですわ」

「洋子さんは、信義さんに愛されているようですから、俊作さんが貞子ばかりを愛するようになっても困りはしないでしょう。洋子さんも信義さんを嫌ってはいないのですからね。時々、一緒に踊りに行ってたのだから、嫌ってはいないどころか、むしろ、ひそかに愛しているのかも知れない」

「そうかも知れませんわね」

「俊作さんは、貞子と同じように文学趣味の人ですから、二人はウマが合うでしょうし、信義さんと洋子さんは、どっちも音楽が好きで、ダンスも出来るし、二人はきっと仲良くして行けるでしょう」

「すると、正子さんはどうなりますの？」

丈助は答えなかった。

「信義さんが洋子さんばかりを愛されるようになっては、正子さんがお可哀想ですわ」

「秀夫さんが生きておられるとちょうどいいのですが……」と、丈助は低く言った。

「秀夫さんは、正子さんを強く愛しておられたようでしたから、生きておられれば……」

「それは、仰言《おっしゃ》らないで！　主人の事を仰言ると、妾、苦しくなってきますわ！」

切なげな声で言って、彼女は喘いだ。こんな場合、その人の事を言われるのは、彼女にとって確かに苦しい事に違いなかった。丈助の頸に腕を搦みつけ、ふくよかな乳房をぴったりと彼の胸に押しつけ、くねくねと妖しく腰をゆるがせ、その人の事を完全に忘れてしまおうとでもするかのように、激しい慾情をその全身に漲らせて、再度の愛撫を求めるのであった……。

　その夜、丈助は妻の要求に応じなかった。応えることが出来なかったのである。

「どうなさったの？」貞子は、夫の頬に唇を触れたまま、さも不満げに言った。

「今日は、ちょっと気分が悪いのだ」丈助はそっぽを向いたままで答えた。むっちりと白い彼女の肉体が、いまだに彼の網膜に灼《や》きついて離れなかった。それと異なる肉体が、如何にぴったりと寄り添ってこようと、どんなに激しく悶え狂おうと、彼は少しも情感を唆《そそ》られる事はなかったのである。

「いや！　そんなこと言って……貴方は、妾が嫌いになったの？」彼女は、夫の軀に押しかぶさって、嚙みつくような接吻をした。

「そんなことはないけど……」

「貴方は、鮎子さんを愛しているのでしょう？　未亡人となった鮎子さんを……」

「嫉《や》けるかい？」と、丈助は苦笑した。

「ううん、嫉けないわ！」反撥的に強く言って、貞子は、軀を横たえた。「お金持ちの未亡人を、うんと可愛がってやるといいわ！　妾のようなお婆さんは放《ほ》っといて……若くて美しい鮎子さんを！」

「そうしても、いいかね？」

　貞子は答えないで、彼の大股をギュッと抓《つね》り上げた。本当に、憎らしい人！

　丈助は顔をしかめて、

「やっぱり嫉《や》いているじゃないか……」

「ううん。貴方が鮎子さんを愛したって、妾はちっとも嫉けないわ。……少しも困らないわよ。……どうぞ御自由に……」

彼女は、そう言って静かに眼を瞑《つむ》った。

「君は、秀夫さんを殺した人を知ってるんじゃないかね？」丈助は低く訊いた。

貞子はパッチリと眼を開いて、その眼を激しく瞬《また》かせた。「何故、そんな事を？」

「君だけではなく、ほかにもそれを知っている人はあると思うのだ。知っていながらそれを隠しているのだと僕は思う。犯人を庇《かば》っているのに違いない。信義さんと俊作さんは肉身の兄弟だし、君と洋子さんと正子さん、この三人も肉身の姉妹だし、それにこの五人は、それぞれ、夫婦、義姉弟、義兄妹といった密接不離《みっせつふり》の関係で、固く結ばれているのだから、その中の誰かが人殺しの犯人だと知っていても、庇い立てをするのが人情というものだからね」

貞子は黙っていた。丈助は声をひそめて
「知っているのだったら、僕にだけ、それを言ってくれないか？」

「妾が知るもんですか！」

貞子は強く否定して「秀夫さんは自殺でしょう？　妾はそう思っているわ。妾だけではなく、信義さんも俊作さんも、洋子も正子も、鮎子さんでさえそう思っているのよ。……それなのに、貴方だけは、何故、他殺だと思っているの？」

「ただ、何となくそう思えるのだ」

「確実な根拠もないのに、そんな、事を荒立てるような事を言うのは止《よ》してよ！」

貞子は、くるりと寝返りを打って、彼の方に背中を向けた。それっきり、彼が何を言っても、口を噤《つぐ》んでウンともスンとも言わなかった。――何か知っていて、それを隠しているのに違いない……と、丈助は、そう思わざるを得ないのであったが……。

J

その翌日の午後――。貞子が、自室で原稿用紙にペンを走らせていると、辺りへ憚《はばか》るようなノックの音……。俊作だった。あの事件《こと》があってから始めての訪れである。彼女は、その人の訪れを、心待ちにしていただけに、我知らず微笑がこみあげてきて、唇《くち》もとがやわらかく綻ぶ。

「ちょっとお邪魔してもいいでしょうか?」俊作は臆病《おくびょう》そうな声で、おずおずと言った。最後の一点だけは、お互いに辛くも踏みとどまってはいるが、その他の事はすべて許し合っている仲なのに、改まったその語調が可笑《おか》しく、貞子は思わずクスリと笑って、

「どうぞ、おはいりなさいませ」

と、自分でもわざと改まって言い、俊作を中に入れると、扉を閉めて鍵を廻した。

「心待ちにしてたのよ!」彼女は、甘ったるく囁いて、彼を連れて行ってベットに腰かけさせた。口先だけではなく、すぐに抱き締めて接吻した。こんな場合、俊作はいつも受け身だった。抱き締められるだけで満足し、あえて抱き返そうともしない女性的の俊作。貞子はこの頃、その人に堪《たま》らないほどの愛しさを感ずるのであった。ともすると、この人は妹洋子の夫であるという理性が、彼女の念頭から離れ勝《がち》になる。と同時に、丈助の妻であるという意識も、愛慾の情火に焼かれて危う

く失われ勝《がち》だった。――彼女は喘ぎながら低く囁いた。

「妾、どうしたらいいかしら？　この頃、妾は貴方が恋しくって堪《たま》らないの。ひまな時には貴方の事ばかり思っているのよ。いけない事と思ってはいるんだけど、それでいて、自分で自分の心を抑える事が出来ないの。妾、つくづく困ってしまうのよ」

「僕だって、貴方の事を忘れる事は出来ない！　洋子を抱いている時でさえ、心の中には貴女の俤《おもかげ》を描いているのです！　ね、いっその事、僕と結婚してくれませんか？」

彼女の力強い抱擁《ほうよう》の中で、俊作は喘ぎながら言った。貞子はハッとして、

「そんな事は出来ませんわ！　貴方には、洋子という奥さんがあるんですもの……」

「僕は洋子と別れます！　だから、貴方も野上さんと別れて下さい！　野上さんは鮎子さんを愛していられるのです。……僕は昨日見ました。野上さんが別館へ入って行かれたのを、部屋の窓から見ていたのです。野上さんは、一時間あまりも鮎子さんと話していられたようです」

「午後、妾が外出した留守にですの？」

俊作は頷いた。……それで昨夜は妾の要求を拒んだのだわ、と彼女はすべてを直感し、しかし別段嫉妬のようなものは感じなかった。むしろ、ホッとしたような気持であった。

夫がそんな事をするのなら、妾もこの俊作さんと……といった安易な気持ちにさえなるのであったが、しかし、俊作には洋子が――血を分け合った妹の幸福を奪うには忍び得ない彼女の気持。こうしていると、それさえ忘却してしまいそうになる。それを抑制して「いけませんわ」と、彼女は言った。

「妾が夫と別れても、夫は別に困らないしむしろ喜ぶ位のものでしょうけど、洋子の手から貴方を

奪いとる事は出来ません。今まで通りのお附き合いで我慢して……」

「洋子は、僕よりも兄を愛しているのです。僕が洋子と別れれば、洋子はむしろ喜ぶくらいのものでしょう」

「でも、信義さんは……」

「兄は、正子よりも洋子を愛しているらしいんです。……だから、お互いに譲り合ったらいいのです。野上さんは貴女を僕に譲り、僕は洋子を兄に譲り、兄は……」

俊作は、そこでグッと詰ってしまった。

「信義さんは正子を誰に譲ればいいと仰言《おっしゃ》るの？　そんな事をしたら、正子は一人ぽっちになってしまうじゃありませんの！」

「兄が生きていてくれるといいんだが」

と、俊作は真面目な調子で言った。

「秀夫さんは、何故自殺なさったのでしょう？　貴方は、どう思っていらっしゃる？」

「僕には、さっぱり分りません」

「自殺だと信じていらっしゃる？」

「他殺とすれば、犯人は鮎子さん以外には有り得ないのですから、鮎子さんがそんな女《ひと》でない以上、そうとしか思われません」

「そうですわね。鮎子さんを除外してみると、現場は密室の状況だったのですから」

「密室って？」

俊作は妙な顔をして「しかし、扉《ドア》は開けっ放しになっていたのですよ？」

「でも、足跡が無かったんでしょう?」

と、貞子は微笑して「扉は明け放されていても、その周囲に犯人の足跡が無ければこれを密室と言うのです。二次元の密室とでも言いましょうか、降り積った雪の上に、犯人の足跡が無いという事が、内部から施錠された扉《ドア》に相当するのです。所謂、密室は、内部から完全に施錠された部屋のことで、三次元の密室と言うのですわ」

「すると、貴女は他殺と思っているのですか?」と、俊作は貞子の顔を凝視した。

「いいえ。密室だからこそ自殺と思っているんですわ」と、貞子は強く言った。

「でも、密室の屍体は、他殺だと話がきまっているじゃありませんか?」

「探偵小説ではネ。でも、これは事実なんですから……。もっとも、事実は小説よりも奇なりってことも言いますけど……」

俊作は、黙って考え込んでしまった。

「どうなさったの?」と貞子が訊いても、

「いえ……」と言ったきり、俊作は、俯向《うつむ》けた顔をあげようともしない。

「何を考えていらっしゃるの?」

俊作は、やっと顔をあげて「貴女のことです……ネ、僕と結婚してくれませんか? 僕は洋子と別れますから……」

「いけません。それじゃ洋子が可哀想よ」

「しかし、洋子は兄と結婚すれば……」

「それじゃ、正子が可哀想ですわ」

「じゃ、僕達はどうすればいいのです？」

俊作は、切なげに喘いだ。

「これまで通りのお交際《つきあい》で我慢して頂戴」

貞子も遣る瀬なさそうに言って、彼の唇に接吻した。俊作は彼女の懐に手を入れ、

「貴女は、僕よりも正子さんを愛しているんですか？」そっと乳房をまさぐった。

「そりゃあネ、妹ですもの、男女間の愛情とは訳が違いますわ」

俊作は、ぎゅっと乳房を摑み締めた。

「いけないわ、そんな事をなすっては！」

貞子は、いきなり彼の軀を抱きすくめて強く頬ずりした。制御する事のできない激しい情感に襲われた彼女は、彼を抱き締めたままで後に倒れた。

「……いけないわ……いけないわ……」

口のうちで微かに呟きながら、胸を押しひろげて乳房を吸う彼の軀を、より一層に強く抱き締める彼女、その心の片隅に、僅かな理性をとどめてはいたが、その肉体は男のそれを狂い求めて、戦《おのの》き震えながら身悶えている。

「僕はもう……ネ、許して！」上ずった哀れな声で、俊作は、喘ぎながら囁くと、

「妾だって！　でも、それだけは洋子にお求めになって！　いけないわ！　ああ！」

僅かに消え残っていた理性も、熱く火照《ほて》った彼の肉体を意識すると、燃えさかる火の中に落した一滴の水の如く、跡形もなく蒸発し去ってしまい、彼女の肉体の情火は、彼の軀を押し包んで激しく燃え拡がってゆく。「俊作さん！　妾もう……」

彼は、ぶるぶると戦《おのの》き震えながら脂肪《あぶら》ぎった、それでいて嫋《なよ》やかな彼女の腰を、精一杯の力で抱き締めた。が、それ以上の動きに出る事を彼は、逡巡《ためら》っている。

「どうなさったの？」

彼は応えないで、彼女を抱いたまま仰向きになって固く眼を瞑《つむ》った。……かつて覚えた事のない快美な陶酔に惑溺《わくでき》して、ぐったりとなった軀を彼の傍に横たえるまで、彼は閉じた眼を開けようとはしなかった。

「貴方って、まるで女のような方ね」

貞子が微笑《わら》いながら私語《ささや》くと、俊作は着物の袖で顔をかくした。さながら処女の如きしぐさだったので、彼女は声を忍ばせて笑った。

「貴女が今書いている探偵小説を、僕に見せてくれませんか？」と、俊作は不意に、真面目な調子で言った。

「完成してから……。今はいけないの」

「何故です？」と、俊作は顔を出した。

「何故って事もないけど……ただね」

「ただ、何ですか？」俊作は彼女の面《おもて》を探るように瞶《みつ》めた。貞子は顔を背《そむ》向けて、

「完成してからでないと、お目にかけたくないのよ。……ただそれだけの事よ」

「この家の事を……いや、この家の人達をモデルにしてあるからじゃないですか」

「……そんなことないわ！」

「本当に？」俊作は何故か執拗《しつこ》く訊いた。

「ええ。……でも、何故そんな事を？」

貞子は、顔を捻じ向けて彼の瞳を見た。

「いつだったか、今度は本格もので、しかも密室トリックを使用する……と貴女が言ってたからです。……四ツの死の部屋、と言う題で、四つの異なる密室トリックを使ってみようと思う、と貴女は言ったでしょう」

「ええ。……それがどうかしたの？」

「別に、どうって事もないけど、ただネ」

「ただ、何ですの？」

貞子は追求したが、俊作はそれには応えないで、彼女の豊満な乳房を弄びながら、

「小説の事なんかどうでもいい。……兄は自殺したのだから。それでいいでしょう？」

と、謎めいた言《こと》を呟くのだった……。


その晩、俊作は、さすがに良心の咎めを感じて妻の顔を正視する事ができなかった。で、書物を開いて、熱心に読み耽るふうを装ってはいるものの、心の中では別の事を考えていた。……正子さんが居なければ問題はないのだが……その女《ひと》が居るために、貞子さんは夫と別れて自分と結婚する気持ちになってくれない……いっそのこと正子さんを……しかし、正子さんは貞子さんの妹だからそんな事も出来ない……兄のように、自殺でもしてしまえばいいのに……そうしたら、自分は洋子を兄に譲り、野上さんは貞子さんを自分に譲り、未亡人の鮎子さんと結婚して、すべて円満に落ち着く事が出来る……。

「何を考えていらっしゃるの？」

と言う洋子の声に、俊作は慌てて頁《ページ》をめくった。「別に、何も考えてやしない」

洋子は微笑《わら》いながら「でも、先刻《さっき》から同じ所ばかり見ていらっしゃるじゃないの、姉さんの事でも考えてるんじゃなくって」

俊作は狼狽を感じて赧くなった。

「やっぱりそうね！」洋子は夫の横顔を睨んで「貴方は姉さんを愛していらっしゃるのでしょう？」

「うん、愛している！」俊作は勇気を出して強く言い切った。「君と別れて、義姉《ねえ》さんと結婚したい……と思うほどに、僕は義姉さんを愛しているんだ」

「まあ、あんなことを仰言《おっしゃ》って……」

洋子は呆《あ》っ気《け》に取られたような顔をした。

「……冗談でしょう？　それとも本気？」

「僕は、真摯《まじめ》な気持でそう思っている」

洋子は無言のまま、暫くじっとして夫を瞶《みつ》めていたが、つと椅子から立ち上って行き、いきなり夫の背中にしがみついて、

「いや！　そんな事を仰言《おっしゃ》っちゃ、ねえ、もう寝《やす》みましょうよ」と甘え掛るように言った。

が、俊作は素《そ》っ気《け》なく、

「僕はもう少し起きているから、君は先にお寝み」と、振り向きもしないで言う。

「貴方は、わたしのどこがお気に入らないの？　それを、率直に仰言って頂戴よ」

「別に何も言う事はない。ただ、君よりも義姉さんの方が好きというだけだよ」

「相手が姉さんでは嫉く事もできないけど、姉さんには野上さんという夫《ひと》があるのですから、貴方がどんなにお好きでも、どうする事も出来はしないじゃないの」

「野上さんは鮎子さんを愛している。だから躊躇なく義姉さんと離婚《わか》れる事が出来ると思う。君だって兄を愛してるだろう」

「妾、義兄《にい》さんを愛してやしないわ！」

「嫌いではないだろう？」

「それはそうだけど」と、曖昧に言ってから、洋子はちょっと頬を染めて「でも、妾は貴方を心から愛しているわ」夫の軀をぐっと強く抱いて、項《うなじ》に唇を触れ「こんなにも」

「それは僕にも良く解っている。しかし僕はこの頃では義姉さんに惹かれて心から君を愛する気持ちにどうしてもなれないのだ」

「姉さんは貴方をどう思っているのかしら？　貴方を、やはり愛しているの？」

俊作は答えない。その女《ひと》の激しい情熱にむせ返って、身も心も痺れるような歓喜に浸った陶酔のひととき……その余炎《ほとぼり》が、いまだに身内の血を熱く沸き立たせているのだ。

「今日、姉さんの部屋へいらっしゃったのでしょう？　どんなお話をなさったの？」

どんな事をなさったの？　と訊きたい彼女の気持ちだったが、さすがにそれは口にしかねる言葉だった。俊作はそれには答えず、

「僕と別れてくれないか？」

と、振り返って妻の顔を瞶《みつ》めた。

「いやよ！　そんなこと……」

洋子は今にも泣き出しそうな顔をした。

「僕と別れて兄と結婚すればいい……」

「いやよ！　そんなこと……。義兄《にい》さんには正ちゃんて女《ひと》があるじゃないの？」

「正子さんは兄との離婚に反対はしないだろう……僕はそう思っているけど、君は、そう思わないかね？」

「何故そんなことを……？」

「正子さんは死んだ兄に、接吻だけでなく肉体まで許していたのじゃないかと思うからだよ。君はそれに気付いていないか？」

「そんなことないと思うわ、妾……」

「僕はそうに違いないと思う。そしてそれが兄の自殺の原因となったのだとも。兄は正子さんを愛していた。どうしたキッカケかは分らないが、兄はその正子さんの肉体《からだ》を知った。そのため、より激しい愛情を感ずるようになった。が、その女《ひと》は弟の妻だ。お人好しの兄は鮎子さんと別れてまで、弟の妻を奪う事は出来なかったのだ。そこに兄の苦悩がある。その秘密の苦悩が、自殺の原因ではないか、と僕は思うのだよ」

「でも、正ちゃんは、亡くなった義兄さんを嫌っていたようだわ。だから、そんな肉体の関係は無かったと妾は思うわ！」

「それは、兄の手前、そういう素振りをせざるを得なかったのだよ。内心では亡くなった兄を愛していたのかも知れない」

洋子は黙った。彼女だって義兄《あに》の信義を内心では秘かに愛しているのだから、そう言う夫の言葉に、それ以上抗議する事ができないのであった。俊作は続けて言った。

「だから、正子さんは、兄が正子さんと別れて君と結婚すると言っても反対はしないと思うんだ。死んだ兄と肉体の関係があった、とすれば、その過失に対して、兄との離婚に同意せざるを得ないだろうよ」

「過失と貴方は思っていらっしゃるの？」

「正子さんも、夫のある身だから、進んで身を投げかけはしなかっただろう。むしろ、兄に強《し》いられて貞操を失ってしまったのだろう、と僕は思っているんだ」

「妾もそう思うわ。……正ちゃんが義兄さんと関係したとすれば、それはきっと暴力に屈したためかも知れないわ、いいえ、それに違いないわ！　正ちゃんは、そんな、貞操観念の薄い女《ひと》じゃないんですから……」洋子は強く言って夫を抱き締め「妾だって貴方を措いて、他の男《ひと》と恋愛に陥るような事はしないわ、いいえ、出来ないわ！　妾は、心から貴方を……」

「分った！　もうそんな話は止《よ》そう」俊作はさも不機嫌そうに言って、椅子から立ち上った。二人は俊作の書斎であるその部屋を出て、洋子の居間でもある隣りの寝室へはいった。……丈助が貞子を満足さす事が出来なかったと同様に、俊作は妻の慾情に応える事が出来なかった。洋子はその原因が昼間夫が姉の部屋へ行った事にあるのではないかと疑って、いつまでも寝つかれず、悶え狂う肉体《からだ》を持て余し、幾度も寝返りを打っていたが、やがて満ち足りない睡りに入った。

K

ある日の事――信義が俊作の書斎にはいって来て、ちょっと話があるんだが、と遠慮勝《えんりょがち》に言い
「洋子さんは？」と訊ねた。

「隣りには居ないようですから、義姉《ねえ》さんの部屋へでも行ってるんでしょう」

俊作は、改まった顔つきをしている兄を見て訝《いぶか》しげに「話というのは何です？」

「実は、その、洋子さんの事だがネ」

と、信義は少時躊躇《しばらくためら》ったのち、

「君は、義姉さんをどう思っている？」

と訊いて、探るように弟の顔を瞶《みつ》めた。

「……好きですね……愛しています」

「義姉さんも君を愛しているんだろう？」

「……と思ってはいるんですが」俊作は、照れ臭そうな顔をして俯向《うつむ》いた。

「愛してもいないのに肉体《からだ》を許しはしないだろうからネ」

信義は、いきなりすっぱ抜いて、ニヤリと笑った。俊作は狼狽して真っ赤になり、

「そ、そんな関係はない！　ただ……」

「隠しても駄目だよ。この間、義姉さんと君の睦言《むつごと》を悪いとは思ったが、扉《ドア》の鍵穴に耳を当てて細大洩らさず聴いていたのだ。義姉さんは君を女のような方と言っていたね？　あの時、君はもう義

姉さんのものに」

「止《よ》して下さい！」

と俊作は激しく言い、兄を睨みつけた。

「いや、失敬々々」信義は苦笑して「何もそう怖い顔をしなくともいいじゃないか。僕はそれを決して野上さんに告げたりはしないから……秘密は守るよ、僕一人の胸におさめておくから、安心しているがいい」

俊作は黙って項垂《うなだ》れた。

「洋子さんを……どう思っている？」

「洋子を、僕は愛してやる事が出来ないのです。義姉さんの事で胸が一杯なので……」

「僕が代りに洋子さんを愛してやってもいいだろうか？」信義は低く言った。

「そうして下さい！　僕も、内心ではそれを希《のぞ》んでいたのです」

「後で文句を言い出しはしないだろうね」

「そんなことは絶対にない！」

「じゃ、洋子さんを僕のものにしてもいいのだね？」信義は念を押して弟を瞶めた。

「僕は洋子と別れようと思っているのです」

「あんな美しい女《ひと》を……惜しいとは思わないのかね？」と信義は羨ましげに言う。

「僕は、洋子よりも貞子さんを愛しているのです。だから、何とも思わない」

「義姉さんと結婚するつもりなのかい？」

「そうです。その事も聴いたのでしょう」

信義は照れ臭そうな顔をして「正子が可哀想だからと言って、義姉《ねえ》さんが、君の申込《プロポーズ》みを撥ねつけたことも知っている」

「正子さんを……どうなさるんです?」

「無論、別れて洋子さんと……。洋子さんが君と別れる事を承知しさえすれば、すべて円満におさまる訳だが……」

「正子さんが居なければ、貞子さんも躊躇《ためら》いなく野上さんと別れて僕と結婚してくれるでしょうし、また洋子も僕と別れて兄さんと結婚する気になるかも知れませんけど」

「正子が邪魔者だな」

信義は冷たく言った。暫く沈黙が続いた。

「兄さんは、正子さんを何とも思ってはいないのですか」と、俊作が低く言った。

「思わない事もない。しかし、今更そんな事を思ったところで、どうなるものでもないからネ、僕は思わないように努めているんだ」

信義は打ち沈んだ声で言って、じっと弟の顔を見ていたが、やがてニッと笑って、

「洋子さんの決意を促すキッカケとなるような機会《チャンス》を与えてくれないか?」

「それは、どういうことなのです?」

と、訝《いぶか》しげな顔をする俊作へ「分ってるじゃないか! 洋子さんと二人きりになれる機会だよ……考えといてくれよ!」

と言って、信義は部屋を出て行った。

二階にあがって、信義が自室の扉《ドア》を開けようとした時、筋向いの野上の部屋から、取り乱した素

振りで洋子が出てきた。彼女は、その顔を赧く火照《ほて》らせて、口許をぎゅっとヒステリックに歪めている。ちらッと信義の方を見たが、すぐに顔をそむけて、小走りに正子の部屋に歩み寄り、ノックもしないで中にはいって行った。

信義は苦笑した。……俊作の事で、何か姉妹の間に諍《いさか》いがあったのだなと、直感的にそう思ったのである。彼は自室にはいった。が、不意に思い立って廊下に出ると、野上の部屋をノックした。返事は無い。もう一度、扉をノックすると「どなた？」と打ち沈んだ貞子の声が、幽《かす》かに洩れてきた。

「信義です」彼は苦笑しながら応えた。

貞子は蒼い顔をしていた。把手を握ったまま「何か御用ですか」と迷惑そうに言う。

「ちょっと、お話したい事があるのですが」

「じゃ、どうぞ……」

貞子は俯向《うつむ》いたままで低く言った。

「どうなさったのです。洋子さんは？」

「いいえ、何でもないんですの」

そうでない事は、彼女の顔色で分る。彼は椅子に掛けて、探るようなまなざしを相手の顔にそそいだ。貞子は照れて顔をそむける。

「はっはっはっ、姉妹喧嘩《きょうだい》ですか？」

彼女は苦く微笑《わら》って、

「そんなものかもしれませんわ」と低く言い「で、お話と仰言《おっしゃ》るのは何でしょう？」

「……俊作の事についてですけど……」

信義は、彼女の顔を瞶《みつ》めながら言った。

貞子はちょっと顔色を変えて、急に不安げな面持《おもも》ちになり「俊作さんの事で……？」

「お話したいというのがどんな事だか、貴女には良くお分りでしょう」

貞子は黙っていた。猫眼石《オパール》の指環《リング》を嵌《は》めた華奢な掌《て》を、着物の膝の上で落ち着きなく動かしている。

「僕は洋子さんのように、厭味を言いに来たのではないのです。何故って、俊作が貴女を愛していると同じように、僕は洋子さんを愛しているからです。だから、貴女と俊作の関係に、むしろ同情しているのです」

「妾は別に、俊作さんと、何の関係も……」

貞子がそう言って弁解するのを抑えて、

「いや、お隠しにならないで下さい。俊作は僕にすべてを告白したのです。洋子さんと別れて是非とも貴女と結婚したい、と言っていました。貴女にだって、そういう気持ちはおありなんでしょう？」

貞子は何とも返事をする事が出来ない。いたたまらないような気持ちで、じっと差し俯向《うつむ》いていた。信義は口辺に皮肉な微笑《わらい》を刻んで「でしたら、この際、思い切って俊作の希望を叶えてやっていただきたいと思うのです。そうした方が野上さんや鮎子さんのためでもあるし、貴女と俊作の仲も変な目でみられなくて済む事になるんですけど……どうでしょう？　僕の顔を立てていただけませんか？」

貞子は、俯向いたまま、暫らくの間黙っていた。が、やがて、意を決したふうに、

「仰言《おっしゃ》る通り、妾は俊作さんを愛しております。逡巡《ためら》いなく主人と別れる事が出来るほどに。でも、そんな事をしたら、洋子はともかくとして、正子が可哀想ですわ。正子は妾の肉身《にくしん》の妹なのですから、幾ら俊作さんを愛しているからといって、その妹の幸福を奪うような結果になる事を、姉の妾がどうしてすることが出来ましょう！」

「しかし、形式的の事はともかくとして、現実的には……貴女はそういう事をなさっているじゃありませんか？　それは、正子の場合と同じように、本意ではなかったと仰言るのですか？　亡兄《あに》のように、俊作が半ば暴力をもって貴女を……と？　俊作は、そういうふうには言いませんでしたが。こんな事を言うのは大変失礼とは思いますが、貴女はむしろ自ら進んで俊作に……されたと、俊作は僕に告白しました。御承知のように、僕や亡兄《あに》などと違って、俊作はとても純情多感な男ですから、貴女の俊作に対する態度を、どこまでも真摯《まじめ》な気持ちで受けて、貴女に結婚の意志があっての事だと思い込んでいるのです。まさかそんな事は無かろうと思いましたが、僕はその事を確かめてみたのです。すると俊作は、貴女とそうなったのは、結婚の意志を表明してから後だった、と言いました。それで僕は俊作の貴女に対する愛情が真摯《しんし》なものである事を確信し、そしてそれに同情して、こうしてお願いにあがった訳です。貴女が俊作に許された事を、結婚の申込みに対する無言の肯定だと、俊作は信じています。亡兄《あに》とは違って俊作はそんな真面目な男ですから、恋愛を遊戯視《ゆうぎし》していないのは当然ですからね。貴女だってそうでしょう？　戯れに俊作と……。そういう不真面目なお気持ちでは決してなかったと僕は信じているんですけど……？」

貞子は項垂《うなだ》れたまま黙っている。

「それとも、あれは単なる遊び事だった、と仰言《おっしゃ》るのですか？」突き刺すような調子で信義がそう言うと、彼女はようやく面をあげて
「いいえ！　妾だって真摯な気持ちだったのです！　遊び事だなんて、決してそんな不真面目な気持ちではありませんわ！」

　と、反抗的に棘々しい調子で言った。

「では、俊作の希望を叶えてやっていただけますか？」信義は語調を和らげて言った。

「でも……正子が……妾、それが……」

　貞子は、しどろもどろに言って、

「貴方は、正子を可哀想だとはお思いになりませんの？」と、睨むふうに信義を見た。

「思わない事もありませんよ。しかし、貴女が俊作よりも妹の正子を可哀想に思っていられると同様に、僕も、正子よりは……その正子との肉体関係を苦にして自殺した亡兄《あに》をより一層に可哀想だと思うのです」

　貞子は、蒼ざめて、眼を伏せた。

「従って、僕はこの頃、心から正子を愛してやる事が出来ないのです。正子は僕を愛してくれているようですが、その正子との関係を苦にして死んだ兄の事を思うと、その愛情を素直な気持ちで受け容れる事ができないのです。貴女には、そういう僕の気持ちは良くお判《わか》りの事と思いますが？　そういうふうですから、正子も、僕と別れた方が却って倖せじゃないかとも思うのです。……どうです？　野上さんと別れて俊作と結婚してやってくれませんか？」

「……少し、考えさせて下さい……」

貞子は項垂《うなだ》れたままで、低く言った。

「そうした方が誰のためにもいいのです。正子にだって、むしろその方が身のためなのです。その事は貴女には良くお分りの事と思いますから、その点を良くお考えになった上でお気持ちを決めていただきたいと思います」

そう言って、部屋を出て行く信義を、見送ろうともしないで、貞子は深く項垂れたまま、じっと身動《みじろ》ぎもしないでいた。


その夜、丈助が、沁々《しみじみ》とした調子で妻に言った。「僕達には、何故子供が出来ないのだろう？結婚してから、追っつけ八年にもなるのに、その間、君は一度だって妊娠したことはないんだからネ」

「夫婦の気持ちが、ぴったりと融合しないからですわ。いつも離れ離れになってるから、愛情の結晶を得る事が出来ないのよ」

貞子も、しんみりと答えた。

二人は、お互いに軀を触れ合わさないようにして寝台に横たわっている。

「君は、僕が嫌いなんだろう？」

「貴方だって、妾がおいやなんでしょう？」

「夫婦生活の倦怠期というやつだろうか」

「子供が無いためかも知れないわ……」

二人とも暫く、むっと押し黙っていた。

「……いっその事別れてしまおうか……」

「妾は、どちらでも構いませんわ」

「僕と別れて、どうするつもり?」

「そんな事、まだ決めていませんわ」

丈助は黙って寝返りを打ち背を向けた。

「貴方は妾と別れてどうなさるつもり?」

「そんな事はまだ決めていない」

「鮎子さんと結婚なさるつもりでしょう?」

「……」丈助は答えなかった。

貞子はホッと溜息を吐《つ》いて眼を閉じた。

「君も俊作さんと結婚するつもりじゃないのかね」丈助は向うを向いたままで言った。

「そんなこと、妾には出来ません……」

「君は一人になっても困りはしないだろう? 収入は僕より多いんだから……」

「……」貞子は黙っていた。

「それに、俊作さんという愛人もあるし」

「妾と別れれば、結婚してもいいと、鮎子さんは仰言《おっしゃ》っているの?」

「それに対して、君が不満でさえなければ……と、鮎子さんは言ってるけど」

「妾、貴方を束縛しやしないわ……貴方の御自由になさっていいのよ」

「君には済まないと思うのだが、僕は、鮎子さんの事を思い切ることが出来ない」

「妾だって、俊作さんが可愛くって堪《たま》らないわ！　洋子の旦那様でなかったら躊躇《ためら》いはしないんだけど……」

　丈助はしばらく黙っていた。がやがて、

「僕はこの頃、警察づとめがツクヅクいやになって来た」と、低く言って振り向いた。

「鮎子さんと結婚なされば、勤めをお止《よ》しになっても、結構やって行けますわ」貞子は皮肉な調子で「鮎子さんは、お金持ちなんですからね」

「その鮎子さんを疑《うたぐ》ってみなければならないんだからね。それに、君の妹や義弟《おとうと》までを……僕は近い内に警察を罷《や》めようと思う」

「妾も、小説を書く事をやめようかしら」

「殺人事件も、小説では面白いが、事実となるといやな気がするだろう？」

「何のことを仰言ってるの？」

「無論、秀夫さんのことだよ」

「秀夫さんは自殺なさったのだわ！」

「そうでないということを、君は知っているんじゃないのかね？」

「妾、何も知りませんわ……」

「いや、もう訊くまい……僕は警察官を罷めようと思っているのだから、もはや、それを詮索する必要もない。この事件を僕が警察官としての最後の、そして未解決の事件としておこう。ね、その方がいいだろう？」

　貞子は返事をしなかった。丈助もそれっきり固く口を噤《つぐ》んでしまった。二人は同じベットに横たわってはいるが、心の中ではそれぞれ違った事を考えていた。——丈助は鮎子の白くぴちぴちした肉体を脳裏に描いて……。貞子は貞子で、俊作とこの寝台の上で交した愛欲の情景《シーン》を胸の中に想い泛べて……。この二人は精神的にも肉体的にも、もはや完全に相離反した夫婦と言えるのだ。

L

「洋子さんは義姉《ねえ》さんと、どんなことで諍《いさか》いをしたのだろうか？」

信義は、パジャマの上に寛衣《ガウン》を引っかけて、ストーブの傍に椅子を寄せていた。

「俊作さんの事で喧嘩したんでしょう」

正子は、夫の傍で編物をしながら答えた。

「顔色を変えてこの部屋へ飛び込んで行くのを見たが、君に、何か言ったのか？」

「ええ」と簡単に答えたまま、彼女は編針を動かし続けた。夫のチョッキである。細い指先に愛情を罩《こ》めてそれを編んでいる。

「洋子さんは、何と言っていたの？」

正子は言い渋った。——姉は泣きながら姉さんが俊作を奪《と》ろうとしてる、と喚き叫んだのであるが、そんな浅ましい姉妹の諍いを、その妹である正子として、すぐには言いかねた。

「洋子さんは、俊作を自分の所有《もの》にした義姉さんを憎んでいるだろうね？」

正子は、驚いたように編物の手を止め、

「貴方は知っていらっしゃるの？」と、夫の顔を穴のあくほど強く瞶《みつ》めた。

「俊作がそれを、僕に告白したのだ」

鍵穴に耳を当てて立ち聴きしたとは、さすがに妻にさえ言い兼ねたのである。

「俊作さんが貴方に……？」

正子は、信じられぬような顔をした。

「うん。俊作は義姉さんと結婚したいと言っている。義姉さんにもそういう気持ちはあるらしい。洋子さんが出るとすぐに僕は義姉さんの部屋へ行ってそれを確めた」

「姉さんは、何て仰言《おっしゃ》ったの」

正子は、急に不安そうな顔つきになった。

「野上さんと別れて俊作と結婚する意志はあると言われたよ。ただ洋子さんや君の事を思うと、それを決行しかねる、ともネ」

「妾の事を？」正子は訝《いぶか》しげな顔をした。

信義は、妻の顔を瞶《みつ》めたまま、暫くの間、言い淀《よど》んでいたが、やがて意を決したふうに、

「俊作が洋子さんと別れて義姉さんと一緒になれば、当然、洋子さんは一人になる。その洋子さんが……僕と結婚する気持ちになってくれさえすれば、僕は君と別れようと思っているのだ。その事は、義姉さんにも俊作にも打ち明けて話した。だから、そうなった時には、君が可哀想だと義姉さんは言われるのだよ」

「貴方は、私を捨ててまでも姉さんと結婚なさるつもりなの？」正子の瞳に泪が泛《うか》んだ。

「君には気の毒だが、僕は洋子さんを愛しているのだ。洋子さんと俊作が別れれば僕は何としてでも洋子さんと結婚しようと思う。突然《いきなり》こんな事を言って、君は吃驚《びっくり》しただろうが、僕は以前からそ

う思っていたのだ。君よりも洋子さんを愛していた。その事は、君だって気附いていただろう？」

「じゃ……妾は、どうすればいいの？」

正子は、今にも泣き出さんばかりの面持《おもも》ちで、怨めしそうに夫の顔を瞶《みつ》めた。

「そう言われると、僕も、何と言っていいか分らなくなるが……君は、あの時から兄貴の所有になるべき女だったのだから、その兄貴がああして死んだ以上、何としても仕方のない事だから、夫を亡くしたと思って、僕の事は諦めてくれないか？」

正子は、蒼い顔をして、ぐったりと項垂《うなだ》れてしまった。手にしていた編みかけのチョッキが、ぽろりと絨氈の上に落ちた。

「洋子さんは何というか、まだ訊いてもいないが、俊作と別れれば僕と結婚する事を逡巡《ためら》わないだろうと僕は自惚れている。……どう？　君は僕と別れてくれる？」

正子は俯向《うつむ》いたまま返事をしない。膝の上に置いた掌に、ポトリと涙が滴った。手巾《ハンカチ》を出して眼を押え、クッ、クッ……と微かに嗚咽《おえつ》の音を洩し始めた。

「ね、どう？　別れてくれるだろう？」

「妾は……妾は、貴方と別れる事はできない……いやだわ！　いやだわ！」正子は椅子から立ち上って、いきなり夫の胸にしがみついて、ワッとばかり、声をあげて泣き出した。

しかし、信義は冷淡な調子で「そんな分らない事を言って……君は死んだ兄貴の所有《もの》じゃないか！　あの時から、君はもう僕の妻としての資格を失っていたのだ……兄貴の情婦《おんな》になってしまったのだ！」

「妻でなくてもいいわ！　女中代りにでもいいから、いつまでも貴方の傍に置いて！　貴方が姉さんと結婚なさっても妾は何も言わないから、ね、いつまでも傍に置いて！　でなかったら、妾、もう生きて行く希望《のぞみ》が無いから、死んでしまうわ！　シ、死んでしまうわ！　貴方は、妾に死ねと仰言《おっしゃ》るの？」

「何も死ねとまで言やしない。ただ、僕と夫婦の関係を絶ってくれと言ってるだけだ」

「別れるわ！　貴方と別れるわ！　でも、傍にだけは置いて……女中でもいいから……」

正子は、泣き咽《むせ》びながら、かき口説いた。

「そんなことは出来ないよ」

「じゃ、妾は、どうすればいいの？」

「それは君の勝手だよ。誰か他に良い人を見つけて再婚すればいいじゃないか？　僕一人が男と限った訳じゃないのだからね」

「そんなことをするほどなら、妾、いっそのこと死んでしまうわ！　シ、死んでしまうわ」

と、正子は激しく泣き崩れた。

信義は持て余して、急に優しく言った。

「姉さん達に聞えるといけないから、泣くのだけは止《よ》せ。いい年をしてみっともないじゃないか。さあ止《よ》せと言ったら止《よ》せよ」

泣き止んで、泪に濡れた顔をあげた妻、信義は、その嫋やかな軀を軽く抱きあげて寝台《ベット》の方へ運んで行った。

死をもって別離を拒む純情可憐な正子にさすがの信義も聊《いささ》か憐憫《れんびん》の情を覚えて、やがて求めた愛撫の抱擁に、強く激しい熱情をこめて、心行くまで満ち足らせてやった。

「妾を、いつまでも傍に置いて、ネ」

「うん……いいとも！」

快い戦慄に打ち震えながら、熱っぽく囁きかける正子に、彼もまた、そう囁き返さずにはいられなかったのであるが……。


その翌日は日曜日だったので、勤めをもつ丈助のために、朝早くから食事の仕度《したく》にかかる必要もなく、鮎子は八時過ぎまで寝台の中に居た。が、不図《ふと》、窓を敲《たた》く音に気附いて、慌てて起き直り、寝巻の上に寛衣を引っかけて寝台から降り立った。

窓硝子を開け、鎧戸を繰り上げてみると丈助が寒そうな顔をして窓の下に立っている。いつの間に降ったのか、雪が薄く積っていた。丈助はニッと微笑《わら》いかけて、

「まだ寝《やす》んでいたの？　お寝坊さんだね」

と、窓框《まどがまち》に置かれた彼女の掌を握った。

「まあ、冷たい！　まるで氷のようだわ」

言いながらも、鮎子は丈助の掌を強く握り返して「ここからおはいりなさいよ」と、その手を引っ張るようにした。

「まるで泥棒のようだね」丈助は苦笑しながら、窓を乗り越えて部屋の中にはいって来た。その手に下駄を提げて。

「今日はお休みなのね」と鮎子が言う。

「日曜日ですからね」と丈助。二人は分り切った事を言い合って、それからしっかりと抱き合って

甘い接吻を交した。

「妾、昨夜は、貴方の事ばかり考えて、おそくまで睡《ねむ》れなかったのよ」

丈助は微笑《わら》って「それで朝寝坊をしたの？」と言い、それから急に真面目な顔になって「貞子は、僕と別れる事を承諾してくれました。近いうちに、それを実現させようと思っているんですが、まさか、この期《ご》になって否《ノー》とは言わないでしょうね？」

「いいえ、妾、喜んで……」

鮎子は、両腕を彼の頸にそっと廻して、

「でも、奥さんは御不満じゃないかしら」

「貞子はむしろそれを希《のぞ》んでいるのです」

「そう？　それなら妾も安心だわ。……妾のようなものでも、一生可愛がって下さる？」

「僕でよければ、いつまででも！」

「妾、嬉しいわ！」

もう一度、強く抱き合って熱い接吻を交し、名残り惜し気に二人は離れた。

「お午《ひる》からここへいらしてね」

鮎子が小さく言った。「もう八時半ですから、妾は本館に行かねばならないの」

「洋子さんと貞子がやってるからいいじゃないですか」と、丈助は言ったが「いいえ、今はいけないわ、また後でね」と言って、鮎子は丈助を窓から送り出しておいて、着替えにかかった。

戸外《そと》は、吐く息が凍るほど寒かった。雪は大して積ってはいなかったが、本館の窓には氷柱《つらら》が垂れ下って、朝日を受けて眩しく光っている。どの窓もまだ鎧戸が繰られてはなく、館全体が大地に凍りついているように思われた。不意に、エスが飛び出して来て、彼女のスカートの裾に戯《じゃ》れかかった。

「何て寒いんでしょう」と、鮎子は独り言を云って「エスは寒くても元気なのね」

その愛犬エスと走り競べをしながら、鮎子は雪の上を駈けた。裏口からはいって、台所に来てみると、貞子と洋子の二人が朝の食事を仕度《したく》している最中だった。

「まあ、済みません、遅くなって……」

「もっとお寝《やす》みになっててていいのに……」

と、貞子が微笑《わら》いながら言ったが、鮎子はさすがに気持の硬張りを覚えて笑えなかった。

「正子さんは?」貞子の方から顔をそむけて、鮎子が洋子に低く訊ねると、洋子は不機嫌そうな面《お》持《も》ちのまま、これも姉の方から顔をそむけるようにして「頭が痛いってまだ寝んでいるらしいの」と、陰気な声で答えた。それからずっと、洋子は姉に一言も物を言わなかった。鮎子も何となく気持の重圧を感じて、貞子から何か言われても、気軽に声が出なかった。三人は黙々として食事の準備をととのえていた。九時半頃になって、みんなが食堂に出揃った。丈助一人が娯《たの》しげな顔をしているだけで、信義も俊作も苦虫を嚙み潰したような顔をして、むっつりと押し黙って、物を言わなかった。

「正子さんは?」と、鮎子が信義に訊いた。

信義は顔をしかめたまま、

「頭痛がすると言ってまだ寝ています。食事は欲しくないそうですよ」

「お風邪を召したのでしょうか?」

「何を召したのか知りませんが、大した熱はないようですから放っといていいですよ」

信義は棘々しい調子で冷たく言った。

重っ苦しい雰囲気の中で、六人の人達は黙々として食事を摂った。お互いに顔をそむけ合い、誰一人として言葉を発する者はない。一番先に食事を終えた貞子は、そっと立ち上って食堂から出て行ったが、およそ五分余り経った頃、真っ蒼な顔をして戻って来た。俊作がまずそれに気附いて、訝《いぶか》しげに「どうなさったんです?」と訊いた。

「正子がどうかしたんじゃないかと思うの!　幾らノックしても返事がないのよ!」

そう言う貞子の声は、微かに震え戦《おのの》いていた。信義が顔色を変えて貞子を凝視《みつ》め、

「扉はあかないんですか?」

「ええ、鍵がかかっていますの……」

丈助がすっくと立ち上って「とにかく、行ってみましょう」と、真っ先に食堂を出た。

信義と俊作がそれに続き、貞子と鮎子と洋子の三人もその後に跟《つ》き従って行った。裏階段から二階に上り、遽《あわただ》しく正子の部屋の前に駈け寄って、丈助が扉を激しく敲《たた》いた。が、返事は無く、部屋の中はシーンと静まり返ってコトリとも音はしなかった。

「正子!　正子!　居ないのか、正子!」

信義が大声で妻の名を呼んだ。が、返事は無い。ひっそりとした墓場のような静寂が頑丈な樫の扉《とびら》の内側にひたひたと充ち漂っている。――死の部屋!　丈助はそう直感して「合鍵は無いのですか?」と、信義に訊いた。把手《ノッブ》を摑み締めたまま「無いんです!」と短かく答えて、信義は扉の鍵穴に眼を当てた。「内側の鍵穴に挿し込んである。扉《ドア》を毀さなければ仕方がない!」

と言っても、体当りで毀れるような脆弱《ぜいじゃく》な扉ではない。丈助と信義が力を合せてぶつかってみたが、扉はビクともしなかった。

「御不浄へでも行ってらっしゃるんじゃないかしら?」と、鮎子が低く言った。

「そんな事はない！　中から鍵を掛けているんだから、正子は中に居るはずです！」

信義が喘ぎながら言った。

「斧か何かないですか」

丈助が気ぜわしく言って、俊作を見た。

「ありません。鋸《のこ》で挽き破りましょう」と言って、俊作は階下へ降りて行き、糸鋸《いとのこぎり》と三ツ目錐《ぎり》を持って来た。鍵穴に近い扉板の一部に三ツ目錐で穴をあけ、その小孔に糸鋸を入れて手がはいるだけの丸い穴を挽きあけた。厚さ五分もある樫の板なので思うようには挽けず、それだけの事に十分以上の時間を費した。鋸を抛《ほう》り出した俊作は、手を入れて鍵を廻した。カチリと音がしたので信義が待ち兼ねたように把手を廻して扉を押した。が、扉はびくともしなかった。

「錠まで嵌《は》めているんだろうか?」

信義は妙な顔をして把手から手を放した。

丈助が穴から手を入れて、訊いた。

「錠は、どの辺にあるんです?」

「鍵穴の上下にあるんです。この辺とこの辺……」信義は指先でそれを示し「差込錠になっています」と苛立たしげに言った。

丈助は着物の袖をまくり上げ、肘関節まで手を突っ込み手探りでその差込錠をはずした。鍵穴の上下にそれぞれ約一尺の間隔を置いて二つの差込錠が取りつけてあり、どちらも完全に錠は嵌められていたのである。

ようやくの事で扉が開いた。丈助が真っ先に飛び込み、信義と俊作が続いた。部屋の中は真っ暗で、赤く火照《ほて》ったストーブが見えるだけ。信義が壁を手探りしてスイッチを捻った。窓硝子の向うに鎧戸がおりて、外光を遮っている。その窓際に寄せた机、椅子、ストーブの傍に置かれて肘掛椅子、壁ぎわの衣裳ダンス、化粧机、姿見の三面鏡、その前に置かれた小椅子、壁に掛けられた華やかな色彩の着物、洋服《ドレス》——それ等の物を電燈の照明がぱっと明るく照らし出した。

花模様の赤と黒との絨氈《カーペット》を敷きつめたその部屋の中央に、淡紅色《ときいろ》のカーテンが重く垂れ下っている。信義はそのカーテンをそっと押し分けて寝台の傍に歩み寄った。

「正子！　どうしたんだ？」

だが返事は無い。返事出来ようはずがない！　死んでいる！　一見してそれと判《わか》った。寝台の傍に置かれたサイド・テーブル。その上に置かれた電気スタンド。緑色のシェードを通して仄かな照明が、寝台の上に仰向けになって死んでいる正子の冷たい横顔を薄緑に染めている。羽根蒲団が捲《まく》れ、パジャマの胸がはだけて、処女の如き生硬い感じの乳房が露われ、その左乳房の下に竹の編物針が突き刺って、ぴんとまっすぐに立っている。そこから溢《あふ》れ出た赤黒い血潮が鳩尾《みぞおち》に小さな池を作って、左脇腹の方へ流れている。眼を瞑《つむ》り唇を半開きにして皓い歯並《はなみ》を見せ、枕の中程に頭を載せてさながら睡れる如く死んでいる正子。信義はその蒼白い死相を凝然と瞶《みつ》めながら戦《おのの》く声で呟いた。

「正子！　君は、何故こんな早まったことをしてくれたのだ！」

貞子が、いきなり屍体の胸に取り縋《すが》って声をあげて激しく泣き咽《むせ》んだ。洋子はまるで白痴のように虚ろな視線を正子の死顔にそそいで、凝然と佇立している。俊作と鮎子の二人は暗然とした面持《おもも》ちで、咽《むせ》び上げる度に小さく揺れる貞子の背中を、じっと見守っている。やがて丈助が貞子をなだめて立ち上らせ、その手についた血を拭ってやった。屍体の左手は軀の横にまっすぐに伸ばされ、右手は胸に突き刺った編物針をじっと摑み締めている。愛する夫から邪魔者扱いにされ、絶望のあげく自らの手で我が胸を突き刺し、二十二の若い命を花と散らせた正子こそ痛ましく哀れと言う他はなかった。

「正子さんは、何故自殺したんでしょうか」

丈助が低く言って、信義の方を見た。

「正子は、死んだ兄を愛していたんでしょう……それで、後を追って自殺した……」

「そんなこと、ないわ！」貞子が、信義の言葉を遮って、強く言った。「正子は貴方を心から愛していたのです！　貴方はその正子に離婚を宣告したのでしょう？　正子はそれを悲しんで、死んだのです！　だから貴方が殺したようなものですわ！」

信義は真っ蒼な顔をして深く項垂《うなだ》れた。

M

検屍にやって来たのは島貫警部だった。

「自殺ということだが、この前の事件《こと》があるので、僕が検証に来た訳だよ」

応接室に通された警部は、野上にそう言ってから、前後の事情を信義の口から聴取した。……それに依《よ》ると――

信義は八時半頃に目覚めて寝台から離れた。正子もすぐに目を覚したが、頭が痛いと言って起き上ろうとはしなかった。熱でもあるのか？　と訊いて、正子の額に掌を触れてみたが、大した熱はなかったので、別段気にもとめなかった。着替えを済まして部屋から出ようとした時、正子は信義を呼びとめて、食事はしないからそう言って頂戴と言った。その時、正子には別段訝《いぶ》かしい素振りはみえなかったので、信義は部屋を出て階下に降りて洗面を済ました。それから自分の書斎にはいってレコードの整理をしたり手入れをしたりしていた。九時半頃になって書斎を出て寝室の扉をノックしてみたが返事はなかった。鍵が掛けてあるとみえて扉はあかない。ちょっと変に思ったが、正子一人が居る時には、いつも鍵をかける習慣になっていたので、睡っているのだろうと思い、それ以上ノックしないで階下に降りて食堂へはいった。――貞子が正子の事を心配して、食堂を出て二階にあがり寝室の扉をノックしたが返事がないので変に思い、すぐに階下におりて、この事を知らせた。その時刻は十時十五分だった。

×

「それからすぐにみんなで寝室の前に駈けつけたのです」と、野上が代って説明した。
「無論、ノックしても返事はなく、仕方がないので扉に穴をあけて、鍵を廻し錠をはずしたんです」

「すると、やはり自殺かな」警部は口の中で呟き「で、どうして死んだのだ？」

「編物用の竹針を胸に突き刺して死んでいるのです」と、信義が低く答えた。

「編物針で？」島貫警部は妙な顔をして、「ともかく、一応屍体を視せていただきましょう」と立ち上った。正子の屍体が冷たく横たわる第二の死の部屋――屍体を一瞥した島貫警部は「君はこれを自殺だと思っているのか？」と、振り向いて、野上に言った。

「自殺としか思いようがありませんよ」

　野上丈助は苦笑しながら言った。

「この通り窓はどちらも閉め切って掛金がかけてあり、おまけに鎧戸までおろしてあるんですし、扉には中から鍵が掛けてあり、しかも、差込錠が二つ、どちらもしっかりと嵌《は》めてあったのですから、これは完全な密室ですよ。もっとも、どこかに秘密の出入口があれば何とも言えませんが、そんなものは無いでしょう」と、野上は信義の方を見た。

「全然！　この扉口《とぐち》だけです」

「完全な密室であるかどうかは別問題として、こんな若い女が編物針で自分の胸を突き刺す勇気は有っていないはずだ。そんな決断力を備えているはずがないよ！」警部は強く言って「これは、きっと他殺に違いない」

　鋭い視線を信義の顔にそそいだ。

「貴方は僕が殺したと疑っておられるんですか？」信義も警部の面を睨み返した。

「他殺とすれば、貴方を疑わざるを得ないじゃありませんか？　この部屋は、貴方とこの女《ひと》の寝室なんですからね」

島貫警部は皮肉を含んで棘々しく言う。

「貴方は死なれた秀夫さんと肉体関係があったかも知れないこの女《ひと》を憎んでおられたはずです。この女《ひと》と最後の話をされたのも貴方でしょう？　貴方が八時半頃にこの部屋を出られた時、この女《ひと》は既に死んでいたのかも知れない？」

「馬鹿な事を言わないで下さいよ！　扉には鍵がかけてあり、しかも錠が嵌めてあったんですよ。どうして外側から施錠する事が出来ましょう！　正子がそれをやっておいてから自殺したのです……」

「しかし、合鍵を作る事ぐらい造作はないですからね。鍵が内側から掛けてあったということは問題になりませんよ」

「鍵だけじゃないんです。この錠も、二つとも嵌めてあったのです」

野上が信義に助言して、扉の差込錠を指してみせた。しかし、警部は疑わし気に、

「その錠は誰が外したのかね？」

「私です。確かに両方とも掛ってました」

「で、鍵も君が外したのかね？」

「鍵の方は俊作さんが外したんです」

差込錠というのは、差込棒の太さが小指程もある頑丈なもので、扉に接する柱にその承《う》け口が取りつけてあり、発条《バネ》仕掛けになっていて、差込棒のつまみを、それを保持する鉄片の窪みから引き起すと、ひとりでに錠かかかるような仕組になっている。鍵穴の上下にそれぞれ約一尺の間隔を置いて、その差込錠が取り付けてあるのだ。

「この錠をどうして外から嵌める事が出来ます？」信義が、喰って掛るように激しく言った。そう言われると、さすがの警部も承服せざるを得なかった。彼は忌々しげな顔をして、その発条《バネ》式の差込錠を外したり嵌《は》めたりして熱心にひねくり廻した。支え金の窪《くぼ》みからつまみを引き起すと、ガチリと発条《バネ》の弾力で差込棒が承け金にはまる。だから、つまみを引き起しさえすれば施錠される訳だが、しかし、外部からそのつまみを操作する事は不可能だった。何故なら、鍵穴を除いては蟻の這い出る間隙《かんげき》もないのだから……。その鍵穴は鍵で塞がれていたのだ。

「納得がゆかれましたか？」信義が微笑《わら》いながら言った。警部は振り向いて、

「すると、他殺というのは僕の邪推かな」

「そうですよ。これは自殺に決っていますよ」と野上が言えば、信義も傍から「閉じこめた部屋に居るものを殺すことは絶対に不可能ですからね」と言い「正子は、兄と同じような理由で自殺したのに違いないと思うのです」と、島貫警部の顔を瞶《みつ》めた。

「同じような理由とは？」

「つまり秘密の苦悩ですよ。正子はきっと、心の底では死んだ兄を愛していたのに違いないと思うのです。それで同様な気持で正子を愛していた兄の後を追った訳でしょう」

「だから、遺書は書けなかった訳なんでしょう」と、傍から野上が口を添えた。警部はそれで他殺説を捨てたようだった。ストーブの傍に寄って、紙巻に火を点《つ》けた。ぼんやりとそれを喫《ふか》していた。

警察医の検屍所見によると、死亡時刻は午前八時から九時に至る一時間の間、と推定され、死因は編物針による胸部の一突きが心臓に達したためであると判定された。

「すると、貴方がこの部屋を出られてから三十分の間に自殺した事になりますね」

と島貫警部が言った。

信義は、沈痛な面持《おもも》ちで「僕が階下に降りている間に行《や》ったのでしょう。僕がこの部屋から出るとすぐ、錠を嵌《は》め鍵をかけて、誰もはいれぬようにして、あの編物針で……」

その編物針の片一方はほとんど編み上ったチョッキと共に、窓際の机の上に置かれてあった。警部はそれを見つめながら、

「あれは貴方のものでしょうね……昨日までは編んでおられたのでしょう？」と低く呟くように言う。彼の眼にはポッと光るものが浮んでいた。

「寝《やす》む前までずっと編み続けていました」

と言う信義の声も異様に震えていた。

「もうちょっとの事だから、編み上げてから死にたかったでしょうね……」

「正子は、僕を愛してくれていましたからきっと、心残りだったでしょう……」

「何故、編み上げるまで、生きていられなかったのでしょうかねえ？」

警部は、潤んだ瞳で信義を瞶めた。

「昨夜、僕が……君と別れて洋子さんと結婚したいと言ったからだと思うのです」

「洋子さんというのは？」

「弟の俊作の妻です」

「え！　洋子さんは、すると、俊作さんと別れるつもりなのですか」

「それは分りません。しかし、俊作は洋子さんと別れると言っています」

「それは、何故です？」

「貞子さんと結婚するためです」

島貫警部は啞然とした面持《おもも》ちで、しばらくの間じっと信義の顔をみつめていたが、その視線を野上に移して、

「君は、奥さんと別れるつもりなのか？」

「ええ。そういう話し合いはついているのです。……家内《かない》と別れると同時に、警察の方も罷《や》めようと思っているのです」

「罷める？　で、どうするつもりなんだい？」

「鮎子さんと結婚する約束になってます」

「ふうむ」と、警部は大きく唸って「すると、この女《ひと》は……いや、正子さんは、この家の人達にとって邪魔者だった訳だね」

「邪魔者というほどの事はありませんが……信義さんが洋子さんと結婚されるとすれば独《ひと》りになる訳ですから、それを悲観してこんな早まった事をしたのでしょう」

「ふうむ！　可哀想な事をしたものだな……それで自分を愛してくれていた秀夫さんの後を追って死ぬる気になったのだね」

「そうだろうと僕は思うのです。他には別に自殺するような原因に思い当りませんから……」信義は悲痛な声で言って俯向《うつむ》いた。

「貴方ばかりが男じゃあるまいに」と、警部は睨みつけるように信義の方を見て「もっと気を大きく持って、強く生きて行けばいいのに……内気な女《ひと》だったんだね」

打ちしめった語調で呟くふうに言った。

自殺とすればその必要はなかったが、万一の場合のためにと、一応、家人の動静が取り調べられた。……それに依《よ》ると――

俊作は、九時に寝台から離れて、着替えをし、洗面を済ませてから自分の書斎にはいり、九時半に食堂へ顔を出した――。

丈助は、八時過ぎに目覚めて、すぐに寝台から降り立ち、着替えをし、洗面後、裏口から戸外に出て、別館へ行き、鮎子としばらくの間話していた。八時半頃に本館へ戻り、自室で新聞を読んでいたが、九時半頃に信義が自室から出て行く跫音をきいたので、すぐに後を追って食堂へ行った――。

洋子は、八時過ぎに目覚めて、すぐに着替えをして台所へ行った。間もなく貞子がやって来たので、二人して食事の仕度《したく》を始めた。鮎子が台所へはいって来たのは八時半過ぎだったと思う――。

鮎子は、八時頃に目覚めて、丈助がやって来るまで寝台の中に居た。八時半ちょっと前に丈助が来たので、しばらく話して、八時三十分頃に着替えをして本館へ行った。

貞子は、七時半頃に寝台から離れて、着替えをして階下に降り、洗面を済ませて自室に戻り、八時十五分頃まで小説の続きを書いていた。それを中止して台所へ行ってみると洋子が起き出て来ていたので、二人して食事の仕度を始めた――。

屍体の胸に突き刺った編物針からは、正子以外の者の指紋は検出されなかった。扉の鍵や把手《ノッブ》、差込錠などの指紋は、混雑していて検証の対象とはなり得なかった。なお遺書はどこからも発見されず、従って、自殺の理由は不明だが、現場が完全な密室の状況になっているので、他殺の疑いは皆無――という事になり、検屍を終えた島貫警部は、逸早《いち》く引きあげて行った。

貞子は、裏口から戸外に出て、融けかかった雪の上を、力無く歩いた。可哀想な正子……愛する夫から離婚を宣告され、それを悲観して自からの手で命を絶った哀れな正子、あなたは、そんなにまで信義さんを強く愛していたの……だったら、引っ摑まえて放さなければいいのに、何故この妾にひと言も云わないで、こんな早まった事をしてくれたの……と、そんな事を思いながら、貞子は心の中で慟哭していた。

貴女は、そんな気の弱い女じゃないはずなのに、何故、別れると言われただけで自殺する気になったの？　それとも、もしかすると貴女は……？　でも、そんな事は有り得ないはずだわ、やっぱり貴女は自殺したのね。

その、哀れな妹が冷たく睡っている死の部屋の窓を、貞子は虚ろな視線でぼんやりと見上げた。午後の陽射しをうけたその窓には、融けて小さくなった氷柱《つらら》が、ポトリポトリ、と水滴をしたたらせている。その美しく清らかな雫が、正子の死を悲しみ悼《いた》む涙のように、貞子の眼には映るのだった。彼女はその場にじっと立ちつくして、キラキラと光り輝くその氷柱《つらら》を吸われるように瞶《みつ》めている。と、背後に下駄の音が近づいた。

「何を見ていらっしゃるの？」

鮎子は、貞子の傍に寄り添って二階の窓を見上げた。青塗りの鎧戸、煖炉《ストーブ》の煙突《えんとつ》。

「いいえ、別に……ただ、ぼんやりしているの……氷柱《つらら》が、とても綺麗ですわね」

「美しいわね。でも、正子さんは本当にお可哀想ですわ。優しい方だったのに……」

と、鮎子は声をふるわせて言った。

「秀夫さんが生きておられたら、正子も死ぬる必要はなかったのに……」

貞子は低く呟くように言って「貴女は、正子が自殺したとお思いになる」

と訊いて、鮎子の顔をジイッと瞶めた。

「そうとしか思えないじゃありませんの」

と言って、鮎子は訝《いぶ》かしげな顔をした。

「でも、妾は正子が妾になんにも言わないで死んで行った事を不審に思っていますの……妾は、どうしても納得できませんの」

鮎子は黙っていた。不意に貞子が、

「貴女は主人、いいえ……野上と結婚なさるおつもりですの？」と真摯《まじめ》に訊いた。

「貴女がそれを不快にお思いにならなければ、そうさせていただこうと思っていますの」

鮎子は、俯向《うつむ》いたままで応えた。

「妾は、少しも不快に思ってはいません」

と言い、貞子は淋しげな微笑を浮べた。

「妾を、いやな奴とお思いでしょうね」

「いいえ、そんな事を思うものですか。貴女によって、野上が幸福になれるのだったら、妾はむしろ喜んで身を退く事ができますの。貴女は心から野上を愛していらっしゃるのでしょう？」

「ええ。決して一時の気紛れではありませんわ。……で、貴女はどうなさいますの」

「妾は一人で暮します。その方が呑気でいいと思いますの」と貞子は自嘲的に言った。

「俊作さんと結婚なさるのではありませんの？　貴女は俊作さんを愛していらっしゃるのでしょ

う？」

「妾は、洋子の幸福を奪う事はできませんわ」と、貞子は激しく言って、

「それに、正子の死が自殺だとハッキリ分るまでは、俊作さんを愛する事もできません！　妾の言う意味はお分りでしょう？」

「俊作さんが正子さんを？　と、貴女は疑っていらっしゃるの？」

と言って、鮎子はマジマジと貞子の面を打ち見守った。貞子は急に声をひそめて、

「俊作さんだけではなく、信義さんをも、妾は疑っていますの。……妾がこんな事を言ったと、誰にも仰言《おっしゃ》らないで頂戴ね」

N

正子が死んでから十日目に、丈助は鮎子と正式に結婚して二階から別館に移った。二人の新しい生活は極めて幸福なものであった。新妻の鮎子はかつては秀夫に対してそうしていたように、新夫の丈助に甘え掛ってちょっとでも傍《そば》から離そうとはしなかった。丈助は、鮎子と結婚すると同時に、警察づとめを罷《や》めたので、今は呑気で退屈な金利生活者の一人となった。

「毎日こうして遊んでいるのが、何だか勿体ないような気がするんだけど……」

「そんな事ないわ。ねえ、麻雀《マージャン》でもお覚えになったら？　少しは、退屈凌ぎになるわ」

「僕は、亡くなった秀夫さんに何だか済まないような気がする……秀夫さんは、きっと快く思っていられないだろうね」

「そんな事ないわ。……いいえ、却ってよろこんでいらっしゃるかも知れないわ」

「そうだろうか？」

「ねえ、そんな事もう仰言《おっしゃ》らないで、私はもう貴方以外の人の事は綺麗に忘れてしまいたいの。ね、映画でも観に行きましょうよ。私も、久し振りに街へ出てみたいわ」

「映画を観るより鮎子さんの顔を眺めている方が、ずっと娯《たの》しいよ」

「鮎子と呼んで頂戴よ、自分の妻を、鮎子さんなんて変だわ」

「しかし、僕は君に扶養されているようなものだから、呼び捨てにする事が出来ないのだ」

「いや！　そんな変なことを仰言《おっしゃ》っちゃ……」

「種々の意味で、大切な女《ひと》だからね」

「あら！　ね、接吻《キス》して……私、食事の時に貞子さんと顔を合せるのが、何だか照れくさいのよ……恥ずかしいわ」

「何故恥ずかしいの？」

「何故って事もないけど、何だか変な眼で見られているようで擽《くすぐ》ったいの……」

「あの女《ひと》は僕達の事を何とも思ってやしないよ、俊作さんという可愛い男があるんだからね。二人も早く一緒になればいいのに。洋子さんが離さないのかな？」

「俊作さんは、貞子さんを愛していらっしゃるふうだけど、貞子さんは……」

「俊作さんを嫌ってるの？　そんな事はないはずだと思うが、急に嫌いになったのかしら？　愛しているとは言っていたが……」

「貞子さんがお気の毒だわ……時々は泊りに行ってておあげになったら？」

「そんな事をしたら、俊作さんに蹴っとばされるよ。君だって角を生やすだろう?」

「時偶《ときたま》のことなら、私、我慢するわ」

「どうだかね。……君は本当に美しいよ」

「……もっと強く抱いて………しっかりと……」

そんなふうな毎日だった。誰も、その二人の睦《むつま》じさを嫉妬する者はなく、毎日毎夜の生活が甘ったるい夢そのものであった。

八年近くも連れ添った夫と別れた淋しさと、肉身の妹に死別した悲しさに、貞子は来る日来る夜を、寂寥と憂愁にとらわれて味気なく迎えていた。別れてみて、始めて丈助の美点が無性に懐しく思い出されてくる。毎日顔をつき合さねばならぬだけに、彼女は苦しく、そして悩ましかった。丈助と別れたって平気だ、むしろ呑気でいいかも知れない、と思っていたのが大きな間違いであった事を、彼女はつくづくと思い知らされた。ともすると、丈助の愛情をかち得た鮎子に、激しい嫉妬をさえ覚える事もあった。それは理性をもって制御する事の出来ない女体の本能の苦しみであり、そして悩み悶えであった。昼間はその苦悩と煩悶も、創作に打ち込む事に依《よ》って幾分なりとも紛らせたが、夜になって一人淋しく、寝台《ベット》に横たわると、物狂わしいほどの遣る瀬なさを覚えた。淋しく遣る瀬ない彼女の思いを慰め和げてくれる人は無くもなかったが彼女はその人に対して恐ろしい疑惑を抱いているので快よく相手の慰撫《いぶ》を受け容れる気持になれなかった。

「貴女は僕が嫌いになったのですか?」

「いいえ、そんなことないわ」

「しかし、貴女の僕に対する態度素振《そぶ》りが、以前より、違ってきたように思えるのですけど」

「私は今、死んだ正子の事ばかり考えているの。他の事を考える心の余裕《ゆとり》がないのよ」

「正子さんは本当にお気の毒でしたが、僕はむしろ仕方のない事と思っています」

「貴方にとっては他人ですから、そんな冷淡な事も仰言《おっしゃ》れましょうけど、正子は私にとって、肉身の妹なのです。そう、簡単に忘れる事は出来ませんわ」

そう言って、貞子はじっと俊作の面《おもて》を見つめる。以前とは打って変った冷たい凝視である。俊作は気押されて視線のやり場に困った。俯向《うつむ》いたままで、俊作は言う。

「貞子さん、貴女はこの頃、どうしてそんなに僕を冷たい眼で視られるのです？　何故、以前のように優しくしてくれないのです？」

「私は、貴女よりも正子を愛していたのです。その事は、前にも言ったでしょう？」

「しかし、正子さんは亡くなったのですから……。ね、僕と結婚してくれませんか？」

と言って、俊作は貞子の掌《て》を取り、ぎゅっと強く握り締めた。しかし貞子は冷たく、

「貴方には洋子という人があります」

「貴女が承諾してくだされば、僕は断然、洋子と別れてしまいます！」

「それじゃ、洋子が可哀想です。正子のような事になってしまうかも知れませんわ」

「そんな事はありませんよ。洋子は内心兄を愛しているようですから、僕と別れれば兄と一緒になる事を躊躇《ちゅうちょ》しないでしょう」

「でも、洋子は私に、貴方と決して別れない、と言いましたわ。洋子は心から貴方を愛しているのです。貴方は洋子のどんな点を不満に思っていらっしゃるの？」

「別に何も言う事はありません。ただ、洋子よりも貴女を愛しているというだけの事です。貴女は

洋子よりも強く、そして激しく、僕を愛して下さった」俊作は、頬を赧く上気させて言い、彼女の肩に掌《て》をかけて近々と顔をさし寄せた。

「僕は、貴女が恋しくって堪《たま》らない！　以前のように、僕を愛して下さい！」

しかし、貞子は冷静な調子で、

「私、貴方にお訊きしたい事があるの」

「何でしょう？」

「あの日、貴方は扉《ドア》にあけた穴から手を入れて、鍵を外されたでしょう。あの時、鍵は確かに掛ってました？」

「ええ、確かに掛っていました。僕は、手探りで鍵を摘んで、それを廻したのです。鍵が掛っているという事は、貴女が最初に気附かれたのでしょう？　食堂から出て、あの部屋へ行かれた時、把手《ノッブ》を廻してみられたんでしょう？」

「ええ、それは……」

「把手《ノッブ》は、その時、廻りましたか？」

「いいえ、廻らないようでしたわ」

「じゃ鍵は掛っていたのです。それを知っていながら、何故そんな事を訊かれるんです？」と俊作は訝《いぶか》し気な面持《おももち》になった。

「あの時は、もしかすると？　というような不安な予感に襲われていたので、幾らノックしても返事がないのでやっぱりそうだと思い、慌てて把手《ノッブ》を廻したので、もしかすると反対に廻したのではないかと思ったからです。そうでなかったとしても、錠が嵌《は》めてあったために扉が開かなかったのを、鍵が掛っていて開かない、と感違いしたのかも知れないと思ったからです。つまり、把手は廻ったけど扉が開かないので、廻らなかったと思ったのかも知れないとね」

「感違いでも何でもない、鍵は確かに掛っていました」と俊作は微かに苦笑《わら》った。

「私が、鍵が掛っている、と言ったので、野上はそれを信じて把手《ノッブ》を廻してみようともせず、いきなり扉を敲《たた》きました。把手を握っていたのは信義さんでしたから、真実に鍵が掛っていたかどうかを知っているのは貴方と信義さんの二人だけという事です」

「それが、どういう事になるのです?」

「貴方と信義さんが申し合せて、鍵が掛っていたというように思わせる事が出来た訳です。これは私の邪推かも知れないけれど貴方と信義さんが共謀して正子を……」

「止《よ》して下さい!」俊作は激しく言った。

「絶対にそんな事はありません! 鍵は確実に掛っていました! 仮令《たとえ》鍵が掛っていなかったとしても、差込錠は、二つとも嵌《は》めてあったじゃありませんか?」

「それは、野上が外したのですから、多分間違いはないでしょう。野上がまさか嘘を言うはずはないでしょうから……」

「じゃ、僕は嘘を吐《つ》いたと仰言《おっしゃ》るんですか、掛ってもいない鍵を掛っていたと?」

「貴方と信義さんにとって、正子は邪魔者だったのですから、私が、一応そう疑ってみるのに無理はないでしょう?」

「それは邪推ですよ! 甚だしい臆測です! 僕は、神に誓って〝鍵は掛っていた〟と言う事が出来ます!」

「じゃ、何故、錠をお外しにならなかったの？　鍵が廻されても扉《ドア》は開かなかったのに貴方は手を出そうとはされなかったじゃありませんか？　錠が嵌《は》めてある事を、局外者の野上に確認させるために、手を出されなかったのじゃありませんの？」

「そ、そんなバカバカしい！　野上さんがすぐに手を入れて錠を探《さぐ》られたので、僕がそうする必要がなかっただけの事ですよ。貴女は飽くまでも僕と兄を疑おうとなさるんですね？　しかし、錠が二つとも嵌めてあったという事実を確かめたのは野上さんです……その差込錠を、どうして外部から嵌める事が出来たと仰言《おっしゃ》るんです？」

「あの差込錠は発条《バネ》仕掛《じか》けですから、支え金の窪みからつまみを引き起しさえすればひとりでに差込棒が承け金の穴に嵌まりますわ。だからつまみを起しておきさえすればいいのです」

「それじゃ、発条《バネ》の弾力ですぐに差込棒が突出して、扉が閉められないでしょう？」

　俊作は、苦笑しながら言った。

「それとも何か仕掛けに依《よ》って錠が嵌まるような操作をした、と言われるのですか？　そんな事は絶対に不可能です。鍵穴を除いては針の穴程の小さな隙間さえないのですからね。しかも、その鍵穴は鍵で密閉されていたのです。外部からの操作は、従って絶対に不可能という事になります」

「勿論、外側からそんな操作は出来ませんわ。内側からでないとね」

「貴女は一体、どんな事を思っているんです？　それを、具体的に言って下さい！」

「貴方と信義さんが共謀して正子を殺されたのだと仮定すれば……仮定すればですよ……実際は掛っていなかった鍵を、掛っていたと思わせるために、第一番に手を入れて鍵を外す真似をする事も出来るし、また鍵は本当に掛けてあったとしても、差込錠に仕掛けてあった何かを取り除いて錠を嵌め差込錠が二つとも完全に嵌まっていたと思わせる事も出来る訳です」

「すると、僕が糸鋸《いとのこぎり》で挽きあけた穴から手を入れて、鍵を廻すと同時に、差込錠に仕掛けた何かを取り除いて証拠を握り込んだと言われるのですか？」

「そうです。つまみを支え金の窪みから起して、それを何かで固定させておけば、その何かを取り除けさえすれば、錠はひとりでに嵌まるわけですからね」

「じゃ、鍵の方は？」

「それは、私にも分りません。内側の鍵穴に鍵を差し込んでおいて、外側から合鍵で施錠する事は不可能ですからね。だから、私はむしろ第一の場合じゃないかと思いますの……つまり差込錠は本当に嵌めてあったけど、鍵は掛っていなかったのではないかと。それで、貴方が真っ先に手を入れて、鍵を廻すように装われたのじゃないかと？」

「としても、では、差込錠はどうして外部から嵌めたと仰言るのです？」

「それはある方法に依《よ》って、自然的に嵌まるようにしておいてから扉を閉める事が出来ます……信義さんはそうしておいて、鍵は内側の鍵穴に差し込んでおき、外に出て扉を閉《し》め、その寝室から立ち去って行かれたのではないかと、私は疑っていますの」

「すると、そのある方法によって、ひとりでに錠が嵌まったと言われるのですか？」

「それ以外に解釈のしようがありませんもの。私が貴方達の後から続いて部屋の中へはいった時、差込錠には別に何の仕掛けもしてありませんでしたし、貴方も信義さんも、仕掛けの小道具を取り除けるような事はなさいませんでしたからね。私は、そういう事を想像していたので、貴方と信義さんの様子を注意深く見守っていたのです」

「それはそれは」俊作は大袈裟に言って苦笑し「しかし、それは徒労でした。僕は無論の事、兄だって決して正子さんを殺しはしません。僕は貴女を愛しているのですし、兄は洋子さんを愛しているのですから、何でその妹の正子さんを殺したりしましょう！」

「それは、本当でしょうね？」と言って、貞子は、俊作の面《おもて》を突き刺すように凝視した。俊作もそれを強く見返して、

「真実《ほんとう》ですとも！　何で嘘を言いましょう！」

「鍵は、確かに掛っていましたの？」

「ええ、確かに掛っていました」

貞子はガックリと俯向《うつむ》いて「すると、私の邪推かしら？」と口の裡《うち》で低く呟いた。

「差込錠の方は、そうして自然的に嵌《は》める事が出来るけど、鍵は、外から掛ける事は出来ないのだから……やっぱり、正子は、自殺したのかしら？」

「正子さんは自殺なさったのですよ」と俊作も低い声で言い「自殺の理由が何であるかを一番良く知っておられるのは、貴女ではないかと僕は思っているんですが？」

貞子は黙然として顔を俯向《うつむ》けていた。

「こうなる運命だったのです。兄が自殺し、兄に愛されていた……いや、兄が一方的に強く愛していた正子さんが自殺された以上……何も言う事はないと思うのです」

そのまま、暫くの間、沈黙が続いた。

「貞子さん！」やがて、俊作が言った。

「僕と結婚して下さい！　僕はもう、貴女なしでは一日も過せなくなりました！」

「それは仰言《おっしゃ》らないで！　私だって苦しくなってきます。私は、洋子の幸福を奪う事は出来ません。貴方は、洋子にとっては大切な男《ひと》なのです。……そんな事を仰言《おっしゃ》らないで、洋子を愛してやって下さい……」

「しかし、僕は洋子を愛してやることが出来ない！　二人の女《ひと》を同時に愛する事はできないのです、僕には。今の僕にとって貴女はただ一人の女《ひと》なのです！」俊作は熱っぽい声で囁いて、彼女の頸筋《くびすじ》にそっと唇を触れた。

貞子は、ピクッと身を顫《ふる》わせて、

「私だって貴方を……でも、不可《いけ》ないわ」

と、切なげに、喘ぎながら言う。俊作は彼女の嫋《なよ》やかな軀をぐっと抱きしめて、そっと唇を近寄せ「ね、僕と結婚して下さい！　僕を……愛してくださいさい！」

貞子は、微かに震え戦《おのの》きながら、彼の唇を自分の唇でぴったりと塞いだ。それ以上なんにも言わせないように、しっかりと蓋をした。夫と別れてからこの方、ずっと抑制してきた情欲が急激に湧き上って、彼女の身内の血を熱く沸き滾《たぎ》らせた。乳房の辺りが男の唇を求めてズキズキと妖しく疼いた。抱き締めて唇を合せている俊作が、可愛くって堪《たま》らなくなって来た。この人は洋子の夫だ、という理性がいつの間にか彼女の念頭から消え去っていた。男の掌《て》が懐にはいって、熱く疼いている乳房をまさぐり始めると、彼女は制御しきれない情感に駆り立てられて、唇を放して彼の耳に囁いた。

「あっちへ行きましょう！」

俊作は彼女を抱き上げて寝台《ベット》に運んだ。

「貞子さん！　僕は一体どうすればいいんです？　不可《いけ》ないと言いながら、貴女は僕を……」

彼女の強く激しい抱擁の中で、俊作は喘ぎながらそう言ったが、彼女は何とも応えなかった。応える事が出来なかったのだ。愛してはならない男《ひと》――にも拘らずその人とこうして、歓喜に耽り溺れて、狂おしく身悶えているのだから……。

○

正子の死は、洋子にとって大きな悲しみであると同時に、また漠然とした不安、脅威でもあった。夫の俊作は自分と別れて姉と結婚したがっている……正子に死別した信義は当然自分に結婚を迫るだろう。今の所では、姉は夫の希望を撥《は》ねつけているらしいが、いつかはきっと俊作の熱情に惹かされてその希望を受け入れるに違いない……そうなると、俊作は否応なく自分を離別してしまうだろう。そんな事を思うと、彼女は気が気でなかった。俊作を心から愛している彼女にとって、姉の貞子は目の上の瘤だった。俊作を見る彼女の心の眼を遮《さえぎ》りその視野を狭くした。といって、その瘤を切り取ってのける訳にもいかない。貞子は彼女の肉身の姉であり、彼女が頼んでこの家に同居させた女である。内心では、丈助と別れた姉が、この家から出て行く事を願いながら、しかし、それを口に出して姉に迫る訳には行かなかった。姉さんはいっその事、信義さんと結婚すればいいのに！　と彼女は思うのだが、そうまで都合よく人間の心を処理する事は出来ないのだ。信義は洋子を愛している、洋子は夫の俊作を愛している、その俊作は貞子を愛している、貞子はどうやら俊作を愛しているらしい――この奇妙な関係がいつまでもひとつ所にとどまっているはずはなかった。

ある日、俊作が彼女に、

「君は兄のことをどう思っている?」

「どうって?」夫の意図が良く分っているだけに洋子は即答に窮して「正ちゃんに死なれてお気の毒だと思っているわ」と口を濁した。が、俊作はその言葉尻をとらえて
「気の毒に思っているのなら、僕と別れて兄と結婚してやってくれないか? 兄は心から君を愛しているのだ。僕が貞子さんを強く愛していると同じように。君がその気になってくれれば、兄も喜ぶし、僕も都合がいいし、貞子さんだって喜んでくれるだろうと思うんだ。どう? そうしてくれないか」

「私は貴方と別れてまで信義《にい》さんと結婚しようとは思わない。そんな事は仰言《おっしゃ》らないで頂戴……私、貴方を愛しているんだもの」

「君は僕の自由を束縛するつもりなのか」

俊作は、妻を睨んで棘々しく言った。

「私、貴方を束縛してやしないわ」と、洋子は口惜《くや》しげに言って「貴方が姉さんのお部屋へいらっしゃっても、なんにも言った事はないでしょう? 一度でも文句を言った事がありまして?」

「そりゃ当然の事だよ。文句の言える筋合じゃない。僕は、君よりも貞子さんを愛している、だから別れてくれ、とハッキリ言ってるんだからね」

「だったら、それでいいじゃないの」

「いい事はない! 僕は、君と別れたいのだ」

俊作は呶鳴りつけるような調子で言う。

「私、いやだわ！　そんなこと！」

反抗的に、洋子も声を大きくした。

「僕が、どうしても君と別れると言ったら君はどうする？」

洋子は、黙って下唇を嚙んだ。

「正子さんみたいに死んでしまうか？」

無論、これは冗談だったが、俊作のその言葉は、彼女に大きなショックを与えた。

「貴方は、私を殺してでも姉さんと結婚なさるつもり？」と、ヒステリックに叫び、泪を一杯に湛《たた》えた眼で、怨めしそうに夫をみつめた。その紅い唇が、ヒクヒクと微かに痙攣している。俊作は苦笑して、

「何も、君を殺すとまで言いはしない、ただ別れてくれと言ってるだけじゃないか」

「私はいやだわ！　絶対に貴方と別れないわ！　貴方をつかまえて放さない！」

「それじゃ、僕を束縛する事になる！」

「いいえ！　束縛じゃないわ！」洋子は激しく叫んで矢庭に夫の胸に犇《ひし》としがみつき「愛する夫をつかまえて放さないのは、妻として当然の事だわ！」絶対に放さない、と言ったふうに、強く夫の胸に縋《すが》りついた。

「しかし、僕は君を愛していないのだから、摑えられていては迷惑する」言いながら、俊作は妻の軀を押しのけようとした。が彼女は犇《ひし》としがみついて放れない。いきなり、彼の手が彼女の横っ腹を突いた。彼女はウッと呻いて、両手でそこを押えてふらふらッと二、三歩後退りした。

「僕はどうしても君と別れようと思う！」

「私、姉さんをこの家から追い出してやる！　絶対に貴方と会えないようにしてやる！」

洋子は瞳をキラキラと妖しく輝かせて、夫の顔を睨みつけながら、ヒステリックに絶叫した。嫉妬と忿意《ふんい》が、今や彼女の理性を完全に失わせてしまったようである。

「そんな事をする権利は君には無い！　この家は僕と兄のものだからね、誰を置こうと君の掣肘《せいちゅう》を受ける謂れはない！」

「そんなら、私が出て行くわ！」

「そうしてくれたら、僕は大変幸せだ」

俊作は冷たく言って、妻を睨んだ。

「いいえ！」洋子は泣き出しそうな顔をして「誰が出て行くもんですか！　いつまでも貴方の傍にくっついていてやるわ！」

「僕は迷惑するよ！　いやな奴にくっついていられちゃ、ふん、堪《たま》ったもんじゃない」

俊作は冷たく言って立ち上り、手荒く扉《ドア》をあけて部屋を出た。隣りの書斎にはいって、カチリと鍵をかけ、洋子が烈《はげ》しくその扉を叩いても知らぬ顔をしていた。

「悪女の深情《ふかなさけ》か！　ふん、糞忌々《くそいまいま》しい！」

彼は口の中でそう呟いて、どしんと安楽椅子《ソファー》に身を投げかけた。幾ら激しく扉を叩いても何等の反応もない事を知ると、洋子は階段を駆け登って姉の部屋へ飛び込んだ。

「まあ、どうしたの？」

涙ぐんだ眼を血走らせて、血相を変えて躍り込んで来た妹を見て、貞子はすぐにすべてを読み取ったが、その軋轢が自分を中に挟んでの葛藤であると分っているだけに、内心ドキリとするものを覚えながら、さりげないふうを装ってそう訊ねたのであるが。

「俊作が、私に、出て行けと言うの！」

洋子は姉の面《おもて》を瞶《みつ》めて、口惜《くや》しげに叫んだ。「姉さんがいるから、少しも困らないって……。私、口惜《くや》しいッ！」

「出て行けって？　俊作さんがそう言ったの？」と、貞子は椅子から立って、妹のそばに歩み寄り、肩に掌《て》を置いて覗き込んだ。

「誰が出て行くもんですか！」

洋子は姉の手を振り放して「姉さんこそ出て行って頂戴！　姉さんがこの家へ来さえしなかったら、こんな事にはならなかったのに、私、姉さんを憎らしく思うわ！」

「私が悪かったのよ。許して頂戴……」貞子は沈痛な声を振り絞って低く言う。

「出て行くわ、そうしなければ不可《いけ》ないのよ……野上と別れた時に、すぐさまこの家から出て行くのが本当だったのだけど、私は貴女の事が気になって、それができなかったの。貴女までが、正子のような事になっては不可ないと思ってね」

「私、正ちゃんのように、自殺したりなんかしないわ！　死ぬるほどだったら、俊作を殺してから、し、死んでやるわ！」

「まあ、何を言うの！」貞子は妹の軀をしっかりと抱き締め「貴女は俊作さんを愛してるんでしょう？　殺すなんて飛んでもない」

「愛しているから殺すのよ！　死んだったら、一緒に死んでやるわ！　死んだって姉さんの所有にさせはしないから……」姉の胸に顔を押しつけ、泣きじゃくりながら、洋子は言った。つまされて貞子も泣きながら、「大丈夫！　私は、貴女の手から俊作さんを奪いとるような事は絶対にしないから……この家から出て行けばいいんでしょう？　そうしたら、俊作さんも、私の事を忘れて、貴女を愛してくれるわ」

洋子は黙ってすすり上げている。貞子はその妹を椅子に掛けさせて、自分もその傍に椅子を寄せた。不意に洋子が姉を瞶めて

「正ちゃんは何故死んだのかしら？」

と、打ち沈んだ声音《こわね》をふるわせた。

「正子は、自殺するような弱い女じゃないと私は思っているんだけど……貴女はどう思う？　自殺したんだと思っている？」

「そうとしか思えないじゃないの、中から鍵を掛けたお部屋の中で死んでたのだから！　姉さんは、殺されたと思っているの？」

貞子は声をひそめて「そうじゃないかと疑っているのよ。俊作さんには、ぶちまけて訊いてみたわ。俊作さんは、そんな事は絶対にないと言ってたけど……貴女に何か言わなかった？」

「いいえ、何も言やしないわ……」

「俊作さんは本当の事を知らないのかしら？　正子の事件をどう思っているふう？」

「義兄《にい》さんに、別れると言われたのを悲観して自殺した、と思っているふうだわ。先刻もそう言ったの。僕がどうしても君と別れると言ったら、正子さんのように死んでしまうかって。それで私は、貴方は妾を殺してでも義姉《ねえ》さんと結婚するつもりって訊いたの」

「まあ、俊作さんは、そんな事まで言ったの！　で、何と仰言《おっしゃ》った？」

「何も殺すとまで言やしない、ただ別れてくれと言ってるだけだ、って。幾らなんでも私を殺したりはしないわ！　俊作は、そんな恐ろしい人じゃないんだもの」

「私も、俊作さんだけはそんな人ではないと信じたいの。それで、ぶちまけて訊いてみたのよ。俊作さんは絶対にそんな事はないと言ったわ。それで、私は俊作さんを信じる事が出来たの。だって、嘘を吐《つ》いてるようには思えなかったのだから。でも、私はもしかすると信義さんが一人して？　と疑っているの……」

「義兄《にい》さんが、私と結婚しようと思って、邪魔者の正ちゃんを殺したと思っていらっしゃるの？」

と洋子は喘ぎながら言った。

「正子と離婚すれば、当然幾らかの財産を分けてやらなければならなくなるので、正子を殺し、自殺とみせかけたのじゃないかと……私は疑っているの……」

「でも、あのお部屋には、中から鍵が掛っていたじゃないの？　それに、錠が二つとも嵌《は》めてあったんでしょう？」

「鍵は確かに掛っていた、と俊作さんはハッキリと仰言《おっしゃ》ったわ。錠の方は野上が外したのだから間違いないと思うの。私が始め扉《ドア》を押してみたけど開かなかったのだから鍵は掛っていなかったとしても、錠は確かに嵌《は》まっていたはずよ。でも、鍵の方も間違いなく掛っていたとすると、完全な密室という事になり、信義さんを疑う事ができなくなるの。でも、正子が私には何にも言わないで死んだ事を思うと、どうしても自殺とは信じられないの。第一、編物針で自分の胸を突くなんて勇気を、正子が持っているはずがないじゃないの？」

「私もそれを変に思ってるんだけど、錠が嵌めてあり、鍵が掛けてあったのだから、自殺としか思いようがないじゃないの？」

「差込錠は発条仕掛《バネじかけ》だから、ある方法で自然的に嵌まるようにしておく事が出来るのだけど、鍵は外から操作して廻す事は出来ないと思うの。扉を閉めたら一分の隙間もなくなるんですからね。それに鍵穴は内側にさし込んだ鍵で塞がれていたんですから。私、こないだ、あの部屋をよく調べて見たの。でも、扉を閉め、窓の鎧扉をおろしたら、扉の鍵穴をのぞいては、完全に密閉されるという事が確かめられただけなの。窓と扉口《とぐち》以外の所は、壁と天井と床で、無論針の穴程の隙間もないわ」

「だったら、自殺としか思えないじゃないの？　それでもまだ、姉さんは疑っているの？　義兄《にい》さんが正ちゃんを殺したと……」

「疑う理由があるんだもの」

「それは、どんなこと？」

「いいえ、それは言えないの……」

「亡くなった義兄さんに関係したこと？」

「貴女はそう思う？」

と、貞子は、妹の顔をじっと瞶《みつ》めた。

「私、そんなこと信じないわ！」

洋子は低く言って、姉の面から視線をそむけ、燃えているストーブの方を見た。貞子もその視線を追ってストーブを瞶め、

「あの時もストーブが赤々と燃えていたわね。……死の部屋……でも、部屋の中はムッとするほど

暖かかったわ。誰が石炭をくべたと思って？　信義さんが起きてすぐに部屋を出たとすれば、正子がくべたとしか思えないけど、死を決意した者がそんな事をする心の余裕《ゆとり》を持ってるはずがないと思うの。机の上に編みかけのチョッキがあったでしょう。信義さんのもので、ほとんど編み上っていたわ。もう少しで編み上るのに、毛糸が切れていいたわ。何故だと思う？　正子が死ぬ前にそれを切ったのかしら？　それとも信義さんが、何かの必要があって、その毛糸を切り取ったのかしら？　私は、信義さんだと思うの。部屋にはいった時に、毛糸の焼けた臭いを私は嗅《か》いで変に思い、その編物を調べて見て、糸が切れている事に気附いたの。つないであったわ。でも、新しい毛糸だからつないであるはずはないでしょう？　やっぱり信義さんが切り取ったのだと思うの。その毛糸が焼けて臭いを残していたのだと思ったんだけど、何故そんな事をしたのかちっとも分らなかったの。今でもそれが分らないの。それが分れば謎が解けると思うんだけど……」

「謎って、何のこと？」

「内部から鍵が掛っていたという謎よ」

「その毛糸を使って外から鍵を掛けたと仰言《おっしゃ》るの？　そんな事が出来るでしょうか？」

「外からじゃないわ。毛糸の焼けた臭いは部屋の中に残っていたんですからね」

「でも、中に居たのは正ちゃんだけだわ。何の事を仰言《おっしゃ》ってるの？」洋子は呆《あ》っ気《け》にとられて、まじまじと姉の顔を瞶《みつ》めた。

「信義さんが、その毛糸を使ってどうして鍵を掛けたかという事を言ってるのよ」

言いながら貞子は、ストーブから煙突に視線を移して、それを辿って窓の上の壁を瞶めた。鉞力《ブリキ》の煙突がその壁を貫いて外に出ている。不意に、貞子は眼を輝かせて、

「そうかも知れないわ！」と頓狂《とんきょう》に叫んだが、すぐに打ちしおれて、浮かせかけた腰を椅子に落ち着かせ「でも、ストーブは燃えていたのだから、そんな事は出来ないはずだわ」ぶつぶつと口の中で低く呟く。

洋子がそれを訝《いぶ》かって、不安げに訊いた。

「姉さん！　どうかなさったの？」

「いいえ、どうもしない」貞子は苦笑してみせ「私の思い過しだったかも知れないわ……探偵小説を書いてると、つい、疑りっぽくなるの、邪推かも知れないのよ。……正子はやっぱり自殺したのかしら？」

「正ちゃんは義兄《にい》さんを愛してたんですから、最も疑られ易い立場にある義兄さんに嫌疑が掛っては不可《いけ》ないと思って、鍵を掛けた上に錠まで嵌《は》めて、他殺だと思われないようにしておいてから自殺したのかも知れないわ。……私はそう思っているの」

「貴女は善意に解釈してるのね。信義さんがそんな恐ろしい人じゃないと……」

「ええ。そんな人ではないと思うわ」

「信義さんを、愛しているの？」

「お気の毒に思ってるだけよ。愛してるってのとは違うわ！」

少時《しばらく》のあいだ、白々とした沈黙が続いた——が、やがて、貞子がポツリと言った。

「私、この家を出る事は出るけど、貸間がみつかるまで待ってね。今すぐに出て行けと言われても、私、行くところがないから」

「出て行かなくってもいいのよ」

洋子は微笑《わら》いながら言った。

「ごめんなさい、先刻《さっき》は昂奮してたもんだから、ついあんな事を言ってしまったの。私には姉さんを追い出す権利はないんだもの……また、そんな事、出来もしないわ」

「でも、私はこの家に居る事が苦しいの」

貞子は妹の顔を瞶《みつ》めて、切なげに言った。

「俊作さんは貴女の夫なんですから、愛しては不可《いけ》ないと良く分っていながら、熱情に惹かされて、ついずるずると引き摺られて行きそうになるの。こんな事を言うと、貴女は憤《おこ》るかも知れないけれど、私、俊作さんが可愛くって堪《たま》らないの……」

「姉さんのその気持ちは私にも良く判《わか》るわ。私が信義さんと結婚して俊作を姉さんに譲ればいいんだけど、私にはそれがどうしても出来ないの。死んだ正ちゃんに対してもそんないい加減な事は出来ないわ」

「判ってるわ……良く分ってるわ……」

貞子は、しんみりした調子で言って、

「私、俊作さんとの仲を精算するわ！　キッパリと手を切るわ！　貴女のために、そうしなければいけないのだから……」

「済みません」と洋子は涙声で言った。

「でも、姉さんは淋しいんでしょう？」

「……そんなことないけど……」

「姉さんは、義兄《にい》さんをお嫌いなの？」

貞子は苦笑して「冗談じゃないわよ」

「いいえ。私、真面目に言ってるの」

「好きだったら、どうだと言うの?」

「義兄さんと結婚なされば……」

「信義さんが、私のようなお婆さんを相手にするもんですか! それに私だって、死んだ正子に対してそんな事出来っこないわ。もしかすると他殺かも知れない、と疑っている私だもの、好き、嫌いの問題じゃないわ」

「そうねえ」と、洋子は呟いて「姉さんは鮎子さんを憎んではいないの?」

「憎んだってしようがないじゃないの、あの女《ひと》だって未亡人になったんだから、野上を愛するようになったのも無理からぬ事だわ。野上だって鮎子さんを愛していたんだから、私はむしろ喜んで身を引いたのよ」

「……私も、俊作と姉さんのために身を引くといいんだけど」と洋子は低く言った。

「あら、そんな意味で言ったんじゃない」

「でも、私にはどうしてもそれが出来ないの、姉さんには本当に済まないいんだけど」

P

洋子と貞子の間にそういう話し合いがあってから、貞子は俊作を相手にしなくなった。食堂で顔を合せても冷淡な面持《おもも》ちですぐに視線をそむけた。俊作がその居室を訪れても扉口《とぐち》から中へは入れなかった。話かけても碌《ろく》すっぽ返事もしない。ええ、いいえ以外の言葉は滅多に聞く事が出来ない。自然、俊作は毎日憂鬱な顔をしていた。洋子が貞子に何か言ったために、貞子がその妹のためにわざと愛想づかしをしているのだと彼には良く分っていたが、至って押しの弱い彼だけに、拒否の言葉を無視してまで、強引に振る舞う事は出来なかった。といって貞子を諦める事も出来ない。その愛欲の激しい情熱をつぶさに味っているだけに、思いは愈々《いよいよ》募る一方だった。私の事は忘れて頂戴と貞子は言う。が、彼の彼女に対する愛情と思慕の想いは益々《ますます》強く烈しくなって行くばかりだった。

それに反して、妻に対する態度素振りは愈々冷たくなって行った。いや、もはや洋子は俊作の妻とは言えなかった。俊作は自分の書斎に寝台《ベット》を引っ張り込んで一人で寝た。洋子が二人寝台《ダブル・ベット》に一人淋しく寝ている寝室の扉を叩く者は貞子だけである。洋子は、夫の冷淡な仕打ちを恨んで、諄々《くどくど》と姉に訴えた。私はむしろ女中同様だと言って口惜《くや》し泣きに泣き咽《むせ》んだ。が、貞子はそれを慰めてやる術を持たない。その原因が自分にあるだけに、何と言って慰撫してやったらいいか分らなかった。俊作さんもその裡《うち》には淋しさに堪《た》えられなくなって、きっと貴女の手に返ってくるに違いないわ、そう言ってなだめる以外には手がないのであった。

信義が繁々と洋子に言い寄った。俊作と義姉《ねえ》さんを幸福にしてやってくれと言う。俊作を本当に愛しているなら、俊作が愛している義姉さんと添わせるようにしてやるのが本当だ。相手が他人ならいざ知らず、血を分け合った貴女の姉さんではないか、そうするのが妹としての姉に対する愛情の途《みち》だ、僕は君を心から愛している、愛されもしない俊作の事など綺麗さっぱりと思い諦めて、僕の胸に飛び込んできて下さい、僕は貴女を満足させてあげる事が出来る……などと言葉を尽してかき口説くのだった。が、洋子の返事はいつも「いいえ」であった。そんな事は出来ません。それはもはや冷たい夫に対する意地だった。決して嫌いではない信義なのだから、その希望を容れて夫と別れる事も万更出来なくもなかったが、彼女のプライドが許さなかった。洋子は勝気な性分だけに、片意地な所も多分にあった。従って否《ノー》はどこまでも否《ノー》であった。

信義は焦躁した。正子が死んでからこのかた、一度も満たされた事のない情慾が、彼を物狂わしくさせて止まないのだ。いやがる洋子を抱き竦《すく》めて接吻を盗む事ぐらいでは慾情は満たされないのは勿論、愈々昂ぶってくる一方だ。洋子は自然、信義を警戒した。彼が彼女の部屋へ訪れて来ても、貞子が俊作に対してする如く、扉口から中へは一歩も入れなかった。終《しまい》には信義が来ると、すぐに貞子の部屋へ逃避するようにさえなった。並大抵の手段では、彼女を獲得する事の不可能である事を、信義は徹底的に思い知らされねばならなかった。

別館に住む丈助と鮎子の二人は至極睦《むつま》じく、そしていつも穏かだった。が、本館に住む信義、俊作、洋子、貞子の四人は、いつもバラバラに離反していた。感情と感情が絶えず食い違って、キーキーといやな軋轢の音を響かせていた。別館の雰囲気を春に例えれば、本館のそれは冬だった。暗く冷たく重っ苦しい空気が、廊下の隅から屋上の露台《バルコニー》にまで立ち迷っている。その露台《バルコニー》から眺める辺りの景色には、春近きを覚えるものがあったが、館の中はいつまでも冬だった。

と言っても、それは四人の心のそれで、春の跫音と共に日毎《ひごと》暖かさを加えてくるとストーブは取りのけられ、電気煖炉《ヒーター》がそれに代った。従って露台《バルコニー》の外壁にのぞいていた二つの煙突は信義と俊作の二人の手で取りのけられた。二つの煙突——それは信義の書斎と正子が死んだ寝室とのストーブのそれである。それを取りのける時、貞子は露台《バルコニー》の一隅に立って、信義と俊作が露台《バルコニー》の端《はし》に身を乗り出して、鉞力《ブリキ》の煙突をはずし取るのを、じっと見守っていた。その時の彼女の面には何か真剣な表情が色濃く湛《たた》えられていた。が、それに気付いた者は洋子だけである。洋子はそれを訝《いぶか》しく思ったのだが、別に訊き糺《ただ》そうともせず、春めいて来た蒼い空を漠然と見上げていた。姉のその真剣な表情と凝視が、正子の死の謎を探るためのそれである事を、彼女は全然知らなかったのである。

食事の時は六人が顔を合せた。が、鮎子は貞子に気兼ねをし、貞子は俊作に冷淡に仕向け、俊作は洋子と一言も物を言わず、洋子は信義に怯え、そのため信義は自然憂鬱になって口数も少く、丈助は丈助で貞子を煙たがって顔をそむけ、俊作や信義に対してもあまり話し掛けないので、その雰囲気は極めて白々しく冷たいものだった。誰も、止むを得ない場合のほかは口もきかず、にこりともしなかった。そんなふうだから食事を終えるとすぐに各自の部屋へ引き退《さが》って行った。洋子などは夫の俊作とひと言も言葉を交さない日を過す事さえあった。食事を終えるとすぐ階下の書斎にはいって中から鍵を掛けてしまうので、話したくても話しかけることが出来ないのである。

その俊作が、ある晩、珍らしく洋子を部屋に入れた。お湯へお入りなさいよ、と扉《ドア》のそとから声をかけると、いつもはウンと言ったきり何も言わない俊作が、鍵を外して扉を開け、彼女を中に入らせたのである。

「兄さんはもう済んだのか?」

俊作はおだやかな調子でそう訊ねた。これは、その頃では信義が一番風呂に入り、次に俊作、次に丈助と鮎子が一緒に入り、貞子と洋子の二人が仕舞《しまい》湯《ゆ》を娯《たの》しむ(?)習慣《ならわし》になっていたからである。

「義兄《にい》さんは入らないと仰言《おっしゃ》るのよ」

「じゃ、野上さんに先に済ませてもらおう」

「貴方もお入りにならないの？」

「あとで君と一緒に入ろう」と、俊作はニッと微笑《わら》って洋子の掌《て》を握り「久しぶりに君の美しい肉体《からだ》をゆっくり眺めたいから」

洋子はその言葉を、すぐには真に受ける事が出来なかった。十何日振りに触れた夫の掌《て》の温さに、身内の血が激しく沸き滾《たぎ》るのを意識しながら、呆《あ》っ気《け》に取られたような面《おも》持ちで、じっと夫の顔を瞶《みつ》めた。

「僕と一緒に入るのがいやなのか？」

そう言われて始めてそれが冗談でない事を知り、洋子は無言のまま、いきなり夫の胸に顔を埋《うず》めた。彼女は声を震わせて、

「私、嬉しいわ！」と、低く呟いた。

「義姉《ねえ》さんは？」俊作は優しく訊ねた。

「一人で映画を観に行きましたわ」

「そんならちょうどいい、早く野上さんにそう言っておいで。僕は入らないからと……」

「ええ」と答えて、洋子は真っ赤に上気した顔をあげ、喘ぎながら唇を求めた。俊作が軽い接吻を与えると、洋子はいそいそとして部屋を出て行った。ようやっと夫は私の手にかえって来た、と思いながら……。

丈助と鮎子があがるのを待ち兼ねたように洋子は夫の書斎に行って、ね、入りましょうよ、と甘ったれた声で言った。

「君、先に行っておいで。すぐに行くから……この手紙を書きあげてからね」

俊作はちょっと振り向いてそう言った。

「私、待っていますわ、一緒に行きましょうよ、すぐに済むんでしょう?」

「先に入っておいでと言ったら!」

俊作は、棘々しく言って妻を睨んだ。

洋子はドギマギして「じゃ、早くいらっしってね」と言い、夫の部屋を出て浴室に来た。脱衣室にはいって掛け金をかけたが、すぐに気づいてそれを外した。着物を脱いで大きな姿見《すがたみ》の前に立った。夫の肉体に餓え渇いた白く豊満な女体が、はち切れんばかりにくねくねと妖しく美しくゆらめいた。湯槽《ゆぶね》に浸って夫を待った。が、俊作はなかなかやって来ない。彼女は苛々してきた。それを紛らすように流しへ出て肌に石鹼を塗った。つるつるした石鹼のすべりが、彼女の官能を烈しく唆《そそ》り立てた。乳房の辺りがズキズキと妖しく脈打って、全身がカッと熱く燃え立ってきた。彼女は石鹼を抛《ほう》り出して、両掌でしっかりと乳房を押えた。夫がはいって来たらいきなりしがみついてやりたいほどの物狂わしい気持ちだった。不意に電燈が消えて真っ暗になった。停電かしら、と思っていると、廊下に跫音がして、待ち兼ねていた俊作が脱衣室にはいって来た。着物を脱ぐ衣《きぬ》ずれの音が聞えてくる。彼女は呼吸をとめて夫のはいってくるのを千秋の思いで待った。やがて硝子戸があく音がして夫は中にはいってきた。戸を閉めて掛金をかける音。すぐに彼女の方へ歩いて来る。「貴方!」と、洋子は熱っぽい声で呼びかけた。「私、待ってましたのよ」

俊作は、ウンと低く言って、彼女の声を目あてに近寄って来た。

「停電なのかしら?」

洋子が低く言ったが、俊作は何も言わないで、彼女の軀を探りあて、その手をぐっと握りしめた。それをキッカケにして、彼女の慾情が堰を切って溢《あふ》れ迸《ほとばし》り、矢庭に夫の軀にしがみつかせてしまった。

「貴方……貴方……私、嬉しいわ！」

息を弾《はず》ませて泣くように言う彼女の唇を、夫の唇がぴったりと塞いだ。もはや、何も言う必要はなかった。その強く烈しい口づけに、夫の愛情が再び自分に向ってそそがれてきた事を知って、彼女はきつく抱き締められながら、そして強く抱き返しながら、その肉体を求めて物狂わしく身悶えた。が、夫はそうしたままじっとしている。

「……ねえ……ねえったら」

が、夫はじっとしたまま身動《みじろ》ぎもしない。

真っ暗闇である事が、彼女を大胆に振舞わせる事に役立った。夫は無言のまま、熱い呼吸を彼女の頬に吐きかけた。石鹸にまみれた彼女の乳房が、夫の胸に強く押しつけられて、つるりと滑った。夫の唇を強く吸いながら、その肉体を放恣《ほうし》な姿態に崩した。

その時、パッと電燈が点《とも》った。瞬間、彼女はアッ！　と叫んで身を固くした。

「貴方！　貴方は……義兄《にい》さん！」

愕然として軀を起そうとしたが、信義の手が強く彼女を抱き締めて放さなかった。

「ああ、私は！　放してッ！」

口ではそう叫びながら、彼女の肉体はもはや離れがたい所まで燃え上っていた。それでも必死になって逃れようと身悶えているうちに、ぐったりとその軀をのばしてしまった。その耳元へ男が低く囁いた。

「洋子さん！　許して下さい！　僕は、貴女が居るとも知らないで入ってきたのです。真っ暗なので少しも知らなかった。でも、貴女に声をかけられて、ハッとしたのだけど、それが貴女だと知ると、僕は出て行く事が出来なかったのです……」

洋子は歯を喰いしばって、大きな屈辱とそして気も狂わんばかりの恍惚感に堪《た》えていた。きつく抱き締められた肉体が、まだ幽《かす》かに戦《おのの》き震えているのを意識しながら、男の胸に埋《うず》めた顔をあげようともしない。

不意に廊下の方から跫音が近づいて来たと思うと、誰かが脱衣室にはいって来た。洋子はハッとして身を起こし、慌てふためいて湯槽の中へ飛び込んだ。

「洋子！」と言う俊作の声。が、彼女は返事をする事が出来なかった。

「兄さん、ですか？」そう言う俊作の声は異様に震えていた。信義は答えない。俊作は黙って脱衣室から出て行った。ピシャリッ！　と激しく戸が閉められるのを聞くと洋子は、両掌を顔に押し当てて、ワッとばかり泣き崩れた。信義が湯槽に入ってきてそっと彼女を抱いた。洋子はそれを振り離して「貴方は卑怯です！」と激しく叫んだ。

「私は、俊作だと思って、貴方を……。出て下さい！　すぐに出て下さい！」涙を一杯に湛《たた》えた眼に、憎悪の炎を燃え立たせて彼女は、信義をぐっと睨み据えた。

「洋子さん！　許して下さい！　僕は知らなかったのです。暗くって、貴女の着物が脱いである事に気が附かなかったのです」

「じゃ、何故私が声をかけたとき、そう仰言《おっしゃ》らなかったの？」洋子は、噛みつくように激しい語調で詰《なじ》った。

「その声が貴女だと分って、僕は堪《たま》らなくなってしまったのです！　不可《いけ》ないとは思いながら、つい欲望に負けて、貴女のされるがままに任せてしまったのです。ね、僕を許して下さい！　こうなったのも、僕が貴女を強く愛していたからです、ね、洋子さん！」

言いながら、にじり寄ってくる信義の頬を洋子は平手でピシリ！　と打った。

「すぐに出て下さい！　私は、貴方なんど爪から先も愛しちゃいません！　正子を殺した人……ただ憎いと思うだけです！」

「僕は、決して正子を殺しはしない！」

信義は顔色を変えて、激しく否定した。

「直接手を下さないにしても、正子は貴方に殺されたも同然ですわ！　それだけならまだしも、俊作を装って私の肉体《からだ》を犯すなんて、貴方は卑怯です！　邪悪です！」

「僕は、貴女を犯《おか》したのじゃない！　貴女が僕を俊作と間違えて、犯したのです！」

彼女は、羞恥で真っ赤に顔を火照《ほて》らせた。幾ら暗闇だったとは言え、そして、幾ら相手が黙っていて分らなかったとは言え、夫と義兄《あに》を間違えて自らの肉体を投げかけて行った軽率さ！　粗忽さ！　彼女はその相手とひとつ湯槽に浸《つか》っている事に堪《た》えられなくなって、急いで浴室を飛び出ると、濡れた軀を拭いもせず、着物を着るのももどかしい思いで、逃げるようにして自分の部屋に飛び込んだ。バタンと手荒く扉を閉め、寝台《ベット》の上にぐったりと身を投げ出して、口惜《くや》し泣きに泣き咽《むせ》び始めた……。私が入っている事を知らなかったなんて、きっと嘘に違いないわ！　入らないと言っておきながら、私が入ったのを知って後を追って来たのに違いない！　きっとそうだわ！　と、彼女はそう思い、そして、その過失を犯す原因となった停電を、運命の悪戯と恨むのであったが……。

不意に扉《ドア》があいて俊作がはいって来た。

「僕は何も言わない。君と兄との間にどんな事があったか、君の顔色で良く分る。否定は出来ないだろう？　僕はそれを咎めようとは思わない。むしろ、仕方のない事だと思っている。兄が君を愛しており、君も兄を愛していたためにそうなったのだ。今日から君はもう兄の所有だ。僕は、君を、もはや妻とは思う事が出来ない。この機会に、いや、この際、きっぱりと別れよう！」

彼女は何も言う事が出来なかった。

「まさか、不承知ではあるまいね？」

洋子は、がばと身を起して、夫の胸にしがみついていった。泣き咽《むせ》びながら、

「私は、貴方とばかり思って……」

「弁解しなくともいいさ。君の気持ちは良く分ってる。一緒に入ろうと言った僕が行くのを待ちもせず、君は、僕よりも、より以上に愛している兄に肉体を許したのだ」

「違うわ！　違うわ！　私、本当に知らなかったのよ。貴方とばかり思って……」

俊作は、いきなり妻の軀を突き放して、

「幾ら暗かったと言っても、僕と兄を間違えるはずがない！　兄だと知っていて許したのだ！　それとも、兄が暴力で君を犯したとでも言うのかね？　兄に訊いてみればすぐ分る事だ！」

「貴方は……貴方は、何故早く来て下さらなかったの？　もっと早く来て下されば、こんな事にはならなかったのに……」

「止《よ》せよ！　そんな事はもう聞きたくはない！　別れてくれさえすればそれでいいのだ」

俊作は、冷たく言って、取り縋《すが》る洋子を突き飛ばし、つと部屋を出て行った。

Q

その翌朝、洋子は頭痛がすると言って起きなかった。その原因が何であるかを知らない貞子は、心配して熱を計ってみたり、食事を運んで来たりして看護に努めた。が、洋子はそれを煩わしがって、

「たいした事はないのだから、私を一人でおいて頂戴……姉さんに傍に居られては、ゆっくり睡《ね》ることも出来ないわ」と言い、姉を部屋から追っ払って、すぐに鍵を掛けてしまった。それっきり昼になっても起き出て来ないので、貞子が扉《ドア》をノックしてみると、すぐに鍵を廻す音がして、扉が細目に開いた。姉だと分ると洋子はパジャマのままで廊下に飛び出して来た。蒼ざめた顔をして、ぶるぶると小刻みに軀を震わせている。寒気でもするの、と貞子が訊くと、

「御不浄に行きたいの、姉さん、連れてって！」と、扉を閉めて鍵を掛け、その鍵を抜いてパジャマのポケットに突っ込んだ。

「まあ、どうしたの？　一人じゃ歩けないの？　どうかしたんじゃない？」

「どうもしないの。ただ、義兄《にい》さんが怖いだけよ。ね、早く！　私、堪《たま》らないの」

洋子は、そう言ってガタガタと震えた。

何故そんなに信義を警戒しているのか、貞子にはさっぱり分らなかったが、言われるままに連れ

立って便所の方へ行きかけるとその廊下でパッタリと信義に行き合せた。信義はちょっと気不味《きまず》げな顔をして、どんなですか、と言い掛けたが、洋子は顔をそむけて返事もしないで急いで行き過ぎた。

部屋へ戻る途中「信義さんが貴女に何かしたんじゃない？」貞子が不安げにそう訊いたが、洋子は低い声で、いいえ、と言い姉に顔を見られぬようにして、鍵を外して扉を開け、部屋にはいると、すぐに昼《ひる》食は欲しくないからと、姉を送り出して扉を閉めすぐに鍵をかけてしまった。どうしたというのだろう？　貞子は扉の外に突っ立ったまましばらくの間呆然として立ち竦《すく》んでいた。

——昨夜、私が外出した留守に信義さんと何かあったのじゃないかしら？

そういう忌わしい想像が、事実であったと知らされたのは、その洋子の夫、俊作の口からだった。食後の後片附けをして自室に戻ってみると、部屋の片隅に俊作がじっと突っ立っていたのである。

「無断ではいってごめんなさい」

「何か御用ですの？」

貞子は顔を硬張らせて切口上で言った。

「洋子の事ですけど……」と言って、俊作は突っ立ったままで貞子の顔を瞶《みつ》めた。

「信義さんと、何かあったんですの？」

貞子は扉を閉めて、彼に椅子を勧めた。いつもならそんな事はしないのだが、洋子の事でと言われると、さすがに筋向いの部屋に居る信義に気兼ねして、そうせずにはいられなかった。俊作はいきなり言った。

「昨夜、洋子は浴室で兄に許したのです」

「えっ！」貞子は、わが耳を疑《うたぐ》った。

「それは本当ですの？」

「僕が脱衣室にはいってみると、洋子の着物と兄の洋服が一緒に脱ぎ捨ててあったのです……声を掛けたが二人とも返事をしなかったのです……それで、僕は凡《すべ》てを察したような訳です。あとで洋子に訊いてみると兄を僕と間違えて何したと言うんですけど、幾ら真っ暗だったと言っても、兄と僕を間違える事はないはずですから……」

「電燈が消えていましたの？」

「ええ。兄が浴室の前まで来た時に消え、それから……最中に点《つ》いたのだそうです」

貞子は顔色を変えて、

「停電だったの？　それとも、信義さんが電燈を消してからはいったんですの？」

「多分、停電でしょう。他の部屋の電燈も消えましたから……」

「洋子は、何故？　一緒にはいろうとでも仰言《おっしゃ》ったの？」と、貞子は不審を打った。

「ええ、そうです。僕は洋子と仲直りをしようと思ってそう言ったんです」と、それからかい摘んだ話をして「無論、兄も悪いのです。声をかけられた時に、すぐ出れば良かったのに、そこは愛している女の事だから、ついに黙っていて……。しかし電燈が点《つ》くまで、相手が兄だとは知らなかったと言うのは、洋子の弁解だと僕は思うのです。それで昨夜、僕はハッキリと離婚を宣言したのです。洋子だって、兄とそういう事をしておいて、それでも僕と別れないとは言えないはずです」

「貴方は何のためにそんな事を私にお告げになるの？」と、貞子は冷たく言った。

「それは、貴女には良くお分りでしょう？」

俊作は熱っぽいまなざしで貞子を瞶《みつ》めた。

「私には、貴方の気持ちが分りません！」

「洋子は兄のものになったのですから……僕よりも兄を愛しているがためにそうなったのですから、貴女は僕と……」

「でも、貴方は先刻、洋子と仲直りをしようと思ったと仰言《おっしゃ》ったじゃありませんの」

俊作は、貞子の激しい語調に気圧《けおさ》れて、聊《いささ》か狼狽《あわ》て気味に、吃りながら言った。

「そう思ったんですが、しかし、兄とそんな関係になっては……許す事は出来ません」

「でも、貴方は洋子よりもさきに……」と言いかけて、貞子はぐっと詰った。それはむしろ彼女の方から彼を誘惑したようなものだったから、さすがに言い兼ねたのである。

「ね、貞子さん！　僕と結婚して下さい！　僕はもう我慢する事が出来ないのです！」

俊作は、いきなり椅子から立って彼女の傍に歩み寄り、その肩に掌《て》を置いて、近々と顔をさし寄せ、熱い呼吸を吐きかけた。

貞子もそれは同じ気持ちだったので、瞬間、誓いを忘れてぐらぐらッと崩れそうになったが、やっとの思いでそれを抑えて、

「洋子の気持ちを、よくきいてみましょう、その上でないと、何とも御返事出来ないわ……」と言って、椅子から立ち上った。

洋子は、眼を赤く泣き腫らしていた。貞子はそれで俊作が言った事の事実である事を知らされて暗然とした面持《おもも》ちになった。

「信義さんが貴女を……？」

洋子は微かに頷いて、布団の中に顔をかくした。「私、俊作だとばかり思って……少しも知らなかったの。俊作は、知っていて許したと言うんだけど、そんな事は絶対にないわ！　姉さんは信じてくれる？」

「そんな女《ひと》でないことは、私には良く分っているわ。……でも、貴女はどうする？」

洋子は答えないでシクシク咽《むせ》び泣いた。

「俊作さんと別れるつもり？」

「仕方がないわ、私の過失なんだから」

「過失なら許してもらえばいいじゃないの」

「俊作はとても許してくれはしないわ」

「俊作さんと別れて、信義さんと結婚するつもりがあって？」

「いいえ！　そんな事が出来るもんですか！　私は、今では義兄《にい》さんを憎んでいるわ！」

洋子は布団から顔を出して姉を瞶《みつ》めた。

「憎んでいるの……そうでしょうね……」

「幾ら愛していたからといって、俊作を装って私の肉体《からだ》を犯すなんて、卑怯《ひきょう》だわ！　今までは義兄さんが嫌いじゃなかったけど、あんな事をされては……私、口惜《くや》しいの」

「でも、貴女にも落度があったわ。何故、よく確かめてみなかったの？」

「でも、俊作は、すぐに行くからと言ったんですもの。義兄さんは入らないと言ってたんですから、まさか、義兄さんだろうとは思わなかったのよ……私が声をかけても、返事もしないで、いきなり私を……」

「……暴力で？」

「いいえ、私はすすんで……だって、俊作とばかり思っていたんだもの……電燈が点《つ》いた時には、私はもう……駄目だったの」

洋子はヒステリックに言って、烈しく啜《すす》り泣いた。貞子はそれを慰《なぐさ》めるように、

「私から、俊作さんに良く謝ってあげるわ、貴女が悪いんじゃないのだから……」

「俊作はとても許してくれないわ。この機会にキッパリ別れようと言ったんだもの」

貞子は驚いたふうに「俊作さんは（この機会に）と言ったの？」

「ええ。それからすぐに（この際）と言い直したわ。私、俊作を疑っているの」

「私も、そうじゃないかと思っているの」

きっと、これは八百長に違いない。むしろ貞子はそう確信していた。故意に使われた機会《チャンス》だと、妹の言葉からその確信を強めざるを得ない貞子だった。――洋子の部屋を出て二階にあがり信義の部屋をノックした。

「洋子のことでちょっと……」貞子がそう言うと、信義は照れ臭そうに笑いかけたがすぐに真摯《まじめ》な顔つきになって、

「洋子さんが貴女に話されたのですか？」

「いいえ、俊作さんから聞かされました。夫である俊作さんの口からですよ！」

「そうですか！」と、歎息する信義を、

「貴方は卑怯ですわ！」と激しく詰《なじ》った。

「僕が悪かったのです」と信義は素直に頭を下げて「洋子さんが中に居ようとは思ってもみなかっ

たのです。脱衣室の戸に掛金が掛っていないので、誰も居ないと思ったのです。声を掛けられた時、僕は吃驚《びっくり》したんですが、それが洋子さんの声だと分ると僕は、つい、浅間しく欲望に負けて……」

「いいえ、貴方は知ってらしったのです。洋子が入浴《はい》ってる事を知っていて、そのつもりではいって行かれたのでしょう?」

「いや、そ、そんな事は絶対に!」

「絶対にそうですわ! スイッチを切って電燈を消したのも貴方でしょう? 俊作さんと共謀して洋子を罠に陥《おと》したんでしょう! 俊作さんが洋子に、一緒に入浴《はい》ろうと言ったのもトリックだったんです! 一緒に入るんだったら一緒に行けばいいのに、洋子だけを先に入らせておいて貴方に行かせたのです」

「それは貴女の誤解です。俊作は何も知りません。僕にもそう言ってました。洋子さんと仲直りしようと思うから諦めてくれと夫の俊作がそう言う以上、僕も洋子さんの事を諦めなければいけないと思っていた矢先だったので、僕もつい分別を忘れて……」

「停電かどうかは調べてみればすぐ分る事です。きっと停電じゃないと私は思いますわ。運命の悪戯じゃなくって、人為の陥穽だったのです! 貴方と俊作さんが八百長で巧らんだ事です。それにきまっています!」

「いや、俊作は何も知らないんです。僕が単独で行《や》った事です。仰《おっしゃ》る通り電燈を消したのは僕です。洋子さんが入っている事も知っていました。僕は洋子さんを思い切る事が出来なかったのです! 俊作に、諦めてくれと言われると、その思いが益々《ますます》募ってきたのです。それで悪いとは知りながら俊作を装って洋子さんを……。洋子さんも僕が愛情を抑え切れなくなってそうしたのだと知れば、きっと許してくれるに違いないと思っていたのですが……」

信義は、項垂《うなだ》れたままで低く告白した。

「洋子は貴方を許しません！　許されるべき事ではありません！　洋子は貴方を憎んでると言いましたわ！　そんな事をされて憎まない女はないでしょう。俊作さんという夫《ひと》があるのに……そしてその夫を深く愛しているのに……その人の兄さんと……」

「僕は洋子さんに謝罪します！　僕を洋子さんのお部屋へ連れて行って下さい。僕がノックしたのでは開けてもらえないのです」

「駄目ですわ！　洋子はきっと貴方を許しはしないでしょう」と貞子は冷たく言った。

「じゃ、僕はどうすればいいのです？」

「それは貴方の良心にきいてごらんなさい。私の知った事ではありません！」

「だから僕は洋子さんに謝罪しようと言ってるのです。僕を連れて行って下さい」

信義は熱意を表に現わして言った。

「お一人でいらっしゃい。洋子が貴方に会うかどうか、それは洋子の自由ですから」

信義は沈黙した。不意に貞子が、

「貴方はあの毛糸を何に使用されたんです？」探るようなまなざしをそそぎながら訊いた。

「毛糸って？」と、信義は顔をあげた。

「正子が編んでいた貴方のチョッキの毛糸です。切れてつないでありましたわ。貴方が切り取って何かに使われたんでしょう？」

「僕は、そんな事をした覚えはありませんが……正子が何かの必要で切り取ったのじゃないでしょうか?」

「あの時、部屋に入ると毛糸の焼けた臭いが漂っていました。貴方がその毛糸をストーヴにくべられたんでしょう? 正子がそれをしたのなら、臭いは消えているはずですわ」

「しかし部屋は密閉されていたのですからね。臭いはいつまでも消えはしませんよ」

「正子がそんな事をするはずがありません」

「じゃ、僕が何のために毛糸を焼いたと言われるんです?」信義は、棘々しく言った。

「それは貴方が良く御存知でしょう?」

「何の事か、僕にはさっぱり分らない! 貴女は一体何を思っているんですか?」

「内部から鍵をかけるために、貴方はその毛糸を使われたんでしょう? 正子を自殺のように見せかけるために!」

「貴女は、僕が正子を殺したと思っているんですか? とんでもない邪推です!」

「私は、そう疑っていますの。その疑惑は段々濃くなってきます」

「鍵や錠を、どうして外側から掛ける事が出来るんです! 冗談じゃないですよ!」

「差込錠はある方法で自然的に嵌《は》まるようにしておく事が出来ます。鍵の方は、その毛糸を使って外から廻す事ができます」

「ある方法とは?」

「貴方がなさった事ですから、良く御存知のはずでしょう? あの日はとても寒く、氷柱《つらら》が窓に垂れ下っていました……」

「……氷柱が何か?」

「あの部屋の窓にも氷柱が下っていました。鎧戸を繰り上げて窓框《まどかまち》に上れば、その氷柱を折り取る事が出来ます。その氷柱を適当の長さに折って、差込棒のつまみと支え金の溝《みぞ》（つまみを移動させる溝）の端の間に挟んでおけば、ストーブの熱気で氷柱《つらら》は直《じ》きに融《と》けてしまい、発条《バネ》の弾力によって差込棒はひとりでに承け金の穴に嵌《は》まります。融けて滴った水雫は一時間もすれば蒸発してしまいますから、証拠は残らない訳です。貴方があの部屋を出られたのが八時半だったとすれば、みんなが部屋にはいって行った時は十時半頃でしたから、二時間も経っている訳で、水滴は完全に蒸発してしまったのでしょう。ストーブが赤々と燃え、部屋の空気は乾燥し切っていましたから、小さな氷柱《つらら》位、直きに融けて蒸発してしまいます。貴方はそういう事をなさったのでしょう？」

「僕は、そんなバカバカしい事はしません。錠も鍵も正子が掛けたんです！　正子は自殺したのです！　正子が何故自殺したか、貴女はその理由をよく知っておられるはずです」

「貴方が離婚を宣告したからですわ」

「それだけじゃないでしょう？　それ位の事で悲観自殺を遂げるはずがない！」

貞子は無言のまま項垂《うなだ》れた。

「それを苦にして……僕がそれを知っていると感づいていたので、正子は自殺を決意したのです。僕が殺したなんて、とんでもない臆測です。貴女の仰言《おっしゃ》るように、なるほどそうして外から錠を嵌《は》める事は出来るとしても、では、鍵はどうして掛ける事が出来るのです？」

「貴方にはよく分っているはずですわ。御自分でなさった事ですから、私がそれを説明しなくとも、ちゃんと分っているはずです」

「僕はそんな事をしないのだから、分っているはずがありませんよ」

と、信義は、口辺に苦笑を泛べた。

「そんな事とは？　私はまだ何も言っていませんけど⁈」

貞子は顔をあげて、信義を凝視《みつ》めた。

「つまり、その、鍵を中から掛ける事ですよ……そんな事は不可能であり、従って、僕は絶対にやってはいません」

「じゃ、あの毛糸は⁈」

「毛糸が切れていたというのも、今初めて貴女にきいて知ったのです」と信義はおだやかな調子で言って「しかし、その毛糸を使って内側の鍵穴にさし込んである鍵を、どうして外から廻す事ができるか……貴女の探偵小説的推理をきかせて下さい」

「貴方にそれをお話したところで仕方がありませんわ。言うんだったら宗像《むなかた》警部さんに言います。でも、貴方がそれをされたという証拠は何もないので、私は黙っているのです。貴方の心まで見透《すか》す事は出来ませんから……」

R

夕食の時も、洋子は起き出ては来なかったので、貞子が食膳を運んでやった。

「済みませんね、お手数をかけて……」

と言い、姉が見ている前で、洋子はそれを食べた。頭痛がするというのは口実で、信義と顔を合せる事を避けているのだから食慾は少しも衰えてはいなかった。

貞子はそれで安心する事が出来たが、

「早まった事をしちゃ不可《いけ》ないわよ」

部屋を出る時、そう言って念を押した。

洋子は、寂しげな微笑を泛べて「大丈夫よ！　私、正ちゃんの真似なんかしやしないから……、安心していて頂戴」と言って、姉を送り出すとすぐに扉を閉めて鍵をかけた。貞子はそれでホッとしたが、しかし何故か気になって仕方がなかった。食堂に戻ってみると信義も俊作も丈助も引き取った後で鮎子が一人で食器を片附けていた。

「洋子さんいかが？　少しはよろしくって？」と、鮎子が訊ねた。彼女は何も知らないのだ。それを知っているのは本館の四人だけ。鮎子と丈助の二人は、まるで別世界に住んでいるようなものだったから……。

「大した事はないのよ。俊作さんとの仲違いで、少し拗ねているんでしょう」

と、貞子は微笑《わら》いにまぎらせた。

「洋子さんはお可哀想ね」

「え？」貞子はドキッとした。

「いいえ、俊作さんに素《そ》っ気《け》なくされて、私、心から同情していますの」

「野上は貴女《あなた》に優しくしてくれます？」

「ええ」と鮎子は言ったが、すぐに顔をそむけて「いやだわ、お揶揄《からか》いになっちゃ！」

「いいえ、私は真面目に言ってるのよ」

鮎子は貞子の顔をみつめて、

「済みません……」と低く言った。

　食事の後始末が済んでから、鮎子は貞子を別館へ誘った。三人して花でもして遊ぼうというのだ。貞子は辞退したが、鮎子は是非ともと言って執拗《しつこ》く勧めるので、一緒に跟《つ》いて行った。丈助は貞子を見ると、

「やあ、いらっしゃい」

　と、愛想よく言って椅子を勧めた。

「お邪魔にあがりまして」貞子が微笑《わら》いながら言うと、丈助はさも可笑《おか》しそうに声を立てて哄笑《わら》った。鮎子は珈琲《コーヒー》をいれたりケーキを運んで来たりして珍客をもてなした。

「貴方は幸福そうね？」鮎子が座を立った隙に、貞子がそう言うと「うん、まあね」と、丈助は照れ臭そうに笑い「君も、早く俊作さんと一緒になってはどうです？」急に真摯《まじめ》な顔つきになった。

　貞子はちょっと嫉《や》けて「私には鮎子さんの真似は出来ませんわ」ちょっぴり皮肉を交えて言った。

　丈助はいやな顔をしたが「君がいつまでも独りでいるのを見ると、どうも気に掛ってしようがない」と、低く言って俯向《うつむ》いた。

「あら、何故でしょうか？」

「君に気の毒で……そして何だか遠慮で」

「私の事も少しは考えていて下さるのね」

「大いに考えています」

　そこへ鮎子がはいって来たので、それっきり話はとぎれてしまったが、貞子は何となく感傷的《センチ》になって、別れた丈助と一度沁々《しみじみ》と話し合ってみたいような気がした。三人で花骨牌《はな》をして遊び、一

時間くらい時間を過した。時計を見ると九時五分だった。

「どうも長いこと……」と言って貞子が暇《いとま》を告げて帰ろうとした時、玄関の扉《ドア》が激しくノックされた。鮎子と一緒に出てみると俊作が顔色を変えてポーチに立っている。鍵を外して中に入れると、

「兄がどうも変なんです！」俊作は呼吸《いき》をはずませて言った。丈助が出て来て「どうなさったんです？」と訊ねた。

「扉《ドア》をノックしても返事がないんです！　もしかすると死んでるかも知れません！」

「信義さんが？」丈助がせき込んで訊いた。

「そうです！　扉には鍵が掛っています。敲《たた》いても返事しないのです。たった先刻まではレコードを掛けていたのですから、どこへも出掛けてはいないと思うんですが」

「ともかく、すぐに行ってみましょう！」丈助が、そう言って下駄を突っ掛けた時、本館の二階からレコード音楽《ミュジック》の音が微かに聴こえてきた。耳を澄ませて聴くと、ハワイアン・ギターの〝恋人よ我に還《かえ》れ〟と分った。

「なあんだ、居たのか！」俊作はホッとしたように言って「居たのなら返事位してくれればいいのに、心配をかけやがる」

丈助も苦笑《わら》って「誰にも会いたくなかったのでしょうよ。夕食の時も大分御機嫌が悪いようでしたからね。低気圧なんでしょう」

「どうも失礼しました」

と言って俊作はすぐに踵《きびす》を廻《めぐ》らせた。

貞子は急に妹の洋子の事が心配になってきて、本館の裏口に向って小走りに歩いた。見上げると、

信義の書斎の窓はまだ鎧扉はおろしてなく、緑色のカーテンが電燈の光を遮って、夢幻的な色を滲《にじ》ませている。その窓から洩れてくるレコードの音も、何かしら哀調を含んできこえた。

——Lover Come Back to Me——

ハワイアン・ギターの顫音《トレモロ》が魂の琴線《きんせん》に共鳴して哀感を唆《そそ》り立てるようだった。〝恋人よ我に還れ〟……信義はきっと、それによって愛する洋子の心に呼び掛けているに違いないと思って、貞子はふと眼頭《めがしら》が熱くなるのを覚えた。後から追いついて来た俊作が「貞子さん！　僕は……」と切なげに言って、いきなり彼女の軀にうしろから、縋《すが》りついた。熱い呼吸が頸筋《くびすじ》に乱れ掛ると、貞子は一瞬すべてを忘れて、くるりと振り返ると、息を弾ませながら唇を合せた。しっかりと俊作の軀を抱き締めて……。

「貞子さん！　僕はもう堪《こら》え切れないのです！　お部屋へ行っていいでしょう？」言いながら俊作は彼女の懐に手を入れて、そっと乳房に触れてきた。貞子はぶるッと軀を震わせて「……ええ」と低くこたえたが、その時鳴り止んだレコードの音に、ハッと我に返って「いいえ、不可《いけ》ません！」と強く言い切り、俊作の掌《て》を振り放して逃げるように裏口へ走った。ズキズキと妖しく疼《うず》く乳房を押えながら、貞子は洋子の部屋へ急いだ。

扉《ドア》をノックするとすぐに返事があったので彼女はホッとした。「寝《やす》んでいるの？」と、扉《ドア》のそとから訊いた。

「ええ。何か御用ですの？」

「いいえ。何でもないの。ちょっと心配だったから来てみただけなの。起きなくっていいのよ……じゃ、お寝《やす》みなさい……」

「お寝《やす》みなさい……」

貞子は二階にあがって、自分の部屋にはいろうとしかけたが、不意に思いついて、信義の書斎の前に歩み寄った。軽く扉《ドア》をノックしたが返事はなく、部屋の中はシーンと静まり返っている。もう一度、今度は強く扉を叩いて、声を掛けてみた。

「信義さん！　私ですけど、ちょっと……」

しかし、応答は無かった。たった先刻までレコードを掛けていたのに、どうしたのかしら？　把手《ノッブ》を廻してみると、鍵は掛っていなかった。が、扉は開かない。丁度その時俊作が裏階段から上って来て、

「兄は居ますか？」と傍に寄って来た。

「いらっしゃらないようだわ」

「しかし、先刻までレコードをかけていたんだが……」俊作は扉を叩いて「兄さん！　居ないのですか？」と、大声で呼んだ。

が、部屋の中には墓場のような静寂がひたひたと満ち漂っているばかり。——死の部屋——貞子は不吉な予感に怯えて、ぶるッと軀を震わせた。俊作は把手《ノッブ》を廻してみ、それから鍵穴に眼を当てて中を覗いた。が視野の中に兄の姿は無い。

「鍵はかかっていませんわ……」

「錠が嵌《は》めてあるんですね……」

「どうしましょう？」

「もしかすると？」俊作は声を震わせて、「野上さんを呼んで来ましょう！」と言って慌てて階段

を降りて行った。貞子がその場に立ち竦《すく》んでいると、俊作は間もなく丈助を伴って戻って来た。二人して扉にぶつかったが、頑丈な樫《かし》の扉《と》はびくともしない。俊作が階下から三つ目錐《ぎり》と糸鋸《いとのこぎり》を持って来た。鍵穴に近い部分に三つ目錐で穴をあけその小さな孔《あな》に糸鋸を入れて、片手が入るだけの丸い穴を挽きあけた。

「錠は寝室と同じようについてるんですか」

言いながら、丈助が手を突っ込んだ。

「そうです。二つあるはずです！」

丈助は手探りでその差込錠を外した。やはり発条《バネ》式で、鍵穴の上下にそれぞれ約一尺の間隔を置いて二つの差込錠が取りつけてあるのだった。扉はあいた。丈助が、すぐに躍り込んで行き、貞子もその後におずおずと跟《つ》き従った。信義はパジャマを着て窓際に寄せた寝台《ベット》の上に仰向きに寝ていた。いや、倒れていると言った方が適切だ。何故ならその胸には握り太《ぶと》のジャック・ナイフがパジャマの上からグサッと突き刺っているのだ。鮮血に塗《まみ》れたその胸の上に右手を置いて、左手は不自然な恰好に横に投げ出している。両足はまっすぐに伸して、その足もとに羽根布団が折り畳んである。眼は瞑《つむ》り、口許をぎゅっと引き歪めて苦悶の色を漂わせている。

丈助はその屍体の額に触れてみて「まだ体温がある！　たった今死んだのだ」

「まだ二十分とは経っていないわ」貞子は時計を覗き「今九時二十三分ですから、あの時から十七分経っている訳ですわ」

「あの時とは？」と、丈助が訊いた。

「レコードが鳴り始めた時、……あれは確かに九時六分でした。五分きっかりに部屋を出て玄関に行き、それから間もなくレコードの音がきこえてきたのですから……」

「なるほど。するとレコードを聴きながら死なれた訳だが。何でまた自殺されたんだろうか?」と、丈助は訝《いぶか》しげな顔をして俊作の方を見た。俊作はそれを見返して「自殺したのでしょうか?」と疑わしげに言った。

「錠が嵌《は》めてあったんですから、そうとしか思えないじゃないですか?」

「そりゃそうですけど、しかし?」

俊作は低く言って、貞子の方を見た。

「信義さんは、正子のあとを追って自殺なさったのでしょう」と、貞子は強く言った。

「助からないでしょうか?」と俊作。

「既に息は絶えています」丈助が沈痛な調子で言って「心臓を刺しているのだから即死ですよ。どうする事も出来やしません」

俊作は眼をうるませて「兄が自殺したとは思えないのですけど、もしかすると、誰かに殺されたのでは?」

「誰か、とは誰の事ですの?」

貞子は鋭く訊いて、俊作を瞶《みつ》めた。

「それは、僕にも、分りませんけど」

「あの時は、みんなが別館のポーチに居たじゃありませんか?」と、丈助が言って、「外来者の仕業とでも言われるんですか」

「みんなじゃありません……洋子は……」

と言いかけた俊作の言葉を遮って、

「洋子は自分の部屋に居たわ！」

と、貞子が激しく言った。「私は裏口からすぐに洋子の部屋へ行ったのです。洋子は扉に鍵をかけて寝《やす》んでいました。……貴方、洋子を疑っていらっしゃるの？」

「いや、そういう訳じゃないんですけど」

俊作は、貞子の鋭い語気に気圧されて、俯向《うつむ》いたままで低く応えた。

「これは自殺ですよ」と、丈助が結論を下すように言った。「鍵こそかけてはなかったが、錠は二つとも嵌めてあったのですからね、そうとしか解釈のしようがないでしょう？　しかも、みんなの者にアリバイがある。僕達三人と鮎子は別館のポーチに居たんだし、洋子さんは自分の部屋で寝んでいたんですから……誰も、信義さんを殺す事は出来なかったはずです。九時六分には信義さんは生きておられた。君は洋子さんの部屋へ行かれたそうですが、それは何時頃でした？」

「九時……十分でしたわ。それからすぐにここへ上って来て、扉をノックしてみたんですけど……」

返事は無かったのです」

「その時刻は？」と、丈助が訊く。

「九時十二分頃でしょう。洋子とは扉のそとでちょっと立ち話をして、すぐに上って来たのですから……」

「すると、九時六分から十二分に到る六分の間に、この人は死なれたことになる」

「そうなりますわね」

と、貞子は相槌を打って「信義さんは、好きなレコードを聴きながら死んで行かれたのでしょう」と、壁ぎわに据えられた電気蓄音機の方を見た。スイッチは入れたままで、自動ストップのピック・アップが十吋盤《インチばん》の停止溝《ていしこう》を指示している。レコードはヴィクターの緑盤で、ハワイアン・アルバムの、〝恋人よ我に還れ〟であった。机の上にそのアルバムが拡げて置かれてある。

「九時前まで、兄はこのレコードをかけていたのです。だから、僕が来た時にも確かに居たはずですけど、何故返事をしなかったのかしら?」と、俊作が低く呟いた。

「自殺の決意をしておられたので、貴方と会いたくなかったのでしょうよ。その時刻は何時でした?」

「九時です。いや、二、三分は過ぎていたかも知れません……」

「その時、鍵は掛っていたんですか」

「鍵は掛っていませんでした。把手《ノッブ》は廻りましたから……しかし、扉《ドア》は開かないので、錠が嵌《は》めてあるな、と思ったのです」

「鍵が掛っていたと言われたじゃありませんか? 別館へ来られたとき……」

「あれは、錠の意味だったのですよ。慌てていたので、言い間違えたのです」

丈助はそれで納得して、机の抽斗《ひきだし》やレコード棚に改造された書棚の中などを調べてみて「遺書は無いようですが……この状況では自殺としか思いようがありませんね」

「そうですね……」と、俊作。

「自殺の理由というのが、遺書に書き残せないような事だったのでしょう」

と、貞子が意味ありげに言った。

「それは、どういう意味?」

丈助が、聞き咎めて、眼を光らせた。

「秀夫さんと似たり寄ったりの心理だったと私は思うんですの」

「なるほど、すると洋子さんと何か?」

「洋子とは何の関係もありませんわ! ただ信義さんが一方的に洋子を愛しておられただけです。秀夫さんが正子に対してそうだったようにね」と言って、貞子は俊作の方を見、あの事は黙っていて頂戴、という意味の眴《めくばせ》をした。俊作は微かに頷いて、

「洋子は、別に兄と何の関係もありません……洋子は僕を愛しているのですから」

「片恋だった訳ですか。すると信義さんは亡くなった正子さんの後を追って自殺された訳ですね。洋子さんに対する失恋の悩みと、正子さんに対する追慕の情やるかたなく……といった心理の自殺なんですね」

丈助は感傷的《センチ》に言って、ちらッと屍体の方を見た。それから急に我に返ったふうに、

「いずれにしても警察へ知らせなければ不可《いけ》ない。それまで、現場は保全しておきましょう……」

と言って、机の上に置かれてあった鍵を取り上げ廊下に出た。扉を閉めて鍵をかけ、不意に気付いたように俊作に訊いた。

「あのジャック・ナイフは?」

「兄の所有です。いつも、机の上に置いてあったように思いますけど……」

「ああ、そうですか」と丈助は歩き出しながら「貴方が扉《ドア》をノックされた時、信義さんはナイフを胸に当てておられたのかも知れませんね。それで返事が出来なかったのじゃないかと僕は思うんです」

「きっとそうでしょう」と、貞子が言った。

「ナイフを胸へ突き刺す寸前に貴方に扉をノックされたので、一応それを中止して、あのレコードをかけ、気持を落ちつけてから、今度は思い切って自分の胸を……。そう解釈すれば、ごく自然的ですからね」

丈助は俯《うつむ》向き勝《がち》に歩きながらそう言って、

「警察からは、きっと宗像警部がやって来るでしょう。これで三回目だから、種々と執拗《しつこ》く訊ねるでしょうが、不必要な事は言わないようにしておきましょう」俊作の方を見て「その方が貴方のためなんですからね」

俊作は、黙って頷き、電話室へ行った。

S

宗像警部が検屍にやって来たのは、十一時をちょっと過ぎた頃である。かつての部下、今はこの河内家の別館の主である野上丈助の口から簡単に前後の事情を聴取すると「これで三度目だが、今度のもやはり自殺だと思っているのかね？」

宗像警部はそう言って野上を凝視《みつ》めた。

「状況的にも時間的にも、そうとしか解釈のしようがないんですからね」

「状況はなるほど密室かも知れないが、時間的の事は、どうもあやふやじゃないか、死亡時刻が、九時六分から九時十二分に至る六分の間と確実に推定出来るのかね？」

「大体において確実だと言えます。俊作さんが別館へやって来た時は九時五分でした。これは貞子さんと鮎子の二人が時計を見て確かめています。それから玄関に出て、レコードの音が聞えて来るまでには一分位しか経っていませんでしたから、従って九時六分に信義さんが生きていた事は確実です。死んでいたのならレコードを掛ける事は出来ませんからね。それから貞子さんがこの家の裏口まで来た時、レコードが鳴り止んだそうです。片面だけですから二三分しか経ってはいなかった訳です。貞子さんはすぐに洋子さんの部屋へ行き……その時刻は九時十分だったそうです……。

そこで洋子さんとちょっと話して、それから二階にあがり自分の部屋へはいる前に信義さんの部屋をノックしたのです。その時刻は九時十二分頃と言うのですが、前後の時刻から推してみても一分と違っていなかったと言えます。扉をノックして声を掛けても返事はなく無論何の物音もきこえなかったというのですから、その時にはもう絶命していた訳です。俊作さんが再び別館へやって来て私と一緒に信義さんの部屋へ駈けつけた時は九時十六分でした。これは私が自分の時計を見て確かめたのですから、間違いはありません。扉に穴をあけるために五六分の時間を費し、部屋の中にはいった時は九時二十三分でした。その時はまだ確かに体温がありました。従って九時六分から十二分の間に絶命した事は、確実だと言う事が出来ます」

「九時十二分より後に絶命したかも知れないじゃないか?」と、宗像警部は、ジロジロ野上の顔を瞶《みつ》めながら「それから、君と俊作さんが駈けつけるまでには、四分の間があったのだからね、その間、貞子さんは一人きりだったのだろう?」

「……貞子を疑《うたぐ》っていられるんですか?」

「いや、そういう訳でもないけど……」

「俊作さんが扉をノックして大声で呼んでみても返事は無かったのですよ。だから、十二分には既に絶命していたのです！」

「じゃ、まあ、そういう事にしておいて、ともかく一応現場を視よう」と、宗像警部は応接室のソファーから立ち上って、警察医と部下の刑事達を眼で促した。

河内信義が冷たく横たわる第三の死の部屋――屍体を一瞥した宗像警部は、ウームと低く唸って、それから激しく瞬《まばた》きをした。

「今度はジャック・ナイフか！　ペン・ナイフ、編物針、ジャック・ナイフ。三人三様だが、いずれも心臓部を一突き……三人共よくこれだけの勇気があったものだな。僕なんか、自分で自分の心臓を刺す勇気は、とてもない。自殺するとしても、服毒かピストルかまたは首縊りだ。どうも、僕にはこれが自殺だとは思えないよ」屍体の胸に突き刺っているジャック・ナイフを気味悪げに瞶《みつ》めながら宗像警部はしきりに小首を傾《かし》げた。

「しかし扉には錠が嵌《は》めてあったのですからね、それに窓は二つともこの通り硝子戸が閉め切って掛金が掛けてあります、誰もこの部屋に侵入《はい》る事は出来なかったはずです」

宗像警部は無言のまま、扉の方に歩み寄ってゆき、差込錠を調べてみて、「これは、この前の部屋のと全く同じだね。この錠は二つとも確かに嵌まっていたかね？」

「ええ、確かに！　私が外したのです」

「で、鍵の方はどうだった？」

「鍵は掛っていませんでした。あの机の上に置いてあったのです」

「すると、鍵穴はあいていた訳だな」

と、警部は分り切った事を確かめて、

「だとすれば、完全な密室とは言えない」

「……何故ですか?」

「何故って君、そうだろう? 密室とは厳密に言って外部へ通ずる一分の隙間もない部屋の事だからね、鍵穴があいていれば当然、密室とは言えないじゃないか?」

「しかし、こんな小さな穴じゃ、手を突っ込んで外から錠を嵌める訳にはいかないでしょう?」と、野上は苦笑しながら言った。

「そりゃそうだよ! しかしこの差込錠は発条仕掛《バネじかけ》だから、この窪みからつまみを引き起してそれを何かで固定させておき、扉をしめて外側からその何かを取り除けば発条《バネ》の弾力で自然的に錠を嵌める」

「しかし、この錠には別に何の仕掛けもしてありませんでした。部屋にはいるとすぐに私は調べてそれを確かめています」

「証拠を残したんじゃ何にもならないよ! その何かは、この鍵穴から引っ張り出したのだ。予め糸か何かで結びつけておいてね。その糸を鍵穴から外に出してそれを引っ張るとその何かが外れて錠が嵌まるという仕組だよ。探偵作家なのだから、それ位の事は突嗟《とっさ》の間《ま》に思いつける。またあらかじめ糸に結んだ何かを用意していたかも知れない」

「貞子が、僅か四分の間にそれを行ったと言われるんですか? 殺人と施錠を?」

「と疑う事が出来ると言ったまでさ。動機はこの間自殺した妹の正子の復讐とね。または痴情かも知れない? 信義と関係していたがその情夫が妹の洋子を何したので……」

「そんな事は絶対にありません！」

と、野上は激しく否定した。

「しかし、お互いに部屋は筋向いだし、それに二人とも夫や妻に別れた独り者だから、そういう関係が無かったとは言えない」

「貞子は俊作さんを愛しているのですから信義さんと関係するはずがありませんよ」

「俊作さんとは関係しているのか？」

と、宗像警部はニヤリと笑った。

「俊作さんは妹の洋子の夫ですから、そんな事は恐らくないでしょう」

そうでない事は知っていたが、別れたとはいえかつては自分の妻だった貞子の事、さすがにそれとは言いかねた丈助である。

「それはまあいずれとしてもだね、他殺とすれば貞子さんか洋子さんを疑ってみなければならない。他の人達にはアリバイがあるんだからね。信義さんが、レコードをかけるのを別館の玄関で聴いたんだろう？」

「そうです。貞子もその場に居たのです」

「死亡時刻は厳密に言えば九時六分から九時二十三分に至る十七分の間だ。その間、十二分から十六分に至る四分間、貞子さんは一人でこの部屋の前に居たのだから兇行と施錠を行《や》る事ができる。また、洋子さんは九時十分まで一人で自分の部屋に居たと言うのだから、これも四分の間を持っている」

「僅か四分の間にそんな事は出来ません」

「素早くやれば決して不可能ではない。それに四分以上の間があったかも知れないよ。貞子さんがこの部屋へ来たのは九時十二分より前だったかも知れないし、従って洋子さんが自分の部屋に居るのを確かめた時も九時十分より前だったかも知れない。あるいはその二人の共犯と考えられなくもない。姉妹《きょうだい》なんだからね、そこはかねてから申し合せをしておいて、うまく口を合せて……」

「しかし九時十二分には俊作さんがこの部屋の前へ来ています。貞子一人だった事は俊作さんにきけばすぐ分る事です。それに俊作さんがノックしても返事はなかったのです。その時は既に絶命していたのです」

「俊作が立ち去ってから扉をあけて、貞子さんを中に入れたかも知れないよ」

「そんな……」と、野上はあきれ返って、

「そんなことは信じられません！」

「僕にも、それが信じられない……」

「え！」野上は激しく瞬《まばた》きをした。

「だから、他殺とは思えないのだが、と言って、自殺と推定する事も出来ない」と言って警部はしばらくの間じっと考え込んでいた。が、やがて面をあげて「洋子さんは何故夫の俊作さんと別々の部屋に居たのだろうか？」

「最近、ちょっと仲が悪いのです」

「何故？　貞子さんの事でかね？」

野上は困惑して、少時《しばらく》躊躇《ためら》ったのち、

「私は良く知らないのです」と逃げた。

「寝るのも別々なんだろうか？」

「そうでしょう。俊作さんは自分の書斎にシングル・ベットを入れていますから……」

「洋子さんの部屋は？」

「書斎の隣りです。夫婦の寝室兼洋子さんの居室になっているんです」

「別々に寝始めてからどれ位になる？」

「私は良く知りません。仲が悪くなったのは二週間ぐらい前からですけど……」

「俊作さんは、貞子さんの部屋で寝《やす》んでいるんじゃないのかね？」

「そんな事はありませんよ。幾ら何でも」

「君は別館に住んでいるのだから、夜間の事は知らないだろう？」

「そりゃそうですが……そんな事をしたら洋子さんが黙ってはいませんよ」

「こっそり忍んで行けば分らない……」

「貞子は妹を愛しているのです！」野上は激しい調子で言って「妹の夫を奪《と》るような事はしませんよ！　私は信じています！」

「じゃ、君の言葉を僕も信じよう」

宗像警部は微笑《わら》って、電蓄の傍に寄って行き、かけてあるレコードを覗き込んだ。

「九時六分に鳴り始めたと言うのは、確かにこのレコードだね？」

「そうです。間違いはありません！」

「君は音楽が分るのかね？」

「鮎子と貞子の二人がそう言ったのです」

「無論、この片面だけだろうね？」

野上は黙って点頭《うなず》いた。

「レコードを聴きながら自殺する奴があるだろうか？　その点が僕には納得出来ない」

「信義さんは音楽が飯より好きだったのです。気を落ちつけるために掛けたのでしょう」

「こんなレコードを聴くと、却って未練が残らんかな？　〝恋人よ我に還れ〟なんて、嘸《さぞ》かし甘ったるい哀愁に満ちた曲に違いないと思うが、こんな曲を聴きながら死ねるだろうか？　僕は、却って決意を鈍らせる事にしかならないと思うんだがね」

「音楽に理解のある者と、そうでない者とでは聴取心理が変ってきますよ」

「それもそうだが」と宗像警部は机のアルバムを見て「九時前まではこれを掛けていたと言うんだね？　それは誰が聴いたのだ」

「俊作さんです。洋子さんも多分きいていたでしょう。階下へも聞えますからね」

「ここでレコードをかけるとすれば、窓のカーテンに影がうつるが、誰かその影をみた者があるだろうか？」

「別館の玄関からはこの窓は見えません。反対側にあるんですから……」

「反対側じゃないだろう？」と、警部はレコード棚の置かれている壁の方を指して、

「この方角に当るんだろう？」

「そうです。正確に言えば東南方です」

「すると、別館からこの本館の裏口へくる間には、この窓が見える訳だね？」

「見えます。それが、どういう事に？」

「すると俊作さんかがこの窓を見ているかも知れないね？」

「ええ、それは……。しかし、それがどういうことに役立つんですか？」

「分るだろうね？　ノックしても返事は無く、何の物音も聞えなかったのだ。きこえて来たのは、このレコードの音だけだ。声も無く姿も見えず、なんだから、せめて影なりとも確かめたいんだよ」

「なるほど、それもそうですね」

と、野上は警部の眼を瞶《みつ》めた。

「俊作さんか貞子さんかに後でよくきいてみよう」と警部は電蓄の傍から離れた。

警察医の検屍所見に依《よ》ると、死因は心臓の一突きに依るもので、他に外傷はなく、中毒症状は認められない。死亡時刻は午後八時半から九時半に至る一時間の間と推定された。死亡時刻は、既に九時六分から二十三分に至る十七分の間と狭範囲に限定されているのだから、警部はその報告を聞き流しただけであった。件のジャック・ナイフの柄には、信義の右手の指紋が明瞭に検出された。それは、ナイフを逆手に持った場合のつき方をしていた。これは信義が自らの胸を突き刺した、という事を物語っている。電蓄のピック・アップ、点滅スイッチ、切換スイッチ、かけられているレコード、机上のアルバムなどに附着した指紋は、全部信義のものと検証された。無論これは信義がそのレコードをかけたのである事を証明している訳だ。扉の把手《ノッブ》、差込錠、鍵などは事後に丈助や俊作が触れているので、検証の対象とはなり得なかった。室内は綿密に捜査されたが、別に異状は認められず、そしてどこからも遺書は発見されなかった。秀夫や正子の場合と全く同じである。遺書は無いが、自殺としか解釈のしようがない状況だった。場所的には他殺と疑う事も出来なくもなかったが、しかし時間的には他殺とは思えない状態だった。最初のうちは他殺説に傾いていた宗像警部も、漸次、自殺説に靡《なび》いて行くように思われた。それに気附いて丈助はホッとするような気持だった。彼も内心では微かに疑惑を抱いているのだから、そしてその疑惑は貞子と洋子に向けられているのだから、警部の意向が自殺説に落ちつく事を願っていたのである。別れたからといって八年間も共に暮してきた貞子、そしてその妹の洋子、この二人に嫌疑が向けられる事を彼は憂慮しているのだ。

「信義さんは、洋子さんに対する失恋の悩みと、死んだ妻の正子さんに対する追慕の情に堪《た》え兼ねてこのように遺書も残さず自殺してしまったのだろうと私は思うんですが」

と言って、野上は警部の面《おもて》を探るように瞶めた。それに対して警部は軽く頷いてみせただけで、暫くの間無言のまま考え込んでいたが、やがて口許に皮肉な笑いを刻んで、

「君はこの家の一員なのだから、なるべく事を荒立てずに安穏に済ませたいのだろうが、同じ事が三度重なれば、そう穏便に済ます事は出来ない。それに今度はこの前の時と違って完全な密室とは言えないのだから、前のように、簡単に処理する事は出来ない。徹底的に追求するつもりだ！　だから貞子さんにだって失礼な事を言うかも知れないが、気を悪くしないでいてもらいたい」

野上は苦笑して「貞子はもう他人なのですから、そんな事を私に気兼ねされる必要はありませんよ。どうぞ御自由に、何でもお訊きになって下さい……私は、その訊問に立ち会う権利はもうないのですからね」

「君は案外薄情な男だねえ……」

「何故です？」

「だってそうじゃないか、貞子さんと別れて若く美しいお金持ちの鮎子さんと結婚して同じ家によく平気でいられるもんだよ」

「平気じゃないですよ。僕だって貞子を可哀想に思っています。早く誰かと結婚してくれればいいと思っているんです」

「貞子さんは、俊作さんと結婚したいのじゃないかね？」と警部は真摯《まじめ》に言った。

「そうだろうと思うんですが、妹の幸福を奪うには忍び得ないのでしょう」

「俊作さんは、洋子さんよりも貞子さんを愛しているんだろう？」

「と、私は思っていますけど……」

「それに決ってる。それが夫婦の仲違いの原因だ。洋子さんが信義さんと結婚すればこんな事にはならなかったと思われる。洋子さんは何故信義さんを嫌っていたのだろう？　君には何か思い当る事はないかね？　信義さんが暴力で洋子さんを自由にしたか、またはそうしようとしたか……きっとそんな事があったに違いないと僕は思うんだがね」

警部にそう言われて、丈助は不意に洋子が今日一度も食堂に顔を出さなかった事を改めて訝《いぶか》しく思い「もしかすると？」内心ギクッとするものを覚えたが、さり気なく
「そんな事は絶対にないと思います」

と、強く否定するのだった。

T

階下におりて応接室に一同を呼び集め、宗像警部の訊問が始められた。

「信義さんを最後に見られたのは誰です」

警部はそう訊いて、ソファーに並んで腰かけている俊作、丈助、鮎子、貞子、洋子の五人をひとわたり眺め廻した。が、誰もそれに答える者はない。彼は苦笑して、

「夕食の時はみんな一緒だったんでしょう」

「そうです。もっとも、洋子だけは頭痛がすると言って食堂へは出て来ませんでした」

俊作が一同に代ってそう答えた。

「で、信義さんが食堂を出られたのは？」

「七時前だったと思いますわ」

と言って、鮎子は同意を求めるふうに貞子の方を見た。貞子はそれに頷いて、

「六時五十分頃だったと思います」

「他の方は？　何時に食堂を出て、それからどうしていられました？」

俊作は「僕は兄よりちょっと後から食堂を出て、自分の書斎に居ました。九時頃に二階へ上って兄の部屋をノックしたんですが返事が無いので、もしやと思ってすぐに別館の方へ知らせに行ったのです」

「証人はありますか？」

「洋子、君は知ってるだろう?」

「ええ、扉《ドア》の閉る音をききましたわ」と洋子は警部の方に向《むか》い「間違いありません」

「野上君は?」

「私は俊作さんの後から食堂を出て、すぐに別館へ戻って行きました」

「私と鮎子さんは食事の後片附けをし、それが済んでから別館へ行きました。その時刻は八時だったと思います。そうでしょう」

と鮎子の方を見ると、鮎子はそれに頷いて「確かに八時でしたわ。それから九時五分まで、三人で花をしていましたの」

「すると、信義さんを見た人も居ないのですね?」と警部は洋子の方を見た。

「二階に居たのは兄一人ですから……」

と、俊作が応えた。

「信義さんは何時頃からレコードをかけていましたか?」と警部は俊作に訊ねた。

「八時半頃からだったと思います」

「洋子さん、貴女も聴きましたか?」

「ええ、暫くの間きこえていました」

「何時頃まで?」

「八時五十分頃だったと思いますわ」

「それから後は?」

「九時過ぎに最後の曲《レコード》が聞えました」

「その曲は……?」

「〝恋人よ我に還れ〟でしたわ」

「貴女はどうしておられました?」

「部屋で寝《やす》んでいました。七時前に姉さんがお膳を持って来てくれましたので、食事をすまし、それからずうッと……」

「貞子さん、貴女が洋子さんの部屋を出られたのは何時でした?」

「七時十五分頃だったと思いますけど」

「それからはずっと鮎子さんと一緒だった訳ですね」鮎子を見て「そうですか?」

「ええ、そうですわ」

「貴女は別館から戻ってこられる時、あの部屋の窓を見られましたか?」

「ええ。でも、カーテンがおろしてありましたので、中は見えませんでしたわ」

「影を見なかったですか?」

「信義さんのでしょうか?」

「誰のか分りませんよ」

「い、い、いいえ」

「そういえばカーテンにちらッと人影が映ったように思います」と貞子は低く答えた。

「それは何時頃ですか?」

「レコードはその時まだ鳴っていましたから……九時八分位でしょうか……」

「俊作さん、貴方は人の影を見ましたか」

「いいえ、僕は別に窓に注意していなかったので、覚えておりません」

「あ、そう。で、貞子さん、その影は確かに男でしたか？　女ではないでしょうね？」

「ちらッと見ただけですから……。でも無論男でしょう、信義さん一人だったのですから女の影が映るはずがありませんもの」

「しかし、その時本館には洋子さんがおられた訳ですからね、信義さんの部屋に……」

「洋子は階下《した》の自室に寝《やす》んでいました」

「それは、間違いないでしょうね？」と、警部は、貞子と洋子をジロジロと交互に見較べた。「ええ絶対に！」と貞子。

洋子が、「私は、自分の部屋から出ませんでしたわ。ずうッと寝んでいました」

「証人がありますか？」と冷たい調子で警部に言われると、洋子は黙って俯向《うつむ》いた。

「洋子はずっと自室に居ました。僕はその隣室に居たのですから良く知っています」

俊作がそう証言して、ちらと洋子を見た。

「見届けられた訳じゃないでしょう？」

「ええ、それは……。しかし、扉を開閉する音は一度もききませんでしたから……」

「なるほど！　で、貴方は九時頃に何か用があって、信義さんの部屋へ行かれたんですか」

「ええ、ちょっと話したい事があって」

「どういう内容の話です？」

と、警部はたたみかけて訊いた。

「……僕の投資している事業の事です」

「それだけですか？　他に何か？」

「いえ、他には別に用はありません……」

「扉を叩いても返事もなく物音もしなかった訳ですね？　中を覗いてみましたか？」

「ええ。しかし、兄の姿は見えませんでした……鍵穴から見えるところには……」

「で、死んでいると思われたんですね？」

「もしかすると……と思ったのです」

「何故ですか？　自殺の理由に何か？」

「いえ、別に……。ただ、扉に鍵が掛っているのに、兄が返事をしないので、そうじゃないかと思ったまでです」

「殺されたと思いましたか？　それとも？」

「そんな事まで考えはしませんでした」

「今では？」

「自殺としか思うことが出来ません」

「何故です？」

「中から錠が嵌《は》めてあったのですから……それに、みんなアリバイがありますから」

「みんなではないでしょう？」と警部は貞子を見て「貴女は九時十二分から十六分まで、何をしていました？」と、鋭く訊いた。

「……あの部屋の前に立っていました」

「中にはいられはしなかったでしょうね」

「錠がおろしてあったのですから、はいる事が出来ませんもの」と貞子は苦笑した。

「開けてもらえたかも知れません」

「死んだ信義さんに？」

「生きてぴんぴんしている信義さんに」

貞子は破顔《わら》って「御冗談でしょう？」

「真面目です！　貴女は何の用があって信義さんの部屋へ行かれたのです？」

「別に用事はありませんでした。ただ、ちょっと不安だったものですから……」

「何故不安だったのです？」

「俊作さんからそんな事をきいた後だったので、確かめてみようと思ったまでですわ」

「しかし、レコードが聞えたんでしょう？　それに、貴女は信義さんの影も見られたでしょう？

それでも不安だったのですか？」

「……ええ、なんとなく……」

「それは、何故ですか？」

「別に理由はありませんわ……第六感が働いたのかも知れません……」

「殺されているんじゃないか、と思われた訳ですね、直感的に？」

「そんな事は思いません！　もしかすると自殺では……と思ったのです」

「自殺の理由に思い当りがあるんですか」

「無い事もありませんけど……」

と、貞子は曖昧に言って、口籠《くちご》った。

「それを仰言《おっしゃ》って下さい……隠す事なく」

「正子に対する謝罪の気持ではないかと」

「それは、どういう意味です？」

と、警部はその瞳をきらりと光らせた。

「信義さんに離婚を宣言されたために、正子は自殺したのですから、信義さんはその冷たい仕打ちを後悔し、正子の後を追って」

「それだけですか？　正子さんが信義さんに殺された、と思ってるんじゃないですか」

「いいえ、そんな事は思っていません」と答えたものの、昨日の午後、それを追求した事が直接の自殺理由ではないかと、貞子は思っているのだ。信義の突然の自殺と考え合せて、信義が正子を殺したのではないかという彼女の疑惑は一層濃くなっていた。

「洋子さん、貴女は俊作さんが九時頃に部屋を出られたのを知っていましたか？」

「ええ、扉《ドア》の閉る音とスリッパの跫音をききました。九時が打って間もなくでした」

「貴女の部屋には掛時計があるんですか」

「ええ。といっても、鳩時計ですわ」

「あ、そう。それから、貞子さんが別館へ行っている事も知っていましたか？」

「それは知りませんでした。二階のお部屋にいらっしゃるのだと思っていました」

「それは本当でしょうね？」

「私、嘘は申しません！」

洋子は、強く言って、面《おもて》を伏せた。

「貞子さんが貴女の部屋へ来られた時、どうしていましたか？」

「私、寝《やす》んでおりました」

洋子は、俯向《うつむ》いたままで低く答えた。

「睡ってはいなかったんですね?」

「ええ、小説を読んでいました」

「その時の時刻を覚えていますか?」

「ええ、九時十分でしたわ」

「それは正確ですか?」

「時計を見たので間違いありません」

「何故時計を見られたんですか?」

「別に……理由はありませんわ。ノックの音がしたので、目をあげた時、棚の鳩時計が映っただけのことですわ」

「姉さんは部屋に入りましたか?」

「いいえ、扉には鍵がかけてありましたから……扉越《ドアご》しに話したのです」

「何分ぐらい話していました?」

「ちょっとですわ……一分位でしょうか」

「貞子さんが来られる前、つまり九時十分より前に貴女は二階にあがられましたか」

「いいえ! 私は、部屋から一歩も出ませんでした。ずうッと寝《やす》んでいました」

「しかし、便所へは行かれたでしょう?」

「ええ、それは……一度行きましたわ」

「それは何時頃でした？」

「八時半頃だったと思いますけど……」

「その時、二階からはレコードの音がきこえていましたか？」

「御不浄から戻る時に鳴り始めました」

「俊作さん、貴方はそれを知ってますか」

「……それって……？」

「洋子さんが便所へ行かれた事ですよ」

「注意していなかったので気附きませんでした。僕は読書に気を奪われていたので」

「すると、洋子さんがずうッと自室におられたと証言する事は出来ない訳ですね？」

「……」俊作は黙っていた。

「そっと出入りすれば、貴方の部屋へは聞えないのでしょう？」

「そりゃそうですが、しかし、洋子は頭痛がすると言って寝んでいたのですから……」

「貴方は何故洋子さんと別居していられるのです？　二週間も前からだそうですが？」

「そんな事までお答えしなければ不可《いけ》ないのでしょうか？」俊作は棘々しく言った。

「是非共、訊かせていただきたいのです！」

「二人の仲が面白くなかったからです」

「何故です、それは？」

「それは、夫婦間の私事ですから……」

「貴方は貞子さんを愛しておられるのでしょう？」と警部は微笑して「それで、洋子さんと別れてしまおうと思っているんでしょう？　その事を洋子さんに言われましたね。しかし洋子さんはそれに反対だった」洋子の方を見て「ね、そうでしょう？」

洋子は俯向《うつむ》いたままで黙っている。

「それが別居の理由なんでしょう？」と、きめつけるように言って、警部は俊作の面を凝視した。

が、俊作はそっぽを向いたままで黙っている。警部はニヤリと笑って、

「無言の肯定とみていいですね？」

「どうぞ御勝手に！」

と、俊作は、ぶっきら棒に言った。

「貞子さん、貴女はどう思われますか？」

「俊作さんと洋子さんの仲違いの理由」

「私には分りませんわ」

「……何をですの？」

貞子は、平然として言ってのけた。

「あ、そうですか」と、警部は苦笑して、

「で、洋子さん、貴女は信義さんから言い寄られたことがあるでしょう？」

「ええ、結婚してくれと仰言《おっしゃ》るのです」

「貴女は、それを拒絶されたのでしょう」

「勿論ですわ。私には夫がありますもの」

「しかし、信義さんは貴女を諦める事ができなかった。それで、暴力を用いて貴女を……。そんな

事はなかったですか?」

「いいえ、そんな事はありません!」

「それは本当ですね?」

「ええ。私、嘘は申しませんわ!」

そう言う洋子の声は微かに震えていた。膝の上に置いた掌《て》もぶるぶると小刻みに戦《おのの》いている。警部はそれを少時《しばらく》の間じっと瞶《みつ》めていたが、急に重々しい語調で訊いた。

「貴女は、信義さんを憎んでいましたか?」

「いいえ! 憎んではいません!」

「じゃ、愛していましたか?」

「いいえ! 愛してもおりません!」

「貴女は、九時から九時十分までどこに居られました?」

「私の部屋にいました。寝台《ベット》の上に横になって小説を読んでいました……」

「信義さんは、九時六分から十二分の間に死なれたのです。その間、本館に居るのは貴女一人きりでした。貞子さんも俊作さんも別館の方へ行っておられたんです。貴女はそれを知っていたのでしょう?」

「いいえ、姉さんは二階のお部屋にいらっしゃると思っていましたわ」

「私は洋子にそう言って別館へ行ったのじゃないんですから、洋子がそう思っているのに無理はありませんわ」貞子が助言した。

「いずれにしても、九時六分、いや九時四分頃から九時十分までの間には、貴女一人だったのです。

俊作さんが別館へ行かれた時が九時四分……貞子さんが別館から戻って貴女の部屋の前に来たのが九時十分ですからその間約六分の間があります」

「六分の間に殺人や施錠をする事は不可能ですよ！」と、丈助が口を挟んだ。

「冷静沈着に行《や》れば決して不可能ではない。ジャック・ナイフで相手の胸を突き刺す位一分とはかからないよ。施錠にしても、予め準備がしてあれば、二、三分のうちにやってのける事が出来る」

「しかし、女にはそんな事は出来ませんよ」

「いや、女だから出来たのだ！　女と一緒に寝台《ベット》に横たわっている男というものは、全身隙だらけだ。いきなりナイフで胸を刺される可能性は多分にある。いや、事実あったのだ。被害者の信義さんは寝台《ベット》の上に仰向きに倒れているじゃないか！　女が信義さんの軀にのし掛って、隠し持っていたナイフで胸を突き刺したのだ。信義さんはその女の姿態を愛撫のそれと信じ切って、少しも警戒せず、無抵抗に殺さてしまったのだろう。僕はそう思っている」

「女とは誰です？」丈助は鋭く言った。

「貞子さんか、洋子さんだよ」

「私も洋子も、そんな事は致しません！」

貞子は、血相を変えて警部を睨んだ。

「俊作さんが九時二、三分頃にあの部屋の扉《ドア》をノックしても返事がなかったのは、信義さんが女と一緒に寝ていたからです」

「私は、その頃自分の部屋に居ましたわ」

洋子は、俯向《うつむ》いたままで低く言った。

「それは本当です」と、俊作が口を挟んで「僕が部屋を出た時、洋子は自分の部屋に居ました。部屋の中を歩く跫音が確かにきこえました。ね、そうだろう？」

「ええ、私も貴方の跫音をききました。あの時に寝台《ベット》から降りて机の前に歩いていたのです。お薬をのもうと思って……」

「嘘じゃないでしょうね？」警部は疑わしげに言って、無遠慮に二人の顔をじろじろとみつめる。

洋子は面をあげ、

「確かに、私は自分の部屋に居ました」

「洋子は兄を嫌《きら》っていたのですから、その部屋に行くはずがありませんよ。僕は確かに洋子の歩く跫音をきいたのです」

「すると、俊作さんが別館へ行ってからですか？　貴女が信義さんの部屋へ行ったのは？」と、警部は洋子を睨んだ。

「私はそれから薬をのんで寝《やす》みました」

「何の薬ですか？」と警部は追求する。

「勿論、頭痛の鎮静剤ですわ」

「その薬剤《くすり》の名前は？」

「覚えてません！　御必要でしたら私の部屋へ行ってお調べになって下さい、机の右側の抽斗に入れてありますから……」

警部は苦笑して「その必要はありません。僕が知りたいのは、貴女が信義さんの部屋へ行かれたかどうかということです」

「幾らお訊きになっても、行かないのに行ったと申し上げる事は出来ません。義兄《にい》さんはきっと自殺なさったのに違いありません。結婚してくれと仰言《おっしゃ》るのを私が手きびしく拒絶したのを苦にして、そして死んだ正子の事を急に懐しく思うようになって、自分の冷たい仕打ちを後悔なさっての事でしょう」

「そうでしょうかねえ?」と、警部は低く呟いて、しばらくの間、洋子の顔を凝視していたが、やがて「や、いろいろと失礼な事をお訊ねして相済みませんでした」と言って、訊問を打ち切った。

宗像警部は、それから再び二階にあがって行き現場を綿密に再捜査した。が、別に他殺を裏付けるべき新発見はなかった。結局、自殺という事で鼠《けり》をつけて、午前二時過ぎに引きあげて行った。

「僕は、洋子さんを疑っていたのだが、信義さんとの肉体関係はともかくとして、信義さんを殺したとは思えなくなった。五分や十分の間に殺人と施錠を済ますほどの冷静沈着さを持っているとは思えないからね。それに嘘を吐《つ》いているようにも見えなかった。しかし信義さんに暴力で貞操を蹂躙された事だけは、さすがに言いかねたのだろうよ」

別れしなに丈助の耳にそう囁いて……。

U

秀夫や正子の場合と違って、誰も信義の死を悲しむ者は無かった。貞子と洋子は無論の事、俊作はむしろ喜んでいるはずだった。何故なら、信義の財産は当然弟の彼の所有となって本館を完全に占有する事が出来たのだから、河内家とは縁もゆかりもない野上丈助と再婚した鮎子が、それに異議を挟む謂れが無かったのだ。彼女は秀夫の遺産と別館を所有する事で満足していたのだ。

　丈助と鮎子は、相も変らず仲睦《なかむつま》じく暮していたが、俊作と洋子の二人は、そうはいかない。俊作は亡兄に貞操を奪われた妻を嫌悪し、そのため洋子は苦悩と寂寥に満ちた毎日を過していた。それはまた貞子も同じ事だった。愛しては不可《いけ》ない人と分っていながら愛情は日と共に加わり、淋しさ遣る瀬なさは夜毎《よごと》に募ってくる。俊作は以前にも増して煩《うるさ》くつきまとって来るようになったが、貞子は洋子のために心を鬼にしてそれを拒否しなければならなかった。

　俊作は相変らず洋子と別に寝ていた。表向きは飽くまでも夫婦だったが、肉体の交歓は久しく打ち絶えている。はち切れんばかりの肉体に湧き溢《あふ》れてくる慾情に堪《た》えかねて、洋子は時折り俊作の部屋に飛び込んで行き、がむしゃらにしがみついて身悶えする事があったが、俊作はその都度邪慳に彼女を突きとばして、一度だって愛撫の手を加える事はなかった。そうした時、洋子は悄然として自分の部屋へ戻り、寝台の上に俯伏《うつぶ》して泣きながら自慰するのである。いっその事義兄《にい》さんと結婚すればよかったと思ったりする。あの夜の浴室での思い出は、彼女の心を苦しめたが、その肉体を甘く悩ましく擽《くすぐ》り立てた。憎んでいた信義を堪《たま》らなく懐しむ事さえあった。そんな時、自慰する彼女の瞼の裏には、女性的の夫俊作よりも、むしろあの夜の信義の強く逞しい肉体が濃く灼きついて離れないのであった。私は信義さんを愛していたのかも知れない、いいえ、あの時より前から既に愛していたのだわ、だからこそあのように身も心も痺れ果てるほどの快感を味う事が出来たのだわ、何故あの夜、快く許してあげなかったのだろうか、などと思うと、後悔の涙が今更のように彼女の頰をとめどもなく濡らすのである。

「貴女、この頃痩せたわね……」

ある晩、一緒にお湯に入った貞子が彼女の肉体を瞶《みつ》めながら、しんみりと言った。

「そんなに痩せたかしら……」と言って、洋子は淋しげに微笑《わら》い「これ位でちょうどいいのよ、私は少し肥《ふと》りすぎていたんだもの」

「私は以前より肥ったようだわ……ね?」

「そういえばお尻の方が少しばかり……」

貞子は笑って「お尻だけじゃないわよ」

洋子は声を立てて笑ったが、急に真摯《まじめ》な顔つきになって「姉さんは俊作をどう思っている? 今でも愛していて?」

貞子はすぐに答える事が出来なかった。

「嫌いじゃないけど、でも、それがどうだと言うの?」と低く言って妹を瞶《みつ》めた。

「愛しているんだったら、俊作と結婚なさったらどう? 私はもう諦めているの……」

「そんなこと出来ないわ」

「何故? 私が俊作と別れればいいでしょう? 俊作もそれを希《のぞ》んでいるんだから」

「俊作さんと別れてどうするつもり?」

「そんな事まで考えてはいないわ」

「でも、貴女は俊作さんを愛しているのでしょう?」と洋子の豊かな胸をみつめた。

「でも、私がついてちゃ、俊作はいつまでたっても幸福になれない……いっその事、諦めて身を引こうと思っているの」

「そんな事をすれば、俊作さんはよくっても、貴女が可哀想だわ……私は、貴女の幸福を奪いとることは出来ないの」

「今の私は、決して幸福じゃないわ。不幸のどん底に居るようなものよ……ひと月以上も夫に愛されない妻ってあるかしら？」

「……」その豊麗な腰部を眩しげに見た。

「私はもう、自分で自分を慰める事しか出来ない女なんだもの……義兄《にい》さんとあんな事があってから、私はもう俊作の妻ではないんだもの……姉さんと一緒になっても、私、なんとも思やあしないわ」

「貴女は、信義さんの事が忘れられないのじゃなくって？」と声をひそめて訊くと、

「……」洋子は無言で顔を伏せた。

「軀を大切にしなければ不可《いけ》ないわ」と不意に貞子は洋子の乳房を瞶めながら言った。

「私、もう死んでしまった方がいいわ」

「そんなことを言って！　貴女は今大切な軀なのよ、気附いていないの？」

「……何の事を言ってるの？」洋子は、訝《いぶか》しげなまなざしで姉を見たが、その視線が自分の乳房にそそがれている事を知ると、ギョッとしたふうに眼を落した。

「貴女は妊娠しているんじゃない？」

「……そう言えば、今月は無かったわ」

「そうでしょう！　乳首の色が変ってるんだもの、きっとお目出度よ」と言って貞子は明るく笑った。が、洋子は急に不安げな面持《おもも》ちになって「本当に妊娠かしら？」

「一度、診てもらったらどう？」

「私、困るわ……妊娠だったら……」

「何故？　困る事はないじゃないの？」

「でも、俊作は私と別れようとしてるのに」

「赤ちゃんが出来ると言ったら、きっと喜んでよ。別れる所か、貴女を大切にするようになるわ。ね、明日でも診てもらったらどう」

「ええ。でも、妊娠だったら、俊作は喜んでくれるかしら？　私何だか心細いわ！」

と言って、洋子は、縋《すが》りつくようなまなざしで姉を見た。貞子は微笑を湛《たた》えて「自分の子が出来るのに、喜ばない夫ってないわよ。もう大丈夫！　貴女はこれで俊作さんの愛情をつなぎとめることが出来るわ」

「そうかしら？」と、弾んだ声をあげて洋子は、急に生々とした眼の色になった。

「そうですとも！」

と、貞子は強く言って「だから軀を大切にしなくては不可《いけ》ないわ、不摂生をしないようにして、静かにしていなければ……」

洋子は赧くなって顔をそむけた。


その翌日、貞子は渋る妹を引き立てて産婦人科へ連れて行った。レントゲンで診てもらった結果、妊娠一ケ月という事が分った。

貞子は、妹の幸福のためにそれを喜びながら、これで俊作さんともお別れだと思うと不意に淋しさがぐっとこみ上げてきて、我知らず眼頭が熱くなるのを覚えた。

街には春の気配が一杯に満ち溢《あふ》れている。桜の花がようやく綻び初めようとする頃、空は隈なく晴れ渡って、吹く風は恋人の息吹の如く甘く悩しく、暖い午後である。

「映画でも観ましょうよ」洋子は晴々とした面持《おもも》ちで、姉を振り返った。

「ええ」貞子は浮かない顔で低く応え「それよりも早く帰って俊作さんを喜ばせてあげた方がよくはなくって？」

「じゃ、帰りましょう」洋子は即座に言っていそいそと歩き出した。その弾んだ妹の様子を見て、貞子は胸の中が妖しく燃えくすぶるのを感じた。私は妹を嫉妬しているのかしら？　きっとそうに違いないと意識して、このままでは、私も俊作さんもお互いに離れ難くなるばかり、早く家を見つけて引っ越さなければ不可《いけ》ないと思うと、彼女は淋しさがぐっとこみあげてくるのを覚えて、先を行く洋子の後姿がぼんやりと霞んでみえた。切なく遣る瀬ない彼女の気持ち――。

不意に、洋子が振り向いて、

「姉さんには何故赤ちゃんが出来ないの」

と、微笑《わら》いながら話しかけてきた。

「私は今一人なんだもの、赤ちゃんが出来たらおかしいわ」と貞子は頬を染めた。

「でも、八年も一緒になっていたのに」

「愛情がぴったりと融け合わなかったからでしょうよ」と言って貞子は誤魔化したが、子供を欲《ほっ》しない彼女が夫に内密《ないしょ》で避妊を続けてきたためだった。子供があれば丈助も私と別れようとはしなかっただろうにと、この期になってそれを後悔する貞子だった。

その晩、洋子は、食堂から出た俊作の後を追って彼の書斎に跟《つ》いて行った。

「何か用か？」

俊作は冷たく言って妻を振り向いた。

「お話したい事があるのよ」

洋子は精一杯の微笑を湛《たた》えて、夫の顔を振り仰いだが、俊作はニコリともせず、

「どんな話だ？　僕と別れる決心がついたのか？」と、棘々しく言った。

「私、赤ちゃんが出来たらしいの……」

俊作はちょっと顔色を変えた。が、別に何とも言わない。洋子は傍に寄って行き、夫の胸に顔を押しつけて「今日、診てもらったの、一ケ月だって」甘えるように言った。

が、俊作は冷たく「それがどうしたと言うんだ！」と言って、彼女の軀を強く突き放した。突然だったので彼女は蹣跚《よろめ》いて、思わずその場に尻餅をついてしまった。すぐには立ち上る気力もなかった。もっと優しい言葉を期待して胸をふくらませていた彼女なのに、何という冷酷な夫の仕打ちだろう！　洋子は涙を湛《たた》えた眼で恨めしげに夫を見上げて「貴方の赤ちゃんが出来るというのに、貴方は何ともお思いにならないの」

「僕の子かどうか分るものか！」

俊作はそっぽを向いて吐きすてるように言った。「僕達はもうひと月以上も別居しているんじゃないか！　亡兄《あに》の子だろう？　あの時姙娠したんだよきっと。覚えているだろう二十日程前の夜のことを……」

「でも、一ケ月なんだから……」言いながら洋子は立ち上って夫の掌《て》を握り締めた。

「義兄《にい》さんの子じゃないわ！」

　今にも泣き出しそうな顔をしている洋子を、俊作は冷たく見据えて、

「あの時より前から関係が無かったとは言えないだろう？　浴室の中で真っ裸になってふざける位だからね。あの時が始めてだと思う事は出来ないよ、僕には」

「非道《ひど》いわ！　あんまりだわ！」洋子は口惜《くや》し涙に咽《むせ》びながら叫んだ。「私はあの時、貴方だと思って。あれが始めてなのよ！　以前《まえ》から関係していたなんて、私、そんな女じゃないわ！」

「兄の子を僕に押しつける心算《つもり》か？」

　洋子はものも言えなかった。夫の胸にしがみついて、激しく泣き崩れた。

「僕はこの際きっぱりと別れようと思う」

「……妊娠した私を捨てて？」

「君は亡兄《あに》の情婦だったのだ！　君の妊娠は僕の責任じゃない！」俊作は叫ぶように言って、洋子を突きとばし「夫がありながら他の男と関係するなんて、それでもまだ僕の妻の心算《つもり》でいるのか？」

「貴方だって、姉さんと関係しているじゃないの！　私ばかり責める事ないわ」

　洋子は、その瞳に憤りの青い炎をきらめかせて、ヒステリックに絶叫した。

「だから別れようと前から言ってるじゃないか！　僕の貞子さんに対する気持ちは真面目な恋愛だ！　君のように遊び半分に他の男を相手にしていたのとは訳が違う！」

「まあ、口惜《くや》しいッ！　私は義兄さんにだまされたんだわ！　貴方もぐるになって私を罠に陥したんでしょう？」

「僕は知らん！　兄が一人で行《や》った事だ。あの時、僕は君と仲直りしてもいいと思っていたんだ。それなのに君は兄と、僕が来る事を知っていながらわざとふざけていたじゃないか？　君と兄との恋愛は遊戯だったんだ。兄はともかくとして、君はあくまでも……。真摯《まじめ》な恋愛だったら僕と別れて兄と結婚するのが至当だった。ところが君は、その兄を殺してしまったじゃないか？」

「私、義兄《にい》さんを殺しはしないわ！」

「いや、君は兄を殺した！　仮令《たとえ》直接手を下さなくとも、君は兄を殺したも同然だ。肉体《からだ》を許しておきながら、兄が真摯《まじめ》な気持で結婚してくれと言うのを手もなく撥ねつけてしまったんだ！　君は兄の真摯《まじめ》な気持を弄んだ。兄はそれを苦に病んで自殺したんだ」

「私の責任じゃないわ！　義兄さんこそ私を弄んだのだわ！　あの時、私は口惜《くや》しくって口惜しくって堪《たま》らなかった！　義兄さんが自殺したのを、良い気味だと思ったわ！　正子を殺した罰《ばち》が当ったんだと……」

「兄は正子さんを殺しはしない！」

「直接手を下さないにしても、義兄さんは正子を殺したも同然だわ！」

「君はその兄に肉体《からだ》を許していたじゃないか！　よくもそんな事が言えるもんだよ！」

「ああ、貴方のような人と結婚しなければよかった。こんな冷酷な男とは思いもしなかったわ……結婚してからまだ一年にしかならないのに、貴方ったら、妊娠した私を捨ててまで、他の女と……ああ、口惜しいッ」

洋子は、涙を一杯に湛《たた》えた眼で恨めしそうに夫を睨み、ギリギリと歯軋りをした。

「僕だって君と結婚した事を後悔してる。こんな淫奔な女だとは夢にも思わなかった。夫のある身で他の男と、しかも僕の兄と！」

「私、いっそのこと義兄さんと結婚すればよかった。……貴方なんかより遥かに優しい男《ひと》だったのに……」

「悔んだってもう追っつかないよ。あれだけ執拗《しつこ》く言って勧めたのに、僕や兄の言う事を歯牙にもかけず、今になってそんな愚痴をこぼすなんて随分と片意地な奴だよ」

「ええ、私はどうせ片意地だわ！　こんな軀になって貴方と別れる事は出来ない、いつまでも食《く》っついていてやるから！」

「僕は君と別れて貞子さんと結婚する！」

「姉さんは、絶対にそんな事はしない。いいえ、私がさせないわ！」

「僕も貞子さんも、君の束縛を受ける謂《いわ》れはない！　君は亡兄《あに》の情婦なんだから……」

「何とでも仰言《おっしゃ》い！　私は、正ちゃんのように自殺したりはしないから……死ぬほどなら貴方を殺してから死んでやる！」

本当に殺しかねないような眼つきをして、洋子は夫の顔をぐっと睨み据えた。

「無理心中か！」と俊作は嘲《わら》って「そんな片意地な事を言わないで、僕と別れて誰か適当な男をみつければいいじゃないか。無論、ある程度の財産《もの》は分けてやるから」

「私、財産なんか欲しくないわ！」

「胎《はら》の児《こ》は早く始末すればいいのだ。君も亡兄の子を生みたくはないだろう？」

「貴方の子ですわ！」と、洋子は叫んだ。

「亡兄の子だ！　それにきまっている！」

洋子は黙って夫の部屋を飛び出した。廊下を走って裏階段の方へ行きかけたが、姉はまだ鮎子と一緒に食堂に居る事に気附くと、すぐに走り戻って自分の部屋に飛び込んだ。手荒く扉《ドア》を閉めて鍵をかけ、寝台《ベット》の上へ乱暴に身を投げ出してワッと泣き崩れた。身も世もあらず激しく咽《むせ》び悶えた。

俊作と洋子の間に、そのような激しい諍《いさか》いがあったとは露知らぬ貞子は、自室の机に向って小説の続きを書いていた。夕食後、すぐに夫の後を追って食堂を出た洋子が、そのまま戻って来ないのを、二人の和解が成り立ったためだと、彼女は微笑《ほほえ》ましくそして淋しくねたましく思っていた。妹のためにはそれを喜んでやらなければならない立場の彼女……そしてまた、それと全く裏腹にそれを嫉《ねた》まずには居られない立場の彼女！　二つの異った感情の動きが胸の中で絢《あが》い合って乱れ絡み、ペンの運びは遅々として進まなかった。丈助と別れてから、思うように小説が書けなくなったと、彼女は思うのだ。何か拠りどころを失った感じで淋しく味気なく、そして心細いような気がする。私が本当に愛していたのは俊作さんではなくって、やはり丈助ではなかったかと、今になってそれに思い当るのだった。貞子はペンを擱《お》いて立ち上り、さも臆劫げな素振りで寝巻に着替えた。時計を見ると八時五十分。まだ早いとは思ったけど、もう寝ようと思って寝台《ベット》の方へ行こうとした時、廊下に跫音がして扉《ドア》がノックされた。

「姉さん、私よ、開けて頂戴……」

打ち沈んだ洋子の声である。どうしたのかしら……と訝《いぶか》しく思いながら、鍵を廻して扉をあけると、その眼を赤く泣き腫らした洋子が蒼い顔をして蹣跚《よろ》け込むようにはいって来た。何か尋常《ただ》ならぬものを直感して、

「まあ、一体どうしたの？」貞子は、眉をひそめて妹の顔を覗き込んだ。

「俊作は、義兄《にい》さんの子だと言うの……」

「え！　信義さんの子だと！　俊作さんが？」

貞子はギョクンとして息を弾ませた。

「夫があるのに他の男とふざける淫奔な女だと言ったわ！　私を義兄さんの情婦だとも！」洋子は虚ろな声で低く呟いたが、次の瞬間、いきなり姉の胸に犇《ひし》と取り縋《すが》って、

「私、口惜《くや》しい！　口惜しいのようッ！」

ヒステリックに喚き叫んだ。口惜し泣きに喘ぎ咽《むせ》びながら、夫の冷酷な言《い》い種《ぐさ》や邪慳な仕打ちを、つぶさに訴えてから、

「私、もう、死んでしまった方がいいわ！」

と、おろおろしている姉をてこずらせるのだ。放っておけば今にも首でも縊りかねないほどの狂乱ぶりだ。眼が血走って頬が赤く火照《ほて》り、頭の髪はくしゃくしゃに乱れている。どうみてもいつもの洋子ではなかった。

「そんな無茶なことを言って……」

貞子は困惑して、悶え狂う妹をやさしくなだめすかしてようやく寝台《ベット》に横たわらせた。

「今夜はここでお寝《やす》みなさい」

こんなに昂奮している洋子を、階下《した》の自室に一人で置く事は出来ない気がした。

「俊作さんも、そのうちにはお腹の子に愛情を感ずるようになるわ……今は気が立っているので、心にもない事を言って故意に貴女を苦しめようとするのだろうけど、そうしていつまでも独りでい

る訳にはいかないのだから、きっとその裡《うち》には、貴女の手にかえってくるわ。だから、今はもう何《なん》にも考えないで、静かにお寝《やす》みなさい……ね」

やさしく言いきかせている裡に、洋子の昂奮は徐々に鎮まってきて、やがて泣きながら寝入ってしまった。その哀れな妹の寝顔を少時《しばらく》の間じっと瞶《みつ》めていた貞子は、そっと起き直って寝台《ベット》から降りた。不図《ふと》見ると絨氈の上に一個の鍵が落ちている。洋子の部屋の扉の鍵だった。貞子はそれを机の上に置いて、そっと廊下へ出た。御不浄へ行って戻りしなに洋子の部屋へ立ち寄ってみると、鍵は掛けてあると見えて扉はあかなかった。――こんな際でも鍵をかける事は忘れなかったと見える、と思うと、貞子は苦笑のこみあげてくるのを覚えた。俊作の部屋の方をちらッと見て、明日はよく言って是非とも洋子に詫びさせなければ不可《いけ》ないと悲壮な決意をかため、貞子は静かに二階の自室に戻った。洋子は眠っている。

(貴方の子よ！　義兄《にい》さんの子じゃない)寝言だった。貞子は不意に妹がいじらしくなってきて、その額にそっと唇をふれ、そうですとも、貴女と俊作さんの子だわ、と心の中に呟いた。いつまでも寝つかれなかった。洋子は時々寝言を言って彼女を悲しませた。

(私は死んでしまう……)と言って、瞑《ねむ》った眼からぽろりと泪を流したりした。

十二時を打つ時計の物淋しい音を夢現《ゆめうつつ》にきいて、貞子はとろとろと睡りに入った。

V

何かいやあな夢を見て、貞子がハッと目覚めた時には、傍に寝ていたはずの洋子が居なかった。

時計を見ると三時半である。

——洋子はどこへ行ったのかしら？

慌てて寝台《ベット》から降り立った貞子は、机の上に洋子の部屋の鍵がそのまま置かれてあるのを認め、途端にドキッと胸を打たれた。

——御不浄へでも行ったのかしら？

気休めな事を思ったものの、何かしら不吉な予感を覚えてじっとしては居られなかった。寝巻の上に羽織を引っかけて、急いで扉《ドア》の方に歩み寄った。習慣的に把手《ノッブ》の下の鍵へ手が行ったが、しかしそこには鍵が無かった。寝《やす》む前には確かに鍵穴に差し込んだままにしてあったのに、と彼女は訝《いぶか》しく思って把手《ノッブ》を廻した。鍵は掛っていないのだ。

——鍵を持って行ったのかしら？

無論、外側の鍵穴にもさし込んではなかった。不意に気づいて部屋の中に取って返し、机の上に置かれてある鍵を手に取ってみた。この部屋の鍵である。変だわと思って念のために確かめてみると、間違いなくこの扉《ドア》の鍵だった。洋子は自分の部屋の鍵を取り、その代りにこの部屋の鍵を置いている。何故そんな事をしたのか突嗟に了解する事はできなかったが、貞子は慌てて部屋を出ると、小走りに階段を降りて行った。

洋子の居室には扉《ドア》の外側の鍵穴に鍵がさし込んだままになっていた。ノックしてみたが返事はない。把手《ノッブ》は廻ったが、錠が嵌《は》めてあると見えて扉《ドア》はあかなかった。

「洋子さん！　洋子さん！」貞子は上ずった声で呼びながら、激しく扉《ドア》を叩いたが、応答は無く、部屋の中はシーンと静まり返ってコトリとも物音はしなかった。さながら墓場の如き不気味な静寂が、頑丈な樫《かし》の扉《とびら》の内側にひたひたと満ち漂っている。——死の部屋……貞子はそう直感して、ぶるッと身を震わせた。

「洋子！　居ないの？　開けて頂戴！」貞子は夢中で叫びながら扉を乱打した。その時、隣室の扉があいて、パジャマ姿の俊作がとび出して来た。「どうなさったんです？」

「洋子が変なの！」と貞子は喘いだ。

「えっ！　中に、居ないのですか？」

「いいえ、居るはずですわ！　錠が掛っているようですから……」

「でも、鍵はここにあるじゃないですか」

俊作は訝《いぶか》しげな顔をして、その鍵と貞子の顔を交互に見較べた。

「洋子は私の部屋に寝《やす》んでいたの。先刻目覚めてみると洋子は居ないの。ここへ戻って来てるんだわ。死ぬって言ってたから」

俊作は慌てて扉を叩いた。

「洋子ッ！　洋子ッ！　居ないのか？」

幾ら大声で呼んでも、返事はない！

「どうしましょう？」

「扉をこわそう！」と言いも終らぬ裡《うち》に、俊作は弾みをつけて扉に体をぶっつけたが頑丈な樫《かし》の扉はびくともしない。慌てて自分の書斎へはいって行き、三つ目錐《ぎり》と糸鋸《いとのこぎり》を持って来た。把手《ノッブ》の横に三つ目錐で穴をあけながら、俊作は貞子に言った。

「野上さんを呼んで来て下さい！　立ち会ってもらった方がいいでしょうから！」

その言葉に含まれている重大な意味に気づいて、貞子は瞬間ドキリッと胸を衝《つ》かれるような思いをしたが、すぐに裏口へ走って戸外《そと》に出た。途端に黒い影がさッと走り寄って来て彼女の寝巻の裾に絡みついた。エスである。そのエスと走り競べでもするように貞子は別館に向って息を切らして走った。

玄関の扉を激しく叩いて呼び起すと、丈助がパジャマのままで走り出て来た。

「ど、どうしたの？」と訊く丈助へ、

「洋子が変なの？　死んだのかも知れない」

貞子は喘ぎながら言って、思わずもその胸に取り縋《すが》ってしまった。丈助は彼女の軀をそっと抱いて「一体、どうした事なの？」

「早く来て下さい！」と貞子は喘いだ。

「うん、すぐに行く！」と丈助は彼女の腰を強く抱き締めた。そこへ鮎子が出て来たので二人はハッとしたように飛び離れた。丈助は寝巻の上に外套《オーバー》を引っかけて戸外《そと》に出て来た。まだ何の事か良く分らず呆《あ》っ気《け》に取られて見送っている鮎子を尻目に、丈助と貞子は本館の裏口へ向って一散に走った。洋子の部屋の前に来て見ると、俊作はまだ鋸《のこぎり》で挽《ひ》いている最中だった。彼は彼なりに息を弾《はず》ませて、忙《せわ》しく手を動かしている。

「洋子さんがなにか？」丈助が言った。

「ええ！　どうも可怪《おか》しいんです！」

やがて丸い穴が挽きあけられた。俊作は糸鋸を抛《ほう》り出してホッと息をついた。丈助がすぐ手を突っ込んで、

「錠はどのあたりにあるんです？」

「把手《ノッブ》の上下です。二階と同じように二つ」

やはりそれは発条《バネ》式の差込錠だった。鍵の鍵穴の上下にそれぞれ約一尺の間隔を置いて二つの差込錠が取りつけてある。丈助はそれを外して、扉をあけた。三人は中にはいった、が、部屋の中は真っ暗である。

「スイッチはどこです？」と、丈助。

俊作が壁を手探りしてそれを捻《ひね》った。パッと点《とも》った電燈の光が部屋の中を眩しく照らし出した。瞬間、俊作がウッと唸った。洋子がそこに居たのである。衣裳タンスの傍の衣服掛けに、赤い腰紐をかけて、ぶらんと吊り下っているのだ。カッと見開いた眼で三人の居る扉口《とぐち》の方をぐっと睨みつけている。あの時のままの和服姿。その胸元がはだけて乳首の黒ずんだ豊かな乳房が露《あら》われている。だらりと垂らした足の傍に化粧机用の小椅子が引っくり返って、脱ぎ揃えたスリッパの上に倒れていた。貞子がいきなり走り寄り「洋子さん！　何故貴女は、こんな早まった事をしてくれたの……あれだけよく言っておいたのに……何て事を！」

泣き咽《むせ》びつつかき口説《くど》いた。冷たい、水のような掌《てのひら》。もはやどうしようもない。洋子は死んでいる！　夫俊作の冷酷な仕打ちに堪《た》えかねて、二十六という若い生命《いのち》を無慙にも花と散らせた彼女こそ、痛ましくもまた哀れと言うほかはなかった。その、冷酷な夫俊作の眼にも、さすがに涙の露が宿っていた。彼はその場に立ち竦《すく》んでいたが、やがて静かに屍体の傍に歩み寄って行き、亡き妻の両眼をそっと閉《とざ》してやった。

「まさか、こんな早まった事をしようとは思いませんでした」振り向いて丈助に、沈痛な調子で俊作は言った。「貞子さんの部屋で寝《やす》んでいたのだそうですが、いつの間にか居なくなって、この部屋へ戻って来たらしいんです」

「どうした訳なんです？」と、丈助が訊ねたが、俊作は俯向《うつむ》いて返事をしなかった。洋子と信義の関係をまだ知らない丈助に、すぐにはそれを言いかねたのだ。丈助は訝《いぶか》し気なまなざしをジロジロと無遠慮に俊作の横顔にそそいでいたが、やがてそっと貞子の傍へ歩み寄り「洋子さんはお気の毒だった！」と、声をうるませて言った。

貞子は泣き濡れた面《おもて》をあげて丈助を瞶《みつ》め

「洋子は、お腹の子を、信義さんの子だと言われて……それを苦にして死んだの」

「お腹の子を？」と、丈助は吃驚《びっくり》して、

「信義さんの子だとねえ……」俊作の方をちらッと見て「いつそんな事があったの」と、貞子の顔をじっと瞶めた。

「信義さんが亡くなった前の晩、洋子は浴室の中で、夫と間違えて信義さんと、心にもない交りをしてしまった……」

「ふうむ！　やはりそうだったのか！　僕も薄々ながらそうではないかと思っていた」

「お腹の子は、決して信義さんの子じゃないわ！」と貞子は激しく言って「俊作さん、洋子は貴方の子を宿していたのよ！　あの時からは、まだ二十日しか経ってはいないじゃないの！　医師《せんせい》はハッキリ一ケ月だと仰言《おっしゃ》ったわ！　貴方は冷酷です！　兄の子だろうなんて、よくもその口で仰言《おっしゃ》れたものね！」

棘々しく啀《いが》みかかって行った。

「貴方は洋子を殺したのです！　その冷たい口先で、洋子に生きる希望《のぞみ》を失わせてしまったのです！　私は、貴方を恨みます！」

「済みません」と俊作は低く言って項垂《うなだ》れた。「僕はあの時、気が立っていたものですから、つい、心にもない事を言って……」

「もう遅いわ！　何故、洋子がこんな事にならない裡《うち》にそれを仰言《おっしゃ》らなかったの？　私に謝ったって駄目だわ！　謝るんだったら洋子に、この洋子に謝って頂戴！」

俊作は項垂《うなだ》れたまま黙然としている。

「洋子には謝る事が出来ないの？」

俊作は無言で洋子の屍体の前に跪《ひざまず》いた。

「洋子、済まなかった、許してくれ！」

「自分の子だと仰言《おっしゃ》い！」貞子が叫んだ。

「洋子、僕の子だ！　僕は心にもない事を言って、済まなかった、許してくれ！」

俊作は、戦《おのの》く声で亡き妻に詫びた。

「洋子に、その言葉を……生きてる裡《うち》にきかせてやったら……洋子はどんなにか……」

両掌《りょうて》を顔に押し当てて、貞子は激しくすすり泣いた。俊作は跪いたまま凝然としている。彼の眼にも滂沱《ぼうだ》として涙が溢《あふ》れ流れた。

その二人を、暗然とした面持《おもも》ちでじっと見守っていた丈助が、不意に言った。

「俊作さん、貴方が本当に洋子さんに済まなく思っているのだったら、その証拠を見せて下さい。僕と貞子さんの目の前で！」

「……？」訝《いぶか》って見上げる俊作へ、

「洋子さんに接吻してやるのですよ！」

丈助は荘重《そうちょう》な口調できびしく言った。

俊作は静かに立ち上った。両手を屍体の背中に廻してそっと抱き締め、その冷たい死の唇に、俊作はそっと我が唇を重ねた。


急報に依《よ》って、警察署からは取りあえず二人の私服が駈けつけて来たが、宗像警部が警察医を伴ってやって来たのは、午前七時を過ぎる頃だ。応接室に通り貞子から簡単に前後の事情を聴取した後、警部はすぐに現場を検視した。河内洋子が冷たく吊《つ》り下っている第四の死の部屋。その屍体を一瞥した宗像警部は、丈助に向って言った。

「これで四人目だが、今度のは始めての首吊りだ。どうやらこれは正真正銘の自殺らしいじゃないか？　君はどう思っている？」

「無論、私もそう思っています。遺書はないようですが、自殺の理由は明瞭に判《わか》っているのですから疑いの余地はありませんよ」

丈助はそれから、信義と洋子の関係、洋子の妊娠事実、それに対する俊作の冷酷極まる言動などについて簡単に話してきかせた。聞き終った警部は沈痛な調子で、

「ふうむ！　やっぱり信義と肉体関係があったのだな。僕の睨んでいた通りだ。すると夫の俊作につれなくされ、前途の希望を見失っての悲観自殺という訳だね？」

「私はそう思っています。貞子さんはそれを予測して、二階の自室に一緒に寝《やす》ませたんですが、夜

中にそっと起き出してこの部屋に戻り、急いで自殺を遂げたのでしょう。というのは、鍵が外側の鍵穴に差し込んだままになっていたからです。中にはいるとすぐに、あの二つの錠を嵌《は》めて……」

「その錠は確かに嵌まっていただろうね？」

「ええ、確かに！　私がそれを外したのですから、間違いはありません」

「誰が君を別館へ呼びに来たのだ？」

「貞子さんです」と丈助は面映《おもは》ゆげに言った。その時の不思議な気持ちを思い出して、俺はやはり貞子を愛していたのだなと、今更のように強くそれを意識したからである。

「これで邪魔者が片づいた訳だな。俊作と貞子さんは晴れて一緒になれるじゃないか！」警部は皮肉たっぷりに言って、その瞳をキラリと光らせた。彼の疑惑が、その二人に向けられるのは当然の事だった。が、洋子の屍体を見た時の貞子の悲痛な態度素振りや、俊作に対する憤怒や、それに対する俊作の打ちしおれた様子などを、丈助がつぶさに話してきかせると、宗像警部は一応その疑惑を晴らしたようだった。

「俊作は本当にこの屍体の唇に接吻したのかね？」と、警部は眉をひそめた。

「ええ。三十秒位唇を合せていました。私は貞子さんから事情をきいた時、少々義憤を感じてそう言ったのですが、俊作さんは少しの躊躇《ためら》いもなくそれを行《や》ったのです」

「善か悪かを確かめるためにそう言ったのだろう？　他殺か自殺かを確かめるために」

「そういう意図も少しはありました」

洋子の死亡時刻は、十二時から一時に至る一時間の間と推定され、死因は頸部《けいぶ》の絞圧に依《よ》る窒息と判定された。他に外傷は認められず、頸部の索溝《さくこう》も極めて自然的の痕跡を残していると検証され、他殺の疑いは皆無という事になり、形式的の検屍を済ませた警部は、現場を後にして応接室へ戻った。それから、俊作と貞子と鮎子を呼んで訊問というよりも、むしろ座談的の調子で、二三の不審を糺《ただ》した。

「貞子さん、貴女があの部屋へ行った時、鍵は扉の外側に差し込んであったという事ですが、鍵が掛ってはいなかったですか」

「ええ、鍵穴に挿し込んであっただけです」

「その時の時刻を覚えていますか？」

「三時半です。ふと目が覚めてみると洋子が居ないので、それからすぐに階下《した》へ降りて来たのです……」

「俊作さんはその頃起きていましたか？」

「いえ、僕は睡っていました。貞子さんが洋子の部屋を叩く音に目覚めたのです」

「すると、十二時から一時の間に、洋子さんがあの部屋へ戻って来たのを知ってはおられなかったんですね？」

「僕は十一時過ぎに睡ったので少しも知りませんでした。貞子さんの部屋へ行っていたというのも、貞子さんにきいて始めて知ったのです。あの部屋に寝ているのだとばかり思っていました」

「あ、そう。で、貞子さん、貴女は何時頃に睡りましたか？」

「十二時を打つのを聞いたように思いますから……それから間《ま》もなくでしょう」

「洋子さんは、すると、貴女が寝入るのを待って、そっと寝台《ベッド》から抜け出した訳ですね。絶命時刻は十二時から一時の間と推定されているのですから……」

「でも、私が御不浄から戻った時には、洋子は良く睡っていましたわ。寝言を言ってたくらいですから……」

「どんな寝言を言っていました？」

「貴方《あなた》の子だわ、って……。それから、私は死んでしまう、とも言っていました」

言いながら、貞子は片掌《かたて》で眼を抑えた。

「……死んでしまうとねえ……」

警部は沈痛な調子で呟いて、じっと貞子の様子を瞶《みつ》めていたが、やがて急に調子を変えて「貴女の部屋には鍵はかけてなかったのですか？」と、鋭く訊いた。

「いいえ、掛けてありましたけど……」

「その鍵はどこに置いてあったのです？」

「鍵穴に差し込んでありました」

「何故そうしておいたのです？　その鍵をどこかへ隠しておけば、洋子さんは部屋から出る事が出来ず、こんな事にならなくて済んだでしょうに……」

「私もそれを後悔していますの。でも、あの時はそんな事に気附かず、いつものように鍵穴に差し込んだままにしておいたのです」

「すると、故意にそうしておいたという訳ではないんですね」

「故意？　いいえ！」と、貞子は顔色を変えて「私は、俊作さんと違って、洋子の自殺を希《のぞ》んではいませんでした！」

「あ、そうですか。いや、そうでしょうとも！　ところで、鍵の事について何かお気附きの事はありませんか？　僕は、あの部屋に、外側の鍵穴に鍵が差し込んであったという事がどうも納得出来ないのです」

「洋子は、自分の部屋に鍵をかけて、その鍵は私の部屋へ来た時持っていました。床の上に落ちているのを、私が気附いて拾い上げ、机の上に置いたのです……」

「どうして床の上に落ちていたのですか」

「取り乱していたので、落した事に気附かなかったのでしょう」

「あ、そう。すると洋子さんは、そっと起き出るとすぐにその鍵を取って貴女の部屋を出たのですね。それから階下へ降りてその鍵で自室の扉をあけ、中にはいって錠を嵌《は》め、自殺を遂げるまで貴女や俊作さんが気附いてやって来てもはいれないようにしたのでしょうが、何故、鍵を持ってはいって中から鍵をかけなかったのだろうか？　貴女はこの点をどう解釈しますか？」

「私にもそれが良く分りませんの」

「死を急いでいたので、そんな事をする余裕《ゆとり》がなかったのでしょうよ」と丈助が言った。

「しかし君、これは平生《へいぜい》の習慣なのだから、余裕《ゆとり》の有る無しの問題じゃないよ。無意識にそうするのが本当だと僕は思うけど」

「寝巻に着替えてすぐに私の部屋へ戻るつもりではなかったんでしょうか？　でも、そうしないうちに、急に死ぬ気になって、差込錠を嵌め、あの腰紐で……」

「なるほど、そう思えない事もないですね。しかし貴女の部屋を出る時に、既に死の決意を固めていたとみる方が適切でしょう？　貴女が寝入るとすぐに起き出したんですからね。寝言にさえ言ってたというんですから」

「私が睡る前には、洋子は熟睡している様子でしたわ。御不浄にでも行きたくなって目覚めたんだろうと私は思いますの」

「そう思われるについては、何か？」

「机の上に置いてあった洋子の部屋の鍵が無くなっていて、その代りに私の部屋の鍵が置いてあったからです。だから、洋子は御不浄にでも行って、それから一応私の部屋へ戻り、自分の部屋の鍵と交換して……」

「交換とは何の意味です」と警部は訝《いぶか》る。

「洋子は鍵穴に差し込んであった鍵を廻して扉をあけ、その鍵を抜いて外に出て扉を閉め、外から鍵をかけておいてその鍵を持って私の部屋を去ったのです。そんな面倒臭い事をするのは洋子の日頃からの習慣《ならわし》なのです。ちょっと御不浄へ行くにも必ず鍵をかけて、その鍵を持って行くのです。私なんか扉を開け放したままで行く事さえありますけど、洋子はその点とても几帳面で、むしろ神経質と言いたいほどだったのです」

「で、それからどうしたと思われます？」

「御不浄から私の部屋へ戻ってくる間に自殺を決意し、あるいは寝巻に着替えようと思って、持っていた鍵で私の部屋の扉をあけ、その鍵と机の上に置いてあった自分の部屋の鍵と交換し、そっと私の部屋を出て自分の部屋に行ったのではないかと……。でなければ鍵穴に差し込んであった鍵が、机の上に置かれていた事に対する適当な解釈がつきませんもの。洋子は平生《へいぜい》から鍵穴に鍵を差し込んだままにしておくような事は決してしませんでしたから、私も洋子の部屋の外側の鍵穴に鍵が差し込んであったという事を訝《いぶか》しく思っていますの」

「寝巻に着替えるためにちょっとはいったのではないんですからね。それだったら貴女の部屋にも外から鍵を掛けておいて、その鍵を持って降りるはずですからね。そうしなかったところを見ると、やはり貴女の部屋を出る時から自殺の決意を固めていたのでしょう。だから貴女の部屋の鍵は机の上に置いといたんですよ。その鍵を持って出ると、貴女を閉じこめる事になりますからね」

「屍体は別に脱糞も脱尿もしていないようですから、死ぬる前に便所へ行ったというのは多分事実でしょうよ」と丈助が口を挟んで「だから、貞子さんの言う通り便所から一応貞子さんの部屋へ戻り、自分の部屋の鍵と交換してからあの部屋へ行ったのでしょう。その時はもう死の決意を固めていたので、鍵は外側の鍵穴に差し込んだままにして、錠だけを嵌《は》めておいて縊首《いしゅ》したのですよ。死ぬんだから鍵の事などどうでもよかったのです。第一その必要がありませんからね」

「そうだろうか？」警部は疑わしげに言って「俊作さん、貴方はどう思いますか？」

「僕も野上さんと同じ解釈をしています。錠を嵌めさえすれば誰もはいる事は出来ず自殺を阻止される心配は無かったのですからね、鍵は扉を開けた時のままにしておいたのでしょうよ」

「自殺を阻止するものは誰も居ませんよ」

と、警部は皮肉たっぷりに言って、

「貴方も、それから貞子さんも、洋子さんの自殺をむしろ希《のぞ》んでいられたのでしょうからね、知ってても放っておかれたかも……」

「僕は知らなかったのです！」

「洋子は、私の妹ですわ！」

俊作も、貞子も、顔色を変えて警部を睨んだ。警部は俊作の面を睨み返して「貞子さんはともかくとして、貴方は洋子さんの自殺を希《のぞ》んでおられた！　だからこそ、もしかすると早まった事をするかも知れない洋子さんを放《ほ》ったらかしにして熟睡していられたのです！　貴方は、隣室で椅子の倒れる音がしたのを気附かなかったのですか？」

「椅子が倒れる音って？」

「洋子さんは椅子の上にあがって首に腰紐を巻き、その椅子を蹴り倒して縊首を遂げたのです。その音が隣室の貴方に聞えないはずはないと思うんだけど？」

「僕は、よく睡っていたので少しも知りませんでした。貞子さんが扉を叩く音に、始めて目が覚めたような次第です」

「洋子さんが貞子さんの部屋に行ってる事を貴方は本当に知らなかったのですか？」

「ええ。僕は、自分の部屋で寝ている事とばかり思っていました。ですから、起き出てみた時、扉の外側に鍵が差し込んであるのを変に思った位です」

「あ、そう。で、貴方が最後に洋子さんを見られたのは何時でした？」

「七時半頃だったと思いますけど……」

「最後に交された話は？」

俊作は俯向《うつむ》いて黙っていた。

「洋子さんは、何と言いました？」

「……僕の子だと言いました……」

「それに対して貴方は何と言われました」

「僕は、つい、心にもないことを……」

「何と言って?」警部は鋭く追求する。

「亡兄《あに》の子だ、それに決っている……僕はそう言ったのです。洋子は、すると黙って部屋から出て行きました」そう言う俊作の声は微かに震え、床に伏せた眼からポロリと泪が一滴、二滴、したたり落ちた。

「貴方のその冷酷な言葉が洋子さんを死に至らせたのです！　そうでしょう?」

「ええ、僕は、後悔しています」

俊作は項垂《うなだ》れたままで低く呟いた。

「僕は最初貴方を疑っていたのですが、貴方が洋子さんの冷たい唇に、心からの接吻を捧げたという事をきいて、その疑いを晴したのです」警部はそう言って、暗然とした面持《おもも》ちで俊作の横顔を瞶《みつ》めていたが、やがて立ち上って壁際に歩みより、意味もなく壁画の額を見上げた。

「実際、可哀想な事をしたものだ……洋子さんはお腹の子を生《うみ》たかっただろうに」

と、呟く警部の声も異様に顫えていた。

W

洋子の死を契機として、貞子の俊作に対する愛情は急激に低下していった。妊娠した妻に対して、不義の子だと難癖をつけて憤死させた冷酷な夫俊作に、貞子はむしろ憎悪さえ感ずるのである。その俊作も、さすがに良心の呵責に堪《た》えかねて、来る日来る夜を憂愁と懊悩の裡《うち》に煩《わずら》い悶えていた。が貞子に対する思慕と愛着の想いは、愈々《いよいよ》その熾烈の度を増し加えてくるのだ。貞子に冷たくされればされるほど、より一層に彼は彼女に執着した。

「僕はもう、貴女なしでは一日も生きている希《のぞ》みはない。お願いですから僕と結婚して下さい。そして今まで通り僕を愛して下さい」日毎夜毎に貞子の居室を訪れて哀訴嘆願するのであったが、それに対する貞子の返事は冷たい「否《ノー》」に終始していた。

「いいえ、不可《いけ》ません！　貴方と結婚するなんて、とんでもない事です。私は今ではむしろ貴方を憎んでいます。洋子を死なせた冷酷な人！　その憎い人と何《ど》うして結婚できましょう！　ハッキリとお断りしますわ」

「洋子には大変済まなく思っていますが。しかし貴女に対する僕の愛情が強く深いがためにこういう結果になったのですから、そんな冷淡な事を言わないで、僕と結婚して下さい。でなければ、僕はもう生きて行く希望《のぞみ》がなくなります」

「でしたら、貴方も洋子の後を追ってお死にになったらいかが？　信義さんが正子さんを追慕して自殺なさったと同じように……」

「貴女は、僕に死ねと仰言《おっしゃ》るのですか」

「そうなさったら、洋子も嘸《さぞ》かし喜ぶ事でしょう。死ぬほどなら貴方を殺してから死ぬと言ってた位ですから、そうしなかった事を洋子はきっと心残りに思っていますわ！」

「洋子は、貴女のために僕を殺さずにおいたのです。僕はそう思っていますけど」

「洋子は、仮令《たとえ》死んでも貴方を私の所有《もの》にはさせない、と言っていましたわ」

「何と言っても貴女は洋子の姉さんですから、心からそう思ってはいないでしょう」

「としても、今の私は貴方を愛していないのですから幾ら仰言《おっしゃ》っても駄目ですわ」

「貴女は、すると、僕を弄んでいたんですか？　真摯《まじめ》な気持ではなかったのですね？」

「私はその点をハッキリ申上げていますわ……洋子の幸福を奪う事は出来ないから、洋子の次に私を愛していただくのでなければ不可《いけ》ないと。そういう条件つきで、私は貴方の愛情をお受けしたはずですわ」

「あの時はそういうお約束でしたが、しかしそれからのち貴女は自ら進んで僕に肉体《からだ》を許されたじゃありませんか？　それだけは洋子に求めてくれと言っておきながら、貴女は積極的に僕の上に軀を投げかけて。僕はそれを結婚の申込みに対する無言の肯定、いや承諾と解釈して夢中になったのです」

「私だって女ですから、たまには理性を失って情感に溺れる事もありますわ。決して貴方が嫌いではなかったんですから、その貴方に女の肉体《からだ》の大切な所に触られたりすれば私だって堪《たま》らなくなるんですもの」

「じゃ、あれは遊戯だったと仰言るんですか？　恋の火遊びに過ぎなかったと……」

「貴方には女の気持ちがお分りにならないんですわ。……妻が気持ちだって……」

「貴女だって男の気持ちが分らんのです。男は女と違って、一人の異性にしか愛情をそそぐ事は出来ないのです。愛情の泉には自《おの》ら《ずか》際限があるんですから、同時に二人の女性を満足させる事は出来ません。これは精神の問題ではなくて肉体の生理現象ですが、結局は精神につながるのです。精神は肉体を離れて存在し得ないのですからね」

「だからそれだけは洋子にお求めになって下さいと申上げていたんですのに、貴方は私の女心を唆《そそ》り立てるような事をなさって……」

「僕が貴女を誘惑したと仰言《おっしゃ》るんですか」

「私が不可《いけ》ないと言うのに、貴方は私の乳房に触って、私を堪《たま》らなくさせ……。私だって女ですから、そうされては理性も分別も忘れてしまいますもの」

「……今でも?」と、熱っぽい声で囁いて俊作はいきなり貞子の軀を強く抱きすくめその懐に手を入れて、柔らかく豊かな乳房を指先でしきりに弄んだ。貞子は擽《くすぐ》ったそうに身をくねらせながら、されるがままに任せている。「今の私は貴方を憎んでいるのですから、そうされても何ともありません」

「貞子さん！　僕はもう堪《たま》らないのです。お願いですから僕を愛して下さい！」

「憎んでいる人を愛する事は出来ません」

「そんな事を言わないで……ね?」

「不可《いけ》ません！　もう止《よ》して下さい！」

が、俊作は止めない。がむしゃらに着物の襟をかき分けて嚙みつくように乳房を吸う。

「私は、何ともありません！」

口先では冷たく言いながら、貞子は息を弾ませ、身をくねらせて慾情に喘いだ。

「貞子さん！　僕を抱いて接吻して下さい」

「いやですわ！　私は何ともありません！　ああ……もう止《よ》して下さい！」上ずった声で叫ぶように言い、貞子は俊作を突き放して椅子から立ち上り、ホーッと大きな溜息を吐《つ》いて着物の襟を繕う。

それから扉をあけて、

「もう、お帰りになって下さい！」

俊作は悄然として部屋を出て行く。それを見送った貞子は寝台《ベット》に身を投げて悶え狂うのである。心では俊作を憎悪していながら肉体はそれと全く裏腹に、彼の肉体を喘ぎ求めてずきずきと疼き脈打っているのだ。

私はやっぱり俊作さんを愛しているのかしら……と、そんな時の彼女は、いつもそう思い疑って悩み煩うのを常としていた。

ある日のこと、丈助が貞子の部屋へ訪れて来て懐しげに室内の様子を眺め廻した後

「君は俊作さんをどう思っているの?」

と、真面目な調子で話を切り出した。

「私はあの人を憎んでいますわ」

貞子は、別れてからこの方、始めて一人でやって来た丈助の面《おもて》を、眩しげに瞶《みつ》めながら、低い声でそう答えた。

「何故憎んでいる? 以前には愛していたんでしょうが?」と丈助は妙な顔をした。

「だって、あの人は洋子を死なせたんですもの。私は、あの人よりも洋子を愛していたのですから、そんな事をされては、今まで通りの気持ちでいる事は出来ませんわ」

「しかし、その原因は君自身にあるんじゃないですか? 俊作さんの愛情を受け容れて、君が俊作さんを可愛がってやったためにこういう結果になったのだから、俊作さんばかり責めるのはよくないと僕は思うんだが」

「貴方が鮎子さんの愛情を受け容れて、その淋しさを慰めておあげになった事が原因して、私にそ

うさせたのですわ」

と、貞子は微笑を湛《たた》えて丈助を睨んだ。

「どっちが先だか分るものかね」

丈助も苦笑を泛べて貞子を睨み返した。

「いいえ、貴方の方が先よ。私にはちゃんと分っていましたの。それで、貴方がそんなんだったら私も……と思ったのですわ」

「すると、僕が悲劇の素因《もと》を作ったと言うんですね？」と丈助は急に真摯《まじめ》な顔になって言った。すると貞子も微笑をおさめて、

「悲劇の素因《もと》を作ったのは秀夫さんですわ。秀夫さんが正子の貞操を暴力で蹂躙した事が発端となってこの悲劇となったんです」

「え！　秀夫さんは暴力で正子さんを？」

丈助としては初耳だったので、彼は驚くのも無理からぬ事だったのである。

「そうですの。正子は、私にだけはその事を打ち明けて話しました。もっとも、信義さんはそれに感づいたようですけど……」

「ふうむ！　そうだったのか！　あのお人好しの秀夫さんが暴力をふるったとは意外だ」

「お酒《アルコール》の所為《せい》だったのよ。その時、秀夫さんは大分酔っ払っていたという事ですから酒の力で正子を犯したのです」

「信義さんはそれを知っていたのかしら」

「正子の顔色を見て直感したらしいの」

「すると、そのために正子さんを離別しようとしたんだろうか？」

「それを口実にして正子と別れ、洋子と結婚しようと思っていたんでしょう。正子はそういう過ちを犯しているので、その話に反対する事も出来ず、信義さんの冷酷な心を恨みながら死んで行ったのです」

「ところが、洋子さんは心から俊作さんを愛していたので、信義さんの愛情を受け容れなかったという訳だね。そこで信義さんは直接行動に移り、浴室の暗闇で洋子さんを犯した。それに依《よ》って洋子さんの気持ちを惹きつける事が出来ると思っていたんだろうがそのために洋子さんは却って信義さんを憎悪するようになったので、信義さんはその洋子さんに対する失恋の苦悩と、死んだ正子さんに対する追慕の情に堪《た》えられず……」

「自業自得と言うものですわ！」

と、貞子は激しく言ってのけた。

「しかし、正子さんにも落度はあった訳でしょう？　仮令《たとえ》暴力に屈したためだとは言え、夫の兄に肉体を許したのだから……」

「許したのじゃないわ！　奪われたのよ！」

と、貞子は強く言って「信義さんが正子を、鮎子さんが外出して一人きりだった秀夫さんの所へ行かせたためにそうなったのですから、決して正子の落度ではないわ。私はむしろ、信義さんが故意にそうなるように仕向けたんじゃないかと疑っていましたの。もしかすると八百長だったのかも知れませんわ。そんな事があってから後も、信義さんは別に秀夫さんを憎んでいるようには見えませんでしたからね」

「それは、君の邪推でしょう?」と、丈助はおだやかな調子でたしなめた。

「いいえ、邪推とばかりは言えません。信義さんが洋子の貞操を奪った時も、俊作さんと示し合せて行《や》った事だと思える節があったのですから……」

「ふうむ!　なるほどねえ……」

「その頃まではものを言わなかった洋子に、一緒にお湯へはいろうと言って先に行かせたのですから。洋子は一緒に行こうと言ったのですけど、俊作さんは先に行っておいでと目に角《かど》を立てて言ったそうですわ」

「そんな事があったのかね!」

と、丈助はおどろいて目を瞠《みは》った。

「洋子は俊作さんの入って来るのを待ち佗びていたのです。そうした時電燈が消えてすぐに信義さんが入って行ったのです。洋子はそれを停電と思い、入って来たのを夫だとばかり思って、自ら軀を投げかけて行ったのです。相手を良く確めてみなかったのが洋子の落度と言えば落度ですけど、その時の洋子は俊作さんの愛情に餓え涸《かわ》いていたので、夢中になってしがみついて行ったのですから、そんな心の余裕《ゆとり》はなかった訳です。無理もないと私は思いますの」

言い終って貞子は、熱っぽいまなざしを以前の夫である丈助の面《おもて》に強くそそいだ。

「そんなものかなあ、夫と義兄《あに》を間違えるほど夢中になるものかしら?」

と言って、丈助は眩しげに眼を伏せた。

「だから、私は俊作さんを愛する事が出来ませんの。兄と示し合せて妻を兄の所有《もの》にしようと企むなんて、悪辣ですわ!」

「しかし、それも俊作さんが強く君を愛しているためにそんな事をしたのだろうから、その愛情の深さに免じて、俊作さんを許し、結婚してやってはどうです？」

「いいえ！　洋子を憤死させた冷酷な男《ひと》！　私はむしろ俊作さんを憎悪しているのです」

「洋子さんは、君と俊作さんの幸福を願って死んでいったのかも知れない。憤死、と君は言うが、それだったら俊作さんを殺してから死ぬだろうじゃないか？」

「洋子は、死んでも俊作さんを私のものにはさせないと言っていましたわ」

「君に面《めん》と向ってそう言ったの？」

「ええ。だから私が俊作さんと一緒になる事は、洋子の遺志に反する事になります」

「しかしそれは心底からそう思って言った事じゃあるまい。カッとした時にはそんな事を言うかも知れないが、何と言っても君は洋子さんの姉さんなのだから、むしろ、君と俊作さんが結婚する事を、草葉のかげで願っているだろう」

「としても、今の私は俊作さんを愛する事が出来ないんですもの。幾らお勧《すす》めになっても駄目ですわ。私は、これからずうッと一人で暮そうと思っていますの」打ち沈んだ調子で低く呟くようにそう言い、貞子は、縋《すが》りつくようなまなざしで丈助を見た。

「それじゃ、俊作さんが可哀想だ」丈助も熱っぽい眼つきで貞子を瞶《みつ》めながら言った。

「洋子さんに死別し、君ともまた生別しては俊作さんの生きる瀬がなくなる……」

「そうなったのも自業自得ですわ。生きる瀬が無ければ、死んでしまえばいいのです」

「君は、俊作さんの死を希《のぞ》んでいるの？」

と、丈助は声をふるわせて言った。

「そうすれば、洋子だってきっと喜ぶでしょうよ。死ぬほどなら俊作さんを殺してから死ぬと言っていた位ですから……」

「君はそれほどまでに俊作さんを憎んでいるの？」と、丈助は貞子の瞳を覗き込んだ。

「洋子の恨みを忘れる事は出来ません」

「それは意地と言うものだよ。君がいくら片意地を張っても、死んだ洋子さんが生き返って来る訳じゃないんだから、今までの事は綺麗さっぱりと水に流して、俊作さんと結婚し、新しい生活に入った方が君のためと僕は思うんだがね……」

「貴方は何故そんなに私の事に干渉なさいますの？　貴方にとって、私はもう赤の他人のはずでしょう？」

「僕は、君の事が気に掛ってならないのだ。なるほど君と別れて鮎子と結婚した以上、君は他人かも知れないが、僕はそう思う事が出来ない、いや、そう思いたくないんだ」

「何故？」と言って、貞子は瞳を伏せた。

「こんな事を言うと君は嗤うかも知れないが、僕はこの頃、君を愛していた事をつくづくと思い知らされるようになって来た」

「今になってそんな事を仰言《おっしゃ》って……」

貞子は瞳をあげて丈助を瞶《みつ》め、切なげに溜息を洩し「私、困ってしまいますわ」

「君は、僕を恨んでいるだろうね？」

「いいえ、そんな事ありませんわ！」

「本当に？」と丈助は貞子の掌《て》を握る。

「ええ」と低く答えて、貞子は喘いだ。

「何とも思ってはいない？」

「私だって……私だって、貴方を深く愛していた事を知りましたの……何故貴方を離してしまったのだろうかと……」

「貞子！」丈助は呻くように言って、いきなり彼女の軀をぐっと抱き締め、唇を寄せた。

「不可《いけ》ないわ！　そんな事をして……」言いかけた彼女の唇は丈助のそれでぴったりと塞がれた。

その力強い抱擁の中で、貞子は喘ぎながら身を悶えた。

「貞子！　君は淋しいのだろう？」

「いいえ、私、淋しくなんかないわ！」

「僕は、君の淋しさを慰めてあげたい！」

「いけないわ！　いけないわ！」言いながら、貞子は、彼の頸に絡みつけた手を益々《ますます》強く締めつけて行く。丈助は彼女の嫋《なよ》やかな軀を軽く抱き上げて寝台《ベット》へ運んで行くと、どさりと乱暴に投げ出して、折り重なって倒れ、はだけた胸に接吻した。

「……鮎子さんに悪いわ」

「僕は、鮎子に満足できないんだ」

「まあ、何故ですの？」

「何故か、それは君が良く知ってるはず」

「こんなおばあさんの、どこにそんな？」

「いや、君は若い、そして美しい。俊作さんが熱を上げるのも最もな事だよ」

「貴方はまた私がお好きになったの？」

「うん。好きになった。君はどう？」

「私、貴方が嫌いだわ！　大嫌い！」

「じゃ、仕方がない、僕は帰る……」

彼が身を起そうとするのを抑えつけて、

「いやよ！　意地悪……しっかりと抱いてよ」

と、貞子は鼻声で甘えた。

「やっぱり、君は淋しいんだね」丈助はニッと微笑《わら》って彼女を抱き締め、心行くまで彼女の淋しさを慰めてやった。……やがて、彼の腕の中にぐったりと軀を伸した貞子の耳に口を寄せて、丈助は低く囁いた。

「君はやはり淋しいのだ。口ではそんな事を言っても、内心では俊作さんを求めているんだ。それに自分でも気附いていないのだ。ね、だから俊作さんと結婚しなさい。僕は……ね、だからそうした方がいい。分ってくれるだろう？　僕の気持ちを……」

貞子は、すると、こくりと点頭《うなず》いて、

「そうするわ。鮎子さんの手から貴方を奪い返すような事になってはいけないから」

微笑《わら》いながら私語《ささや》き返すのであった。

俊作はいつも自室に引き籠って鬱《ふさ》いでばかりいた。貞子に対する求婚も、幾ら執拗《しつこ》く言い寄っても一向に受け容れてもらえない事を知ると、不承不承ながら諦めてしまったらしく、二人きりで顔を合せた時でも何にも言わないですぐに自室へ引き取って行った。食堂へも滅多に顔を出さない。洋子が死んでから新しく傭《やと》った通いの女中に命じて、大抵自室に運ばせた。そういうふうだから、貞子は俊作の顔を全然見ない日を過す事さえあった。さすがにこれは寂しく物足りない事だったが、自然、そのために創作に没頭する結果となって、その間、彼女の小説は大いに進んでいた。完成してからお目に掛けると言った事を思い出して、これを俊作さんに読んでもらうようになるのも、もはや数日の後の事だろうと彼女は考えるのだった。

この河内家の人達をモデルにした〝四つの死の部屋〟は、今はもう解決の緒《ちょ》についているのだ。その解決篇を如何に書いたらいいかと、彼女は苦慮していた。その晩も机に向って頭をひねっていると、女中がやって来て、お湯が空いた事を告げた。彼女はペンを置いて立ち上り、階下《した》へ降りて浴室の方へ行きかけたが、不図《ふと》思いついて俊作の部屋をノックした。俊作はもう寝ていたらしく、パジャマのままで扉をあけ、

「何か御用ですか」と訝《いぶか》しげな顔をした。

「お風呂はもうお済みになったの？」

「僕は入りませんから、どうぞ」俊作はぶっきら棒に言った。貞子は面映《おもは》ゆげに微笑《ほほえ》みながら「一緒にお入りになりません？」と低く言って俯向《うつむ》いた。瞬間、俊作は呆《あ》っ気《け》にとられたような顔をしたが、次の瞬間にはその面《おもて》を喜悦に輝かせて、

「本気でそう仰言《おっしゃ》るのですか？」

と、息をはずませて喘ぎながら言った。

貞子は頷いて「私、先に入っていますから早くおいでになって……」と言い、ちらッと流し目に

彼の方を見てから、急いで浴室の方へ歩いて行った。湯槽《ゆぶね》に軀を沈めてうっとりと目を細めていると、間もなく俊作がやって来た。中にはいって掛金をかけ照れ臭そうにおずおずと湯槽に歩み寄った。

「電燈を消しておいでになればよかったのに……私、何だか恥ずかしいわ」

貞子はタオルで胸を掩《おお》って婉然《えんぜん》たる微笑を彼の方に投げた。俊作は赧くなって、

「じゃ、消してきましょうか？」

「いいえ、もういいわ」と貞子は甘ったるい声で言って「早くおはいりなさいよ」

俊作は遠慮がちに彼女の傍に軀を沈めて

「僕は、何だか夢のような気がします。貴女の美しい肉体《からだ》をこうして間近に見る事ができようとは全く思ってもみませんでした」と、うっとりしたまなざしで彼女の白く肌理《きめ》の細かい肩や胸の辺りにじっと見惚れた。

「夢ではありませんのよ。私はこうして貴方の傍にいるんですもの」

と言って、貞子はタオルを湯に浸して弄んだ。俊作は少時《しばらく》の間、彼女のふくよかな双の乳房に熱っぽい視線をそそいでいたが、やがて堪《たま》りかねたように彼女の掌《て》を握り、ぐっと自分の方に引き寄せた。

「貞子さん！　僕はもう我慢ができない！」

「……私も」と彼女は低く言って彼の胸の中に軀を投げかけ、その顔を仰向けて軽く眼を瞑《つむ》った。

彼は彼女の軀を抱きしめて、

「ね、僕と結婚して下さい」と囁いた。

「ええ、でも、その前にお訊きしたい事がありますの」と、貞子は声をふるわせた。

「どんなことです？」

「貴方は今度の事件《こと》をどう思っていらっしゃる？」と貞子は俊作の瞳を覗き込む。

「今度の事って……洋子の事ですか？」

「そうですわ。洋子は何故自殺したと思っていらっしゃる？　私、それを確めたいの」

「僕が亡兄《あに》の子だと言った事を苦にして」

「それはもう分っていますわ。洋子は私達の事をどう思っていたのかしら？」

「僕が貴女と深い関係をもつようになった事を洋子はさして気にしてはいなかったようです。ただ、そのために僕が洋子と別れる事を苦にしていたのです。だから、ああして死んだ以上、僕達の結婚を希《のぞ》んでいるだろうと、僕は思っているのです」

「洋子は、本当にそう思っているかしら？　私が貴方と結婚しても恨みはしないかしら？　私、それが心配なのよ」

「そんな事は決してないでしょう」

「だったら、私、安心して貴方の妻に……」

言いかけた彼女の唇を、彼の唇がしっかりと塞いだ。その動揺で小さく波立った湯がしずまるまで、二人は犇《ひし》と抱き合って唇を合せていた。恍惚の一時《ひととき》が過ぎると、

「結婚したらすぐに入籍していただけます？」

と、貞子がたずねた。

「無論です。明日にでも」俊作は強く言って「今夜からでも僕の妻になってくれる」

「ええ。……でも私、何だか心細いの」

「何故、そんな事を言うの？」

「洋子の後を追ってお死《しに》になるような事でもあると、私、困るわ」

「貴女を置いて、何で死ねましょう！」

「いつまでも私を可愛がってくださる？」

「勿論です。貴女だって、いつまでも僕を愛してくれますか？」

「貴方のお心次第よ。貴方が私を愛してくださりさえすれば、私だっていつまででも、貴方を愛し続けて行きますわ」

「貞子さん！　僕は嬉しい！　幸福です！」

「私だって……貴方と同じ気持ちだわ」

彼の腕の中で身悶えをしながら、彼女は喘ぐように言って唇を求めた。その夜、貞子は俊作と寝台《ベット》を共にし、お互いにいつまでも変らない事を誓い合った。翌日から、女中は貞子を奥様と呼んだ。俊作がそう命じたのだ。丈助も鮎子も二人の結婚を祝福し、新郎新婦のために、女中と一緒になって豪華な祝宴の御馳走の準備に忙《せわ》しく立ち働いた。親戚知己への披露はいずれ日を改めてする事にし、その晩、俊作、貞子、丈助、鮎子の四人は和気藹々として娯《たの》しい晩餐を共にし歓談は長く尽きなかった。

X

貞子が俊作と結婚し、この河内家の本館の主婦となってから十日ばかり経ったある日の事、二人して洋子の所持品《もちもの》を整理している裡《うち》に、ふと奇妙な物を発見した。というのは、洋子が生前使っていた机の抽斗《ひきだし》の奥の方から桃色《ピンク》の手巾《ハンカチ》に包《くる》んだ三本の針が出てきたのだ。それを見つけた貞子が「これ、何でしょう？」と、訝《いぶか》しげに眉をひそめて、俊作に示した。

三本の針といっても、三本とも同じ針ではなく、二本はミシン針で今一本は五寸ばかりの編物綴じつけ用の鉄針だ。それだけなら別に奇妙な物と言うべきものではなかったが、その三本の針が丈夫な絹糸でつないであるのだ。二本のミシン針は約二尺の絹糸で、穴にその絹糸を通して連結され、その絹糸の中程から更に約一尺の別の絹糸が岐《わか》れてその端《はし》に編物用の鉄針がついている。

「何のためにこんな事をしたのだろう？」

俊作も訝《いぶか》しげな面持《おもも》ちになって、その三本の針を手にとって頻《しき》りにひねくり廻したが、その中《うち》にギョッとしたふうに貞子を瞶《みつ》めて「洋子がこれを使ったとすれば、兄の死は自殺ではない事になる……」と呟いた。

「兄さんって……信義さんのこと？」貞子は反射的にドキッとしながら言った。

「そうだよ。……あの時は、差込錠は二つとも嵌《は》まっていたけど、鍵は掛けてなく、その鍵は机の上に置いてあっただろう？」

「そうでしたわ。で、それが何か？」

「だから、鍵穴は開いていた……」

俊作は低く呟いて扉《ドア》の方を凝視した。

「洋子が信義さんを殺したとでも仰言《おっしゃ》るの？」貞子は顔色を変えて喘ぎながら言った。

「洋子は亡兄《あに》を憎んでいたのだから、もしかするとそうじゃないかと思うのだよ」

「でも、貴方があの晩の九時頃、書斎をお出になった時には、洋子はこの部屋に居たと仰言《おっしゃ》ったじゃないの？」

「うん、あの時には洋子は確かにこの部屋に居た。が、僕が二階にあがって兄の部屋をノックし、返事がないのを変に思って別館へ知らせに行ってからの事は僕は知らないのだからね。それから君が別館から戻って来てこの部屋の前に立った時には、洋子は寝ていたと言うんだったね？」

「そうよ。その時は九時十分だったわ。貴方が別館へ行かれたのは九時五分ですから四分に裏口を出られたとしても、その間僅か六分しか間《ま》がないわ。それに九時六分にレコードが鳴り始めたのだから、信義さんはその時はまだ生きていたんでしょう？」

「いや、その時は既に死んでいたかも知れない。死んでいたじゃない、殺されていたんだよ。レコードは洋子が掛けたんだろう」

「じゃ、貴方が別館へ行かれるとすぐに洋子は二階にあがって信義さんの部屋へ行ったと仰言《おっしゃ》るの？　信義さんを殺すつもりで」

「こんな物を洋子が持っていたとすればそうとしか思えない。これを何の目的に使ったか、君にはもう分っているだろう？　洋子は、外から錠を嵌《は》めるためにこの二本の針を使ったのに違いないと僕は思う」言いながら俊作はその二本の針の尖端を瞶《みつ》めた。よく見ると二本共尖端《さき》が折ってある。

そして二本共同じ長さになっているのだ。

「実験してみよう」と俊作は立ち上った。

二人は二階にあがってかつては信義の書斎だった第三の死の部屋の扉をあけた。その扉にはあの時糸鋸《いとのこぎり》で挽きあけた丸い穴がまだそのままにぽっかりと口を開けている。

「洋子は、僕が別館へ行くために裏階段から降りて行くのを見すまし、急《す》ぐにこの部屋の前へやって来たのだ。ノックして扉をあけてもらい中にはいった。兄は洋子を愛していたのだから、そんな事とは夢にも思わずすぐに扉をあけて洋子をはいらせたのだろう。洋子ははいるとすぐに、この机の上に置いてあったあのジャック・ナイフに目をつけたのだ。自殺と見せかけるためには兇器は兄の所有品でなければ不可《いけ》なかった。でそのジャック・ナイフを兄に気附かれないようにそっと手に取って懐に隠した……」

そこまで言って、俊作はゴクリと音をさせて生唾をのみ込んだ。

「それからどうしたと仰言るの？」

と、貞子は声をふるわせて訊いた。

「多分、兄は洋子を抱いて接吻し、それから寝台《ベット》へ連れて行ったのだろう。洋子は兄の上に折り重なって寝台《ベット》の上に倒れ、懐に隠していたジャック・ナイフを取り出して甘い接吻に我を忘れている兄の胸を、心臓部を狙ってグサリと突き刺したのだ。だから兄は抵抗する暇《いとま》もなく即座に絶命した。洋子はナイフに附いた自分の指紋を拭ってその代りに兄の指紋をつけ、失意の自殺とみせかけたのだ。そうしておいてから洋子はあの時僕達が聴いたハワイアン・ギターの〝恋人よ我に還れ〟をかけたのだ」

「何のためにレコードをかけたと仰言《おっしゃ》るの」

「それは、兄がその時まだ生きていると思わせるためだよ。それと同時に自分のアリバイを作るためでもあったのだ。事実、僕達はそのレコードを聴いて、兄の身に別状がなかったと思ってホッとしたものだからね」

「でも、それじゃ、信義さんがまだ生きていると思わせる事は出来たとしても、アリバイを作る事には役立たないじゃないの」

「洋子はレコードをかけるとすぐにこの部屋を出て君の部屋へ行くつもりだったのだ。無論一応この部屋から出てそっと階下へ降りて、今度は跫音を立てて上って来た。自分の部屋から直接君の部屋へやって来たと思わせるようにね。事実、洋子はその通りをやって君の部屋をノックしたが、君はその時本館へ行っていて部屋には居なかった。そのために洋子は完全なアリバイを作る事が出来なかったのだ。九時四分から十分までの六分間、本館に居たのは洋子一人だという不測なそして不利な状況に立ち至ってしまった。洋子としてはすぐに別館へ駈けつけて行って、アリバイを作りたかっただろうがその晩、洋子は頭痛のために寝ていた事になっているのだから、そんな事をすると却って不自然に思われるので、それを思いとどまってすぐに自分の部屋へ戻ったのだ。九時十分に君が洋子の部屋へ行った時、洋子は扉をあけてくれなかったんだったね」

「起きなくってもいいと私が言ったのよ」

「洋子にとっては大変好都合だった訳だよ、君がそう言ったとすれば。兄を殺した直後なんだから、君には勿論、誰にも顔を見られたくなかっただろうからね。開けてくれと君が言ったとしても、洋子はそれを拒んだかも知れない。頭痛という仮病を口実にしてね」

「で、洋子はレコードをかけるとすぐに、この部屋を出たと仰言るの？」

「恐らくそうだろうよ」

「でも、私は、別館から戻る時に、この窓に映った影を見たわ。きっと信義さんの影に違いないと思っていたんだけど……」

「僕は影を見なかった。君がそれを見たと言うのは、洋子を庇うための偽証だったのだろうと思うがね。つまり、その時、兄がまだ生きていたと思わせるための……」

「いいえ、偽証じゃないわ！　私、本当にカーテンに映った影を見たんだもの」

「すると、それは洋子の影だったのだ。兄はその時、寝台《ベット》の上で死んでいたのだから窓に影が映るはずがないんだからね」

「洋子が信義さんを殺したのだとすれば、そういうことになりますけど……」

「洋子がこんな物を机の抽斗《ひきだし》に隠していたところを見ると、そうとしか思えないよ」

　俊作は扉の傍に歩み寄って、差込錠のつまみを支え金の窪みから起し、そのつまみとそれを移動させるための溝の最端《はし》との間へミシン針を当がって「丁度合うように尖端《さき》が折ってある。これでつまみを窪みから引き起しても、すぐには動かない訳で、この通り固定されているだろう？」

「発条《バネ》の弾力でミシン針を挟み留めている訳ね。でも、それをどうして……？」

　俊作は無言で、今一本のミシン針を、今度は下部の差込錠のつまみと溝の最端《はし》を間に挟んだ。それからその二本の針をつなぐ絹糸の中程に結びつけてある別の絹糸の端に通してある編物針を鍵穴から扉の外側に出した。そして外に出て扉を閉め、鍵穴から覗いているその編物針をぐっと引っ張った。すると二本のミシン針はつまみと溝の最端《はし》の間から外れて、そのために支えを失った差込棒は相前後して二つとも承け金の穴にガチャリと嵌《は》まった。発条《バネ》仕掛《じか》けだから、当然ひとりでに差込棒は動く訳である。

「洋子は、こうして扉の外側から差込錠を嵌めたのだ。これを行《や》るために鍵は抜いて机の上に置いたのだよ」

「すると、洋子はやっぱり信義さんを殺したのかしら？」

「兄は、洋子に失恋したくらいで自殺するような気の弱い男じゃなかったからね」

「私も、もしかすると洋子が殺したのではないかと、疑ってはいたんだけど……」

「僕もあの時、直感的に洋子を疑ってみた。しかし洋子は僕の妻であると同時に、君の妹でもあるし、それに洋子が兄を殺したという証拠は何も無かったので、事を荒立てるよりも、自殺として穏便に済ませた方がいいと思ってわざと知らぬ顔をしていたのだ」

「じゃ、その三本の針が証拠という訳ね」

「うん、これが立派な証拠だ。扉の外側から内側の差込錠を嵌めるために、こういう道具を拵えたのだ。だから洋子は計画的に兄を殺して、それを自殺とみせかけたのだと言う事が出来る。予めこれを用意しておいて、この部屋へやって来たんだろう」俊作はそう言って、その編物針を鍵穴から引っ張り出した。絹糸で連結されている二本のミシン針も訳なく鍵穴から外に出てきた。

「これで室内には何も証拠が残らない訳だよ。従って兄が差込錠を嵌めたとしか思われず、自殺という事になった訳だよ。実に巧い事を、洋子は考えたものだ」

貞子はしばらくの間、黙ってその三本の針を瞶《みつ》めていたが、やがてニッと微笑《わら》って
「信義さんは洋子よりも、もっと巧い事を考えたのよ」と、俊作の顔をみつめる。

「兄が？」と、俊作は妙な顔をして、

「どんな事を考えたと言うんだね？」

「信義さんは、邪魔者の正子を殺して自殺とみせかけたのだわ。正子は編物針で自分の胸を突き刺すなんて勇気は持っていないはずなのだから、そうとしか思えないもの」

「しかし、あの時は鍵もかけてあったし、差込錠も二つとも嵌めてあったじゃないか」

と、俊作は呆《あ》っ気《け》に取られたような顔をして、まじまじと貞子の面をみつめた。

「差込錠の方は今と同じような事をして外から嵌めたのよ。と言ってもあの時は鍵穴は鍵で密閉されていたのだから、そんな物を使って操作する事はできなかったの」

「じゃ、どうして？　君がいつだったか僕に言ったある方法で施錠したのかね？」

「と思うの。これには別に証拠はないからハッキリそうだと断定する事は出来ないけど、状況的にみてそうとしか思えないの。あのとき、ストーブは赤々と燃えていたでしょう？　とても寒い朝で窓には氷柱《つらら》が垂れ下っていたわ。これだけ言ったら、もうお分りになるでしょう？」

「すると氷柱を適当な長さに折り、つまみと溝の最端《はし》の間に挟んでおいたと言うの？」

「そうですわ。そうしておいて扉をしめておけばストーブの熱気で氷柱はじきに融《と》けてしまい、差込錠は発条《バネ》の弾力で独りでに承け金の穴に嵌まる訳よ。融けて滴った水雫《しずく》は一時間もすれば完全に蒸発してしまうから証拠は消えてなくなる訳ですもの。だから、洋子よりも巧い事を考えたと言うのよ」

「しかし、鍵も内側から掛けてあった。僕がそれを廻したのだから間違いはない！」

「私、貴方のその証言を信じているわ」

「じゃ、どうして鍵を掛けたと思うのだ?」

「行ってみましょう、隣りの部屋へ……」

貞子は先に立って隣室にはいって行く。かつては正子と信義の寝室、第二の死の部屋である。扉には今だに糸鋸《いとのこぎり》で挽きあけた丸い穴がぽっかりと口を開けている。

「あの朝、信義さんは八時半に目覚めたと言ってたけど実際はそれより前、八時頃には目覚めていたに違いないわ。そっと寝台《ベット》から離れて、あの机の上に置いてあった編物針をとって睡っている正子の胸を、心臓部を狙ってグサッと突き刺したのです」

「睡っている、と君は言うが、パジャマの胸ははだけて乳房が露われていたじゃないか? そんな事をされれば目覚めるはずだよ」

「部屋の中はムッとするほど暖かかったのだから胸を出して睡っていたのかも知れないわ。あるいは目覚めていたのかも知れないが、とすれば信義さんが正子の胸を拡げて、貴方が私にするように乳房にでも接吻していたのでしょうよ。信義さんはそうする事によって正子をうっとりとさせ、その隙を見すまして隠し持った編物針でその露わな胸を突き刺し、ひとたまりもなく絶命させてしまったのです。それからその編物針についた自分の指紋を拭き取って、その代りに正子の手に握らせて自殺を装わせたんです。そうしておいてから窓を開け鎧戸を繰り上げて窓の縁に垂れ下っている氷柱《つらら》を折り取って適当な長さに折り、それを差込錠の……」

「それはもう分っている。が、鍵はどうして掛けたと思うんだ?」

俊作は探るようなまなざしで貞子を見る。

「あの時この部屋は完全な密室になっていて外部へ通ずる一分の隙もなかったのだ」

「私も始めの裡《うち》はそう思っていたのだけどたった一箇所だけ隙間がある事に気附いたの。鍵穴の事じゃないのよ。鍵穴は内側に差し込んだ鍵で塞がっていたんですから、隙間《すきま》と言う事は出来ないのよ」

「じゃ、どこに隙間があったと言うんだ」

と、俊作は、苛立たしげに訊いた。

「たった一つの隙間と言うのは、ストーブの煙突のことよ」

「なるほど！　ストーブの煙突は曲りなりにも外部へ通じてはいるね」

「通じてなければ煙が出ませんからね」

「諄《くど》いよ。で、その隙間が内部の鍵穴に差し込んだ鍵を廻す事にどう役立つのだ？　兄はどうして鍵をかけたと思うのかね？」

「あの時、机の上に編みかけのチョッキがあったでしょう？　あの毛糸がどれほどかは分らないけど切り取ってあったわ。無論つないであったけど、新しい毛糸なんだから途中で繋いであるはずはないわね。まだ完全に編み上っていないのだから、正子がその毛糸を切るはずもないでしょう？」

「すると、兄がそれを切り取ったと言うのかね」と俊作は訝《いぶか》しげな面持《おもも》ちになった。

「そうとしか思えないでしょう？」

「何故そんな事をしたと言うのかね？」

「鍵を廻すためによ」

「どうして？」

「実験してみましょうよ」

「だって、今はもうストーブが除《の》けてあるから出来ないじゃないか？」

「ストーブから先は大した問題じゃないわよ」と言って、貞子は用簞笥《ようだんす》の抽斗《ひきだし》をあけて、毛糸を引っ張り出し、それを六尺ばかり切り取って、その一端にペン軸を結びつけた。無論、その太い方の端へである。

「これには何を使ったか分らないけど、多分ペン軸に違いないと思うの。他にはちょっと両端の太さの違う適当なものは思いつかないから。信義さんは、多分、予め用意していたペン軸に、切り取った毛糸を結びつけたのでしょう」

「で、そのペン軸をどうしたと言うの？」

貞子は無言のままで鍵穴に差し込んだ鍵の輪にペン軸を差し込み、毛糸を扉の傍の壁際に置かれた衣裳簞笥の扉の把手《ノッブ》に通し、それから更にその毛糸を衣裳簞笥の下部の抽斗《ひきだし》の把手《ノッブ》に通した。鍵の輪は横向きだから、従ってその輪に差し込んだペン軸も横になっており、その太い方の端に結びつけた毛糸は斜《ななめ》上方に向って衣裳簞笥の扉の把手に至り更に真下に向って下部の抽斗の把手に至っている。貞子はニッと微笑《わら》って、

「この毛糸を引っ張れば鍵が廻る訳よ」

「なるほど！」と俊作は感嘆の調子で言って
「しかし、うまいことに行くかしら？」

貞子は無言でその毛糸を引っ張る。するとペン軸がぐっと持ち上り、それが梃子《てこ》の作用をして鍵を廻し横になっていたペン軸が直立した時にカチリと音がして鍵が掛った。更に毛糸を引っ張るとペン軸は鍵の輪から抜けて衣裳簞笥の扉《とびら》の把手《とって》にぶらんと吊り下った。もう一度それを繰り返して

みたが、鍵は完全に掛るという事が分った。

「ふうむ！　随分とまた奇抜な事を考えたものだな！」と、俊作が驚嘆した。

「信義さんはきっとこうして外部から鍵を掛けたのに違いないわ」

「しかし、それじゃペン軸と毛糸が室内に残るじゃないか？」

「いいえ、残らないわ。この毛糸を更に引っ張れば……」と言って、貞子は言った通りにした。すると、ペン軸は扉の把手をくぐって下に落ち、今度は抽斗の把手を通り抜けて下に落ち、絨毯の上に転がった。

「これから先はストーブが今は無いのだから想像になるけど、露台《バルコニー》に出てこの部屋のストーヴの煙突から覗かせたこの毛糸の端を引っ張ればペン軸はストーブの焚口《たきぐち》に引き摺り込まれて、燃えてしまう訳ですわ」

「なるほど！　そういえば、あの時、焚口はたしかに開いていたようだったね！」

「ええ、開いていたわ。こうするために信義さんが開けておいたのよ。だから、ストーブは赤々と良く燃えており、従って、氷柱《つらら》も早く融けて蒸発してしまったのですわ」

「なるほど！　するとストーブは差込錠を嵌《は》めた氷柱《つらら》を融かして無くし、鍵を廻したペン軸とそれに結びつけた毛糸を燃やして無くするという、二通りの役目を果した訳だな！　ふうむ、実に巧い事を考えたものだ……兄はそれを行《や》ったのだろうか？」

「正子が自殺したのでない以上、信義さんがそれを行《や》った事は確実ですわ」

「そう。この部屋に正子さんと一緒に寝《やす》んでいた兄でなければ出来ない事だからね」

「信義さんは正子を殺し、差込錠に氷柱を仕掛け鍵にこんな仕掛けをしておいてから部屋を出て扉を閉め、それからすぐに露台《バルコニー》へ出てこの毛糸の端を引っ張ったのよ」

「なるほど！」と言ったが、俊作は不意に失笑して「はっはっは、毛糸じゃ、そうしない裡《うち》に燃えて切れてしまうじゃないか！」

「勿論そうだわ。でも、この抽斗《ひきだし》の把手からこっちには針金を結びつけておいたのよ。その針金の端が煙突の上端にのぞかせて引っ掛けてあったのでしょう。予め針金だけは煙突をくぐらせてストーブの焚口《たきぐち》までのぞかせてあったのでしょう。ストーブはこの辺に置いてあったのですから、衣裳簞笥とは一間ばかり離れています。だからストーブの中にある部分は焼けて赤くなっても、その端は毛糸を結びつけても焦げ切れる心配はなかったのよ。で、信義さんはストーブの焚口の内側に丸め込んであった針金を引っ張り出して冷却させ、それに毛糸を結びつけたのですわ」

「何故そんな面倒な事をしたと思うのだ？　毛糸を使わないでも、針金の端に直接ペン軸を結びつければいいじゃないか？」

「針金じゃあの把手から先が巧くいかないのよ。扉の把手の所では直角以上、つまり鋭角に折れ曲っているし、抽斗の把手の所でも直角くらいに折れ曲っているんですからね。針金では滑りが悪く、巧くペン軸を鍵の輪から抜き取る事が出来ない訳よ。だから滑りのいい毛糸を使ったのでしょう」

「すると毛糸の長さは約四尺あればいい訳だね？　鍵から簞笥の扉の把手を通して抽斗の把手に至るまででいいのだからね」

「そうよ。だからペン軸がストーブの焚口に近づいた頃を見計らって急いで引っ張れば毛糸が焦げ切れない裡《うち》にペン軸ごとストーブの焚口の中に引き摺り込まれて完全に燃えてしまう訳よ。そのためには煙突の上にのぞいた針金の長さでペン軸が焚口に近づいたと分るように予めその針金に目印をつけておけばいい訳ですから……」

「なるほど！」と俊作はさも感心したように言って「しかし、君はどうしてこんな複雑極まるトリックを看破《みやぶ》ったのだね？」

「あの時、部屋にはいるとすぐに毛糸の焦げた臭いを嗅いだからよ。それで不審に思って机の上に置いてあった毛糸を調べてみたの。そしたらまだチョッキは編み上っていないのに、その毛糸が切れてつないであるでしょう。それでもしかするとこの毛糸を使って鍵を掛けたんじゃないかと思ったの。でもその時はまだどうして施錠したのか分らなかったの。針金を結びつけたのだと思いついたのは大分日数が経ってからの事だわ。信義さんが死なれた日の午後、私はその事をそれとなく信義さんに訊いてみたのよ。でも信義さんは無論知らぬ顔をしていたわ。けれども、その晩に自殺なさったので、私はその犯罪の発覚を懼《おそ》れての自殺ではないかと思ったくらいよ」

「そうじゃない。洋子に殺されたんだよ。兄が仮に正子さんを殺したとしても、その証拠は何もないのだから、発覚を懼れての自殺とは考えられないからね」

「仮に、じゃないわ。信義さんはきっと正子を殺したのよ。正子には胸を突き刺して自殺するなんて勇気は絶対にないのですから！　私は正子の性格を良く知ってるんですもの。それに自殺するほど思いつめた正子が、私に何も言わないで死ぬ事はないはずよ。秀夫さんに犯されたという恥かしい事実まで、私にだけは打ち明けて話したのですからね。信義さんに離婚を宣言された事位、私に話せない事はないはずです。それをしなかったところをみると、やはり殺されたとしか思いようがないんですもの。他殺とすれば、その犯人は、正子を邪魔《じゃま》っ気《け》に思っていた信義さんにきまっていますもの」

「他殺とすればなるほどそうなるね。そしてまた、それと同じように、兄の死が他殺であるとすれば、その犯人は、兄を憎んでいた洋子にきまっていると言えるね？」

「他の人達にはアリバイがあったのですから、そうとしか思えないわ」

貞子は低く言って、うなだれた。

「僕は、兄が死んだ時から洋子を疑《うたぐ》っていたんだ。それで洋子を愛してやる事が出来なかったんだ。僕の気持は判《わか》るだろう」

「ええ、今になってやっと判ったわ」

「僕は決して冷酷な人間じゃない！　しかしだよ、兄を殺した犯人と疑っている洋子に冷たくするのは当然の事だよ。殺されたのは僕の肉身の兄なんだからね。僕の疑惑は当っていた。やはり直感だったのだな！」

「私も、正子の死を自殺じゃなくって、信義さんの犯行だと直感したものよ。始めには貴方を共犯者じゃないかと思ったんだけど、それは邪推だと分ったの」

「どうして分ったの？」

「貴方にその事を問いつめた時の顔色で」

「あの時は実際辛い思いをしたもんだ。最愛の女《ひと》から殺人の嫌疑を向けられたんだからね。それもその女《ひと》の妹を殺したという」

「貴方はそれがために、洋子が信義さんを殺したと疑っている事を黙っていたのね」

「そうだよ。僕は洋子さんの姉さん、しかも最愛の君にとてもそんな事は言えなかった」

「貴方のそのお気持を、私、有難く思うわ……本当に心から感謝してよ！」貞子は夫の胸に縋《すが》りついた。俊作はその妻を抱き締めて接吻し「兄も洋子も正子さんも、今はこの世の人ではないのだから、この事は僕達二人の胸に秘めておこうね。兄も正子さんも自殺としておいた方が世間体もいいから。今更になって、亡き人の罪をあばき立てて公表する必要はない訳だからね」

貞子の耳朶《みみたぶ》に唇を触れてそう囁いた。

Y

俊作は、信義と正子の死の真相（?）を二人だけの胸に秘めておこうと言ったが、その晩、貞子は別館へ行って、その事を丈助に話してきかせた。鮎子も無論その傍で貞子の話に傾聴していた。

「ふうむ!」聞き終った丈助は低く唸って「すると、その三本の針は洋子さんの机の抽斗《ひきだし》から出てきた訳ですね」と念を押した。

「ええ、そうですわ。洋子のでしょう、桃色《ピンク》の手巾《ハンカチ》に包んで抽斗《ひきだし》の奥の方に入れてありましたの。今日、洋子の所持品を整理している裡《うち》にそれが見つかったのですわ」

「それを発見したのは、君ですか?」

「ええ、そうです。私がそれを俊作に見せると『こんなものを洋子が持っていたとすると、兄の死は自殺じゃない』と、俊作はすぐにそう言いましたわ」

「すぐにねえ……」丈助は、語尾を引きずるように言って、急に考え深い面持《おもも》ちになった。が、やがて「正子さんが信義さんに殺され、信義さんが洋子さんに殺された、という事は僕も内心疑《うたぐ》っていたのです。しかし何分にも確たる証拠がないので、それに僕はこの家の一員となった関係もあり、事を荒立てるより自殺として穏便に済ませた方がいいと思ってその事を黙秘していたのです」

鮎子の手前、丈助は他人行儀な言葉を使って、面映《おもは》ゆげに貞子を瞶《みつ》めた。

「私も実はそうではないかと疑ってましたの。今日その証拠を発見して、疑惑の事実であった事を知り空恐ろしくなりました」

「空恐ろしい？　なるほどそうでしょうとも！　しかし君はもう一つの空恐ろしい事実を知っているのでしょう？　僕が前に訊いた事があるが君はその事を隠して何も言わなかった」

貞子は、黙って俯向《うつむ》いている。

「今更こんな事を言ったところで、どうなるものでもないけど、この際、これもハッキリとさせておく方がいいと僕は思うのです」

「秀夫さんの事でしょう？」

と、貞子は俯向《うつむ》いたままで低く言った。

「そうです。秀夫さんを殺したのは誰か？　という問題です」

「貴方、そんな事もう仰言《おっしゃ》らなくてもいいじゃありませんの。過ぎ去った事ですわ」

傍《そば》から、鮎子がそう言って制止しかけたけど、貞子はそれを遮って、

「いいえ、構いませんわ。で、貴方は、誰が秀夫さんを殺したとお思いですの？」

「無論、正子さんですよ。そうでしょう？」

「ええ、そうですわ。あの当時、秀夫さんを憎んでいた者と言えば、秀夫さんに暴力で貞操を蹂躙された正子以外にはない訳ですからね」と貞子は沈痛な調子で言った。

「でも、信義さんも秀夫さんを憎んでいらっしたに違いありませんわ」

と、鮎子が傍から口を挟んだ。

「いいえ、信義さんはむしろ喜んでいらしったでしょうよ。何故って、信義さんは正子と別れて洋子と結婚しようと思っていたのですから、これで離婚の口実が出来た、と思って北叟笑《ほくそえ》んでいたかも知れませんわ」

丈助は苦笑して「そうかも知れない」

「貴方は、正子がどうして足跡を残さないで別館へ行ったとお思いになります？」

「君は、それを知っているでしょう？」

「ええ、大体の事は想像していますわ」

「だったら僕に訊く必要はないでしょう」

「でも、貴方の探偵眼をためしてみようと思いますの。……あら、ごめんなさい。貴方はもう警察官じゃなかったのね」

貞子は思わず馴れ馴れしい言葉を使ってしまって、鮎子の手前、ちょっと狼狽した。

「じゃ、僕の推理を話してみましょう。……正子さんはあの日、既に昼のうちから秀夫さんを殺す計画を立てていたのです。それで夕食後、別館に秀夫さんが一人きりでいる機会を狙ったのです。そのため、前もって頭痛がすると言っておいて、夕食後の後片附けを手伝わなかったのです」

「手伝おうと仰言《おっしゃ》ったのですけど、私と洋子さんが、手伝わなくってもいいから、早くお寝《やす》みなさい、とすすめたのですわ」

と、鮎子が言った。丈助は苦笑《わら》って、

「正子さんは、そう言われる事を予期していたのだ。それですぐに食堂を出たが、そこに秀夫さんが待ち構えていた。いつもなら見向きもしないで自分の部屋へ逃げて行く所《とこ》だが、あの晩は秀夫さんを殺そうと思っていたので、裏階段の上り口まで来た時振り向いて秀夫さんに話しかけたのだろう。何か御用ですの？　と言った具合にね。秀夫さんは、もう正子さんを一度征服していたのだから、いきなり抱き締めて接吻でもしただろう。正子さんは相手を油断させるためにいやではあったがその接吻を素直に受けた。この事は警察の調べの時陳述しているが、それからすぐに二階の自室に引き取ったというのは無論嘘で、正子さんは秀夫さんと一緒に別館へ行ったのです。これは恐らく秀夫さんが誘ったのに違いない。快く接吻を受けてもらえたので、魚心に対する水心は確かにあると誤解して、鮎子が食堂に居る間に、と思ってね。正子さんは降り積んだ雪の上に足跡を残さぬようにして別館へ往復し、それによって自己のアリバイを作ろうと計画していたのだから、秀夫さんが一緒に行こうと言っても、自分も下駄を穿いて雪の上を歩く事はしなかった。どうして行ったかというと、秀夫さんの背中に負われるか、または秀夫さんに抱いてもらって行ったのです。正子さんはきっと『おんぶして行って』と甘えたか『ね、抱いて行って頂戴』と言ってねだったか、いずれにしてもそうして足跡を残さず連れて行ってもらったのだ」

「まあ！　それで秀夫さんの下駄の足跡が本館へ行った時の足跡よりも深くなった訳ですのね」鮎子は驚嘆したように言った。

「そうだよ。あれは決して二重足跡でも三重足跡でもないのだ。秀夫さんと正子さんの二人分の重量がかかったので、普通の足跡よりも一糎《センチ》ばかり深い痕跡《あと》を残した訳です。二重足跡ではなくて二人分の足跡、言わば二人足跡とでも言うものですよ。そうして、つまり秀夫さんに負われるか抱かれるかして別館へ行った正子さんは、すぐに秀夫さんの意に従うような素振りを見せて、あの寝室へ連れ立ってはいった。正子さんがあのペンナイフをどうして秀夫さんに知れぬようにしてそっと手にとって懐へ隠したか分らぬが、何か口実を設けてそのナイフを出してもらったか、あるいは秀夫さんが便所へでも行った隙に机の抽斗《ひきだし》から取り出したのだろうと想像出来る。それはともかくとして、秀夫さんは正子さんと一緒に寝台《ベット》に横たわった。正子さんは秀夫さんに接吻をさせながら懐からナイフを取り出してそっと刃を立て、慾情に喘いで夢中になってる秀夫さんの胸を、心臓部を狙ってグサッと突き刺した。憎んでいる人にいやらしい事をされ掛っていた時なので、正子さんは憎悪心を駆り立てられ、従って躊躇《ちゅうちょ》なくそれを行《や》る事ができたのだ。どうです？　僕の推理と君の推理に少しでも違った点がありますか」

　丈助は、そう訊いて貞子の方を見た。

「私もそうだと思っています」と貞子は低く応える。丈助は頷いて、なおも続けた。

「それから正子さんは、秀夫さんの胸に突き刺したナイフの指紋を拭《ぬぐ》い、それを秀夫さんの右掌《みぎて》に握らせて自殺と見せかける状況を作っておき、すぐにその寝室を出て玄関に行った。が、来る時には秀夫さんに負われるか抱かれるかして来たのだから無論正子さんの下駄はない。また足跡を残して本館へ帰って行ったのでは、それまでの苦心が水泡に帰する事になる。そこで予《かね》ての計画通り正子さんはすぐにエスを呼んだ」

「まあ、エスを？」と鮎子が頓狂に叫んでその眼をパチパチと激しく瞬《またた》かせながら、

「何のために？」と丈助の顔を強く瞶《みつ》めた。

「何のためにって、分るだろう？　足跡を残さぬようにして本館へ帰るためにエスを呼んだのだからね」と丈助は笑いながら妻を見た。

「私、分らないわ……」

「いつだったか、君がその事を僕に話して大笑いした事があったろう？　僕はそれをきいてハッと思い、正子さんが犯人だと悟ったものだった」

「ああ、あれですの！　正子さんが浴室の中でエスの背中に乗ったということ……」

「そうだよ。君はあの時、エスが正子さんを乗せたままで浴室の中を歩き廻った事、五分位乗せていた事、正子さんのお尻を舐めたので正子さんが慌てて湯槽の中にとび込んだ事などを見ていたのだから、僕がこう言えばすぐに分るはずだよ」

「正子さんは、すると、エスの背中に乗って帰って行かれたんでしょうか？」

と貞子の顔を瞶《みつ》めて、鮎子は呟くふうに言った。貞子はそれに頷いて俯向《うつむ》いたまま、

「私も、そう思っているの」と言い、それから顔をあげて鮎子を瞶め「私はあの時すぐに正子を疑ったのよ。でも私は正子が可哀想で、それを言う事が出来なかったの。貴女には大変済まないと思ったけど黙っていたの。ごめんなさい！　本当に済みませんでしたわ」と低く頭を下げて謝った。

「いいえ、そんな事ありませんわ！」鮎子は強く言って「私こそ貴女に済まないと思ってますの。私のために野上は貴女と別れ」

「おい、そんな話は止《よ》せよ！」丈助は苦笑して「御当人を前に置いて照れるじゃないか。いずれももはや過去の事、済むも済まないもないよ。それより話の本筋に戻ろう」

　貞子と鮎子は顔見合せて微笑《わら》った。鮎子の微笑は面映《おもは》ゆげなそれであり、貞子の微笑は痛し痒しといった照れ臭げなそれだった。丈助が口を開けて、話を続けた。

「正子さんはエスの背中に跨って本館の裏口へ向った。エスは賢い犬だから正子さんの行先はちゃ

んと心得ていたのだ。正子さんはエスの首っ玉にかじりついて落ちないように細心の注意を払った事だろう。落ちてしまえば、この巧妙なトリックがおじゃんになって、自分の犯行が直ちにばれてしまうからね。ところが幸いにして落ちも転びもせず無事に本館の裏口へ辿りつく事が出来た訳だ。というのは、秀夫さんと鮎子とエスの足跡以外には如何なる痕跡も残ってはいなかったのだからね。エスは正子さんを乗せて歩いたのだから、その足跡は当然、一人で、いや、一匹で歩いた足跡よりも遥かに深い痕跡を残していたはずだが、犬の足跡などテンで問題にしなかった僕も、島貫警部も、それから刑事連中も、そんな事には少しも気附かなかったのだ。人間の足跡だけは鵜の目鷹の目で注意深く観察したが、犬の足跡は見向きもしなかったのだ。そのためにこの奇抜なトリックは看破されなかった。僕も正子さんが浴室でエスの背中に乗ったという事を知っていたら、そのトリックを看破《みやぶ》る事が出来たかも知れないが、その乗犬の話をきいたのは、僕が鮎子と結婚してから大分後だった。その話をきいて始めてそれに思い当ったのだが、その時は無論、足跡などはとうに消えてしまっていたのだから、どうする事も出来なかった。第一、正子さんはその頃はもう死んだ後だったので言ってもしようのない事なので、僕一人の胸に秘めておいたのだ。が、一度君にはそれとなく訊いた事があるでしょう?」

「ええ、あれは確か……貴方が離婚話《わかればなし》を持ち出された時だったと思いますわ」

「そうだったかねえ。……が、君はそれに対して返事をされなかった。それで、僕は君が秀夫さん殺しの犯人を正子さんだと知っているな、と思ったものです」

「私は死んだ、いいえ、殺された正子の犯罪《つみ》を曝《あば》き立てる事がいやだったのですわ」

「その気持は僕にも良く判《わか》ってました。それで強いては訊ねなかったのです。それにその時はもう警察務《づと》めを罷《や》めようと思っていた矢先でもあったのでね。……本館に帰った正子さんはそっと二階の自室にはいった。この時刻が問題だが、正子さんが六時三十分頃に自室へ戻っていたとすると、信義さんがその頃、僕達の部屋から中座して寝室に行き正子さんを見たという証言は事実という事になるが、でなかったら、それは妻を庇うための偽証で、君と信義さんが六時十分過ぎに正子さんが自室（寝室兼）の扉を開閉する音をきいたと言うのと同じような出鱈目《でたらめ》になってくる。そうでしょう？　あれは正子さんを庇うための偽証だったのでしょう？」

「そうですわ。信義さんも正子を疑ってらしたので、二人で口を合せてああ言ったのです。信義さんが六時半頃に寝室へ行った時、正子を見たというのも偽証ですわ」

「すると正子さんが別館から戻って来たのは六時三十五分頃だったのでしょう。秀夫さんと一緒に別館へ行ったのが六時十二三分頃なんだから、その間約二十分を費した事になり、時間的に符合する訳です。すると正子さんは本館に戻るとすぐに浴室へ行った事になる。洋子さんが、正子さんが浴室へやって来たのは六時三十五分頃だったと証言しているんだからね。正子さんはきっと、エスの背中にのって雪の中をもどって来たのでひどい寒気《さむけ》を覚え、お湯に入って温まろうと思ったものでしょう。君はその時、正子さんの様子を変には思わなかった？」

　丈助は、そう訊いて鮎子を見た。

「そういえば少し変でしたわ。ガタガタ震えながらはいって来てかかり湯を何遍も機械的に繰り返し、まるで水車みたいに。それから私と洋子さんがあの事を言って正子さんを揶揄《からか》うと、正子さんはタオルで顔を隠して、私と洋子さんが、憤《おこ》ったのときいても恥かしいのでしょうと言っても、いいえ、いいえと仰言《おっしゃ》るばかりで、おしまいには私と洋子さんが、正子さんを無理矢理にエスの背中にのせた事を仰言って、私はいやだったのに……とか、エスにお尻を舐められたのを思い出してゾッとする等と言っていやな顔をしてらしたわ」

「肉体的の寒さと殺人を犯した後の精神的な悪寒にガタガタと震えていたのだ。何遍もかかり湯をしたのは、ついてもいない秀夫さんの血を洗い流そうとする無意識の動作だったに違いないよ。それからエスの背中に乗った事を言われて顔を隠したのは、たった今そのエスの背中に跨って戻って来たためだ。自分の行《や》った犯罪を看破され、それを皮肉られたように感じ取ったに違いないよ。また正子さんはいやだったのに、君と洋子さんが正子さんを無理にエスの背中にのせたために、正子さんはこんな恐ろしい犯罪を思いついたのだから、実際、いやな気持だったに違いない。あんな事をされさえしなければ、こんな恐ろしい罪を犯さなくとも済んだかも知れないのに、と、そんな事を思ったのだろう。それからエスにお尻を舐められた事を想い出すと聯想的に秀夫さんに犯された時のいやらしさを想い出して、その意味でゾッとしたのに違いないだろうよ」

「今になってよく思い当りますわ」

と、鮎子は低く言って眉をひそめた。

「君と洋子さんが、この奇妙な着想のヒントを正子さんに与えたようなものだね」

丈助は微笑《わら》いながらそう言ったが、鮎子は黙って空恐ろしげな顔をしていた。

「いいえ、そのヒントは私が与えたようなものですわ」と、貞子が低く言った。

「君が、正子さんを使嗾《しそう》したの？」

と、丈助はおどろいたように言った。

「いいえ、使嗾したんじゃありませんわ。幾らなんでも姉の私が正子をそそのかして、そんな事をさせたりは出来ませんもの」

「それはそうですね。じゃ、ヒントを与えたようなものと言うのは、どういう意味？」

「私が書いた探偵小説を読みましたの」

「え！　探偵小説を？」

「ええ、あの日のお午《ひる》からでした……」

「その小説の筋《プロット》、いや、トリックは？」

「やはり、エスの背中にのって別館へ往復し、積雪の上に足跡を残さないという、場所的不連続の、トリックなんですの」

「エスと別館！　すると、この河内家の人達をモデルにした小説なんだね？」

「ええ、ありのままに描写してあったのですわ。ただ河内という姓を山中と変え、野上という同居人の姓を森下と変えただけで、名前はそのまま使ってあるのです。正子が読んだのは、山中正子が暴力で自分の貞操を蹂躙した義兄《あに》の山中秀夫を殺すために、エスの背中に跨って積雪《ゆき》の上を別館へと赴いて行くところまででしたの」

「ふうむ！　するとドキュメントの探偵小説だな！　いや、セミ・ドキュメントの……」

「そうだわ。本格的倒叙探偵小説なんですの。正子はそれを読んで顔色を変えたので私が心配して、大丈夫？　と訊ねますと、ええ、大丈夫！　と応えはしたものの、私は何となく不安でならなかったのです。それから正子は窓越しに雪の降りしきる別館の方を眺め、飛出して来たエスを瞶《みつ》めていましたわ。その時まさか小説の真似事をしはしないだろうと、私も高を括っていましたが、正子はその時から犯罪の計画をめぐらしていたのに違いないでしょう。洋子の口から、秀夫さんが殺された事をきいた時、私は驚愕したものですわ。私自身が秀夫さんを殺したような気がして震え上ったものです」

「そういえば、あの時の君の顔色は尋常ではなかったね。僕もそれを訝《いぶか》しく思ったが、まさか君がそういう小説を書いているとは思いもしなかったので、別に気にもとめなかったのだが……、とすると、君がこの着想を正子さんに教えたために、正子さんは秀夫さんを殺したと言えますね」

「教えるつもりで読ませたのじゃありませんわ。ただ正子があまり鬱《ふさ》いでいるので、気分を紛らせてやろうと思って書きかけの原稿を読ませてやったのです。まさか、正子がそんな恐ろしい事をしようとは思ってもいなかったので、ついうっかりして読ませてしまったのですけど、後になって後悔しましたわ。正子にその事をそっと訊いてみますと正子は激しく否定して『小説の真似なんかしないわ！』と言いましたけど、その顔には、そういう事をしたと、ちゃんと書いてありましたの。でも、私は、暴力で貞操を蹂躙された正子が可哀想で堪《たま》らず、それ以上追求しないでおきましたの」

「本当に正子さんはお可哀想だったわ」

と、鮎子が沁々《しみじみ》と言って、

「正子さんの罪じゃなくって、可弱い女を暴力で犯した秀夫さんが悪いのですわ」

「いずれにしても、その秀夫さんを憎悪している正子さんに、そういう刺戟的な小説を読ませたのは確かに君の落度ですね」

「ええ、私が悪かったのですわ」と、貞子は悲痛な声で呻くように言った。

「しかし、済んだ事はもう仕方がない。……で、その小説はもう完成しているの？」

「ええ、ほとんど書き上っていますわ」

「その小説では、山中正子を誰が殺したことになっていますか？」

「山中信義ですわ。山中信義を殺したのは山中洋子――これはもう小説ではなくって事実の記録みたいなものですわ」

「じゃ、山中洋子が自殺した所で、小説は完結するはずじゃないですか？」

「それから先を創作にして、もう少し附け加えてあるんですの……」

「どういうふうに……？」

「それは、完成してからお話しますわ」

と、貞子は悪戯っぽくニッと微笑《わら》って、

「とにかく、連鎖反応的な殺人なのです」

「連鎖反応的な殺人とは？」

「BがAを殺し、CがBを殺し、DがCを殺し、EがDを殺す、と言ったふうに、第一の犯人が第二の被害者、第二の犯人が第三の被害者、第三の犯人が第四の被害者にしてあるんですの」

「ふうむ、なるほど！」と丈助は低く呟いて
「で、トリックはやはり密室ですか？」

「ええ。四つの異なる密室トリックを使っていますの。第一の殺人は二次元の密室殺人、第二の殺人は三次元の密室殺人、第三の殺人は四次元の密室殺人、第四の殺人は逆密室の殺人――という具合にね」

「二次元の密室とは？」

「所謂〝密室〟とは三次元の空間、つまり縦、横、高さで囲まれた空間を密閉したものなんですが、二次元の密室というのは、その中の一つが欠けているものを意味するのですわ。扉はあいていてもその周囲に足跡がないような場合、これを二次元の……」

「秀夫さんの殺人がそれだった訳だね？」

「ええ、そうなりますわね」

「正子さんが殺された部屋が三次元の所謂密室か……。で、四次元の密室とは？」

「三次元の密室に、時間という第四次の要素を導入したものですわ。つまり殺人時刻とその推定時刻に時間的のズレがある場合の密室です。信義さんの場合、推定死亡時間は九時六分から九時十二分に至る六分間でしたが、事実は九時二分から九時六分に至る四分間でした。そこに時間のズレがある訳ですから、これを四次元の密室と言うのです」

「なるほど。しかし、この場合、九時六分はどっちへもついてるじゃないですか？　時間的のズレとは言えないように思うけど……」

「それは、洋子の、いいえ、犯人のトリックが拙かったのですわ。もっと時間のズレを切り離さなければ、完全な四次元の密室と言うことは出来ません」

「逆密室というのはどんなのを言うの？」

「密室外の殺人を密室内のそれ、つまり自殺と見せかけるために、犯人が被害者の屍体を部屋の中に閉じこめるのです。犯人はそうする事に依《よ》って自己のアリバイを作ることができます」

「屍体運搬だね！」と、丈助は眼を輝かせて「此奴《こいつ》が最も陰険邪悪なトリックだ！」

「これは、創作になっていますの」

「そりゃそうだろう。洋子さんの自殺で事件は既に解決しているのだから……」

丈助は低く言って、貞子の面《おもて》を瞶《みつ》めた。

「私、何だか恐ろしくなってきたわ！」

と、鮎子が二人を見較べながら言った。

「はっはっは、探偵小説の話だよ。何もそうおそれることはないよ」

しかし、その哄笑《わらい》は、咽喉の奥に引っかかったような、陰気な哄笑《こうしょう》だった。貞子は少時《しばらく》のあいだ丈助の瞳を瞶めていたが「私、もうおいとましますわ」と言って立ち上りそうにした。鮎子がそれを引きとめて、

「まあ、いいじゃありませんの。もっと御ゆっくりなさって……今度はひとつ愉快なお話をしましょうよ」と言うので、

「じゃ、もう少し……」と貞子は浮かせかけていた腰を、再び椅子に落ち着かせた。

丈助が微笑しながら「秀夫さんの事件《こと》があった夜、島貫さんがこの家の人達の関係を、三、角、関、係、が四、つ、組、み、合、っ、た、八角関係だと言っていたが、正に至言だと僕は思ったものだがね。そうでしょう？　秀夫さんは妻の鮎子よりも弟の妻の正子さんを愛し、信義さんは妻の正子さんよりも弟の妻の洋子さんを愛し、俊作さんは妻の洋子さんよりも僕の妻だった貞子さんを愛し、僕は僕の妻よりも秀夫さんの妻の鮎子さんを愛していたのだからね。この場合、四人の妻達がそれぞれ、他人の妻を愛している夫を諦める事が出来て、しかも自分を愛してくれる他人の夫を愛する事が出来れば問題はない訳で、お互いに妻を夫を交換し合えばいいのだが、貞子さんと鮎子はともかく、正子さんと洋子さんは自分の夫に強く執着して手放そうとはせず、また手放されまいと必死に頑張ったため

にこういう悲劇に立ち至った訳です。なるほど、洋子さんや正子さんは夫に貞淑で、貞操観念も狭量と言いたい程きびしかったが、僕に言わせれば、こんなのは少々大時代的であって、封建的な伝統にとらわれすぎた古風な考え方で、新時代に不向きな夫婦観、恋愛観乃至《ないし》貞操観です。貞子さんや鮎子のように、嫌われれば諦めるし、亡くなれば遠慮気兼ねなく再婚するのが、新時代に適した自由な女性の生き方じゃないかと思うのです」

「褒められてるのか貶されてるのか分りませんわ」と、鮎子が微笑しながら言って、「ねえ」と同意を求めるふうに貞子を見る。

貞子は頷いて「貴女は別として私はもう大分すれていいるのだから、さして気にしませんけど、正子はあまりにも初心《うぶ》過ぎていたし、洋子は洋子で少しばかり片意地な所があったので、夫婦観や貞操観もそうした個性に偏《へん》し、自由な考え方をする事ができなかったのですわ。でも私は、それが真実の女性の在り方だと思ってますわ。だから貴方の仰言《おっしゃ》る事を貶されるとしか受け取る事が出来ませんの」

丈助は苦笑して「これはどうも失礼！」とふざけた調子で言い、それから鮎子に向って「君はどういう考え方をしている？」

「私、そんな難しいこと考えていないわ。おバカさんだから考える頭脳《あたま》もないのよ。ただ、意の赴くまま、慾の迸《ほとばし》るままに、自分勝手に振る舞うのが好きだわ。自分でも、そうしているつもりなの」

「これは戦後派《アプレゲール》だ」と、丈助は高く哄笑《わら》って、「戦前派の貞子さんと好対象だよ」

「貴方はどちらがお好きですの？」

と鮎子。

丈助は困惑の面持《おもも》ちで「僕はその中間位が好きだよ」と曖昧に言って顔をそむけた。

すると鮎子はつまらなそうな顔をして貞子の方を見る。貞子もそれを見返したが、瞬間、キラッと稲妻のような青い光りが二人の瞳と瞳の間に閃いた。白々しい沈黙の数秒。やがて貞子は暇《いとま》を告げて本館へ帰って行った。

Z

俊作はパジャマに着替えて寝台に腰かけていた。貞子を見ると待ち兼ねていたように
「野上さんと何を話していたの？」

「信義さんと正子と洋子のこと……」

と応えて貞子は夫の傍に腰を下した。

「あの事を野上さんに話したの？」

「ええ。正子は信義さんに殺され、信義さんは洋子に殺されたとお話すると、野上さんは、秀夫さんが正子に殺されたというお話をなさったの」

「誰にも言わないでおこうと言ったのに、何故野上さんにあの事を話したのかね？」

俊作は、聊《いささ》か棘々しい調子で言った。

「でも、この家の人達にまで穏しておく事は出来ませんもの。それに、大体のことは分っているのですから……。自分もそう思っていたと野上さんは仰言《おっしゃ》ったわ」

俊作は、黙って考え込んでしまった。

「ねえ、もう寝《やす》みましょうよ……」

「正子さんがどうして足跡を残さないようにして別館へ往復したか……野上さんはそれをどう解釈されたかね？」

「秀夫さんに負われて行き、帰りにはエスの背中に跨がって運んでもらったと……」

「元警察官だけあって探偵眼は鋭いね」

「貴方はそれを知ってらしたの？」

「君の小説を読んで始めてそれと判《わか》った」

「あら、いつ御覧になったの？」

「たった今先刻。君が別館へ行っていた間に、こっそりと読んだ……」

と言って、俊作は貞子を凝視し、

「あんな事を書かれちゃ不愉快だな！」

「あれは、もう創作なんですもの」

「君は僕を疑っているの？」

「いいえ……そんなことないわ」

「あれは、出来れば書き直してもらいたい」

「そうねえ……じゃ、山中洋子が自殺したところで完結にしましょうか」

「出来れば、そうしてもらいたいね」

「じゃ、そうするわ。ね、もう寝みましょうよ。私、睡いわ……ね」と、鼻声で甘えると、俊作は、貞子を抱いて接吻し「君は野上さんを忘れる事が出来ないんじゃないの？」と、低く囁いた。

「いいえ、そんな事ないわ」

「本当に？」と、俊作は念を押す。

「ええ、絶対に！」貞子は強く否定して、

「貴方こそ洋子の事が忘れられないのじゃなくって？」俊作の顔を探るように瞶《みつ》めた。

「僕は今、君の事しか考えてはいない」

「貴方にもしもの事があると、私困るわ」

「僕は決して自殺したりなどしない！　仮令《たとえ》何かの事故で突然死ぬような事があったとしても、僕の財産は全部君に与えるようにちゃんと手続きがしてあるんだから……」

「そんな縁起の悪い事を仰言《おっしゃ》っちゃいや！　ねえ、いつまでも私を可愛がって頂戴ね」

俊作は無言のままで妻を抱き締めて、呼吸を弾ませながら仰向きに倒れた。それからの彼の情熱はいつになく激しいものだった。

その翌日、昼食を済ませてから四人は麻雀《マージャン》を始めた。丈助は鮎子に教わって、この頃ではかなり打てる程度に上達していた。四人のうちでは鮎子が最も上手で、俊作と貞子は似たりよったりと言う所、丈助はまだ牌《パイ》に馴れない所為《せい》か、しばしば放銃《ホーチャン》をした。

「洋子さんがあんなものを机の抽斗《ひきだし》に隠していようとは思いませんでしたよ」

西風《シャフォン》の二局目に、丈助が突然のようにそう言って、対面《トイメン》の俊作に話しかけた。

「あんなものとは？」

俊作は手牌《てはい》をアレンヂしながら、ちらッと眉をひそめて丈助の方を偸《ぬす》み見た。

「三つの針ですよ。桃色《ピンク》の手巾《ハンカチ》に包んだ三本の針。貴方も御覧になったでしょう」

「ああ、あれですか。僕はまた何の事かと思いましたよ。あの三つの針は洋子が兄を殺した事を物語る立派な証拠なんです」

「洋子さんは何故そんなものを机の抽斗に隠しておいたのでしょうかねえ。自分の犯罪を物語る立派な証拠品を、捜査を受ければすぐに見つかるような場所に隠しておくなんて常識で考えてもちょっと可怪《おか》しいじゃないですか？　僕はそれを不審に思ってるんです」

「いずれ始末するつもりではあったんでしょうが、ああして突然自殺してしまったので、それをする事が出来なかったのでしょうよ」

「洋子さんはいつからそれを机の抽斗に入れておいたものでしょうか？」

「無論、兄を殺した時からでしょうよ」

　貞子が牌《パイ》を伏せて、リーチを宣言した。

　丈助は、眼を皿のようにして貞子の捨て牌《パイ》を瞶《みつ》めながら「しかし、あの時、僕は洋子さんの机の抽斗を調べてみましたけど、そんなものはありませんでしたよ」

「あの時とは？」と言って、俊作は無造作に西《シー》を捨てた。貞子は、するとニッコリ笑って、伏せた牌《パイ》を勢よく起した。

「西々《シーシー》の混一色《ホンイーサイ》……満貫《マンガン》よ！」

「洋子さんが自殺した時ですよ」

　貞子と丈助が相前後してそう言うと、俊作は狼狽して真赤に頬を染めた。

「君が西々《シーシー》だったのか、ついうっかりしていた……貴方はあの時、机の抽斗を調べてみられたんですか？」と、俊作は、貞子と丈助へ半々に言った。

「刑事連中が簡単な捜査をした後で、僕は机の中を隅から隅まで隈なく調べてみたんです。遺書《かきおき》でもありはしないかと思ってね。無論、遺書らしいものはありませんでした。そしてまた、桃色《ピンク》の手巾《ハンカチ》に包んだ三本の針もみつかりませんでした。それは確かに洋子さんの机の抽斗《ひきだし》にあったのですか？」

「ええ。右側の抽斗の奥の方に入っていましたわ」と貞子が俊作に代って答えた。

「あの部屋には机は一つだけでしたね」

「ええ、あの机一つきりですわ」

貞子がそう言った時、鮎子が俊作の放銃牌《ホーチャンパイ》で「門単平《メンタンピン》」を和了《ホーラ》した。

俊作は苦笑を泛べて、

「またか！　散々な目に遭わされるな……」

「すると、洋子さんが死んでから後に、誰かがその三本の針を、洋子さんの机の抽斗に入れておいた事になりますね」

俯向《うつむ》いて籌馬《チーマ》の箱をかき廻している俊作の様子を、探るように瞶《みつ》めながら、丈助は、きめつけるような調子で鋭く浴びせかけた。

「誰かとは、誰の事ですか？」と俊作は妙な訊き方をして、そわそわした手つきで洗牌《シーパイ》を始めた。

「あの部屋は今では貴方と貞子さんの寝室になっているんですから、貴方か貞子さんかがそれをされた事になりますね」

「私はそんなこと絶対にしませんわ！」

貞子は、丈助の方を睨むふうに瞶めて、強く否定した。丈助は深くうなずいてみせ、

「洋子さんの犯罪を発《あば》き立てるような事を、姉の貴女がされるはずはない！」

「僕もそんな馬鹿な真似はしません！」

俊作は俯向いたままで低く言った。

「全く大人気ない真似でした。しかし、それをする事の出来たのは貴方だけです！」

「僕は絶対に！」突然、俊作は面《おもて》をあげて丈助を睨み据え、強くそう叫んだ。

「貴方はその三本の針を一瞥して、直《ただ》ちに洋子さんの犯罪を指摘されたという事ですね？　何故、すぐにそうだと判《わか》ったのです」

「それで差込錠を嵌《は》めたと直感したのです」

「それで差込錠を外から嵌めて自殺とみせかける小細工を貴方自身が行《や》っておられるから、すぐにそうだと判ったのでしょう」

「兄を殺したのは洋子です！」

「その洋子さんを殺したのは貴方です！」

「と、とんでもない、洋子は自殺したのです！　何を証拠に貴方はそんな事を？」

「貴方がその三本の針を洋子さんの机の抽斗に入れておかれた事が立派な証拠です」

「あれは洋子が自分で置いたのです！」

「洋子さんが自殺した時には無かったのです！　後になって貴方がそれを入れたのだ」

俊作は、唇をピクピク痙攣させて、

「僕は何も知りません！　僕は、洋子を殺しはしません、絶対に！」

「僕は貴方に騙されていました。貴方があの時、洋子さんの冷たい唇に接吻されたので、僕は一応疑いを晴らさざるを得なかったのですが、今になって思えば、それは貴方の偽瞞策だったのです。僕があゝ言った時、恐らく手か頬くらいの所であろうと思っていた僕の意表を衝《つ》いて貴方は屍体の唇に接吻された。それで僕は自分の手で絞め殺した女《ひと》の唇へは幾らなんでも接吻は出来難《にく》いと思って疑惑を一掃したのです。ところが昨晩三つの針が洋子さんの机の抽斗《ひきだし》から出てきたという事をこの女《ひと》からきいて、その疑惑が当っていた事を知ったのです」

俊作は物凄い目附きをして妻を睨んだ。

「私もそうではないかと疑っていました。とすれば、あの時、扉《ドア》の外側の鍵穴に鍵がさし込んだままになっていた事が納得できるのですからね」貞子は冷静な口調でそう言って、夫の顔を冷たく見据えた。

「君は、僕を騙していたのか！」

「貴方が私を騙していらっしたのだわ！　洋子を殺した人と知ってれば貴方と結婚するんじゃありませんでした！　私も野上さんと同じように貴方の偽瞞策に目を晦まされていました。たった今まで、ずうッと……」

「俊作さんのあの夜の行動が、貴女には推理出来るでしょう?」と丈助が貞子に言う。

貞子は深く頷いて、俊作に向い「貴方はあの晩、洋子が二階の私の部屋へ行ってる事をちゃんと知っていたのです。そして、この機会に洋子を殺してしまおうと思ったのでしょう?　あの日の午後、貴方は洋子のお腹の子に難癖をつけて、逆上した洋子に『死んでしまう』とまで口走らせた後だったんですから、殺して自殺と見せかけることにはお誂《あつら》え向きのチャンスだった訳です。洋子は私にも『いっそのこと死んでしまいたい』と言ったのです。それで私は心配して洋子と一緒に寝《やす》んだのですけど、まさか、貴方が洋子の生命を狙っていようとは夢にも思わなかったのです。洋子は多分十二時過ぎに目を覚して御不浄へ行ったのでしょう。その時、洋子はいつもの習慣通り鍵をかけて、その鍵を持って御不浄へ行ったのです。階下《した》に降りて来る跫音をきいた貴方は、それが洋子である事を知ると、あの腰紐を取って部屋から出て、洋子のあとを跟《つ》けたのです……」

「あの腰紐は洋子のものだ！　あの時、洋子の部屋には鍵が掛っていた！　僕がどうしてあの腰紐を持ち出したと言うんだ？」

「貴方の部屋に紛れ込んでいたのよ！　こういう時の用意に洋子の部屋から前もってそっと持ち出していたのかも知れないわ。御不浄から出てきた洋子を、貴方はいきなり躍り掛ってあの腰紐で絞め殺したのよ！　自殺とみせかけるためにそのままで吊り下げられるように輪を作って洋子の頸にかけて絞めたのでしょう？　ぐったりとなって息絶えた洋子を貴方はあの部屋まで運んで行ったのです。けれども扉には鍵が掛っていたんでしょう？　私が寝《やす》む前に御不浄へ行った時それを確かめているわ。貴方はその鍵を洋子が袂《たもと》へでも入れているに違いないと思い、袂を探ってみると案の定鍵はあった。けどその鍵は私の部屋の鍵だった。それと知った時の貴方の狼狽の様《さま》が思いやられるわ。一時も早く洋子の屍体を部屋の中に閉じ込めてしまわなければ貴方が洋子を殺した事がすぐに分るのですからね。そこで貴方は洋子の屍体を自分の部屋に隠しておき、そっと二階へ上って来た。猫のように抜き足差し足で音を立てぬように私の寝ている部屋の前に忍び寄り、私の寝息を窺ったのでしょう？　私が寝入っていなければ、洋子の部屋の鍵を探しにはいってくる事は出来ない訳ですものね。ところが幸いにして私が熟睡しているらしい気配なので、そっと鍵をはずしてその鍵を抜き取り扉をあけて部屋の中へ忍び込んだ。洋子の部屋の鍵は机の上に置いてあったのですぐに見つける事が出来たのでしょう？　貴方はホッとしてその鍵を取り、その代りに私の部屋の扉の鍵をそこに置いて部屋を出て扉を閉めたのです。それから階下に降りて洋子の部屋の扉をあけ、貴方の部屋に隠しておいた洋子の屍体を運び入れたのでしょう？　どうなの？」

　俊作はがっくりと項垂《うなだ》れたまま、身動《みじろ》ぎひとつしなかった。貞子はそれを冷たいまなざしでみやりながら、なおも続けて言った。

「洋子の屍体を、首に巻きついてる腰紐で衣紋掛《えもんか》けに吊り下げ、その足元に洋子のスリッパを揃えて置き、化粧机用の小椅子を持って来てその上に倒し、洋子がその椅子に上って首に腰紐をかけ椅子を蹴倒して縊首を遂げたような状況を作ったのです。そうしておいてから、貴方はあの三本の針を昨日信義さんの部屋で実験してみせたように、二つの差込錠に仕掛け、部屋を出て扉を閉めた。鍵穴から覗いている編物綴じつけ用の針を引っ張って錠を嵌《は》めたのです。貴方はそれで完全に事を成し遂げたと思ったのでしょうが重大な手抜かりをやった事に、貴方はすぐ気附いたでしょう？それは扉の鍵です！　鍵穴から針を覗かせるために貴方はその鍵を鍵穴から抜いて手に持っていたのでしょうが、それを部屋の中に置く事を忘れて、手の中に握り込んだまま外に出て扉を閉め錠を嵌めてしまったのですから、もうどうする事も出来ない。そこで仕方なく外側の鍵穴に差込んでおいたのです。洋子はそんな事は絶対にしない几帳面な性格の女ですから、この事は洋子の自殺に一点の疑惑を挟むべき要素《エレメント》となり、貴方にとっては、重大な手抜かりとなったのです」

「扉の外側の鍵穴に挿し込んであるその鍵その物が逆密室の殺人の謎を解く鍵になった訳ですよ」

と丈助が微笑《わら》いながら言った。

「貴方はそれから自分の部屋にはいって、私が洋子の居ない事に気附いて捜しに来るのを待っていたのです。洋子の霊《たましい》が知らせたのでしょうか、私は不吉な夢を見てハッと目覚めてみると洋子は居ない。丁度三時半でした。机の上を見ると鍵がそのまま置かれてあるので御不浄だろうと思って一応ホッとしたのですが、扉の鍵穴に差込んでおいたはずの鍵がないのでよく見ると、洋子の部屋の鍵と思っていたのが私の部屋の鍵だった。私は変に思ったのだけど、洋子の部屋の鍵がないとすれば洋子は自分の部屋へ戻り、もしかすると？　と不吉な予感に襲われて強いて考えてみようともせず慌てて階下へおりて行ったのです。すると予感は的中して洋子は死んでいた。あの時、貴方は私に野上さんを呼びに行かせたでしょう？　立ち会ってもらった方がいいと言って。貴方はそうする事に依《よ》って差込錠が確かに嵌《は》まっていたという事を局外者の野上さんに確かめさせたのです。自分で穴を挽きあけておきながら自分では手を出さず、野上さんに錠を外させましたね？　私はそれを変に思ったけど、そして扉の外側の鍵穴に鍵がさし込んであった事と、私の部屋の鍵が机の上に置いてあった事を訝《いぶか》しく思っていたのだけど、貴方が洋子の亡骸《なきがら》を抱いてその唇に接吻したのを見ると、凡《すべ》ての疑惑を晴らさざるを得なかったの。間接的には洋子を殺したようなものだけど、手を下して絞殺したのではないと信じてしまった。貴方の陰険な偽瞞策に完全にだまされてしまったんだわ！　自分が絞殺した女の唇に接吻するなんて、貴方は何という冷血漢でしょう！　何という邪悪な悪鬼めいた人でしょう！　人間じゃなくって、毒牙をもつ蛇です！　冷血動物です！」

「僕は兄の復讐をしたのだ！　兄を殺した洋子が憎くて堪《たま》らなかったのだ！」

「貴方は妙な事を言いますね」と丈助は苦笑して「信義さんを殺したのは貴方でしょう？　それなのに兄の復讐とは一体何の事です？　呆れて物も言えない！」

貞子と鮎子は唖然として丈助を瞶《みつ》めていたが、俊作は唇をわなわなと戦《おのの》かせて、

「な、何を言うんです！　僕が兄を殺したなんて……と、とんでもない出鱈目《でたらめ》だ！」

「じゃ、出鱈目と思ってきいていて下さい。あの晩の八時半頃、貴方は隣室の洋子さんに気附かれぬようにそっと部屋を出て二階にあがって行った。信義さんの部屋をノックして扉を開けてもらい中にはいった。信義さんはその時レコードを掛けていた。貴方はその信義さんの油断を見すまして机上のジャック・ナイフを取り、寝台《ベット》に腰かけてレコードの甘美な旋律に聴き入っている信義さんをいきなり刺し殺した。信義さんはまさか貴方が恐ろしい殺人者であろうとは夢にも思わなかったので、抵抗の遑《いとま》もなく呆《あ》っ気《け》なく絶命した。その屍体を寝台《ベット》に仰臥させナイフについた貴方の指紋を拭い、それを屍体の右手に握らせて自殺の状況を作った。レコードを聴きながら貴方はそれを行《や》ったのだ。そのレコードが鳴り止んだのは八時五十分頃だったという事だが、その時貴方はそれだけの事を行《や》ってのけていたのだ。そしてそれから電蓄にあの最後のレコード〝恋人よ我に還れ〟をかけ、ピック・アップの針をレコードの最初の溝に置き、スイッチを入れさえすれば廻転するようにしてそのスイッチにある仕掛けをしておいて、それから今度はあの三本の針を二つの差込錠に仕掛け、部屋を出て扉を閉め、鍵穴から覗いている編物針を引っ張って差込錠を嵌《は》め、そっと自分の書斎に戻った。そして九時二分頃に今度は隣室の洋子さんにきこえるように扉の開閉音やスリッパの跫音を意識して高く響かせ再び二階にあがって行き屍体の横たわっている死の部屋の扉をノックして信義さんの名を呼んだ。と同時に電蓄の電源スイッチに施したある仕掛けを約四分の後に始動させるある操作を鍵穴から覗いている何かに加えておいた。それからすぐに階下に降り裏口から別館へ走った。自分で刺し殺しておきながらその信義さんがノックしても返事をしないからと、その

安否を気遣うふうを装い、その生死を懸念するふうな口吻《くちぶり》で僕達に危急を告げに来た時が九時五分だった。が間もなく貴方が何かに加えておいたある操作が、ある仕掛けに作用して電蓄の電源スイッチを入れ、レコードの音が聞えてきたので、貴方はホッとしたような顔をして『何だ、居たのか、居たのなら返事をしてくれればいいのに、心配をかけやがる』などともっともらしい事を言い、完全に僕達を瞞着《まんちゃく》した。貴方がやったその巧妙極まる時間的不連続のトリックに引っ掛って僕はレコードが鳴り始めた九時六分に信義さんが生きていると信じさせられてしまったが、事実は八時半から八時五十分に至る二十分の間に殺されていたのだ。しかし九時六分に生存していたと信じ切っていた僕はその死亡時刻を九時六分から九時十二分に至る六分の間と推定してしまった。死亡時間とその推定時間の間《あいだ》に十六分間という時間的のズレが出来た訳で、そのために僕はその推定時間中完全なアリバイを持っている貴方を疑ってみようともせず、一応は洋子さんに、嫌疑の眼を向けてみたが、四分という短時間では殺人と施錠をすることは至難と思って、結局自殺という事で鳧《けり》をつけたのだ。貴方のこの犯罪は実に巧妙極まるものだった。たった昨日まで、信義さんの死は自殺か、他殺としてもその犯人は洋子さんと思っていたが、あの三つの針が洋子さんの机の抽斗《ひきだし》から出てきた、という事をきいた時、僕はほとんど直感的に信義さんと洋子さんを殺した犯人は貴方だと悟ったのだ。というのも信義さんの場合も洋子さんの場合も扉の鍵穴があいており、その三つの針を使えば外部から施錠できる事に気附いたからだ。従って洋子さんを殺したのが貴方だとすれば、同じような密室状況にある部屋で死んだ信義さんの殺害犯人も、必然的とまではいかないが、貴方だと断定できる蓋然性《プロバビリティ》がある。動機の点でも兄の遺産を横領するという蓋然性が多分にあるのだからね。貴方は信義さんを殺してその嫌疑を洋子さんに向けようとしたのです！　貴方は実に悪辣無慙な人だ！　僕はこれまでに、貴方ほどの陰険邪悪な犯罪者を見たことがない！」

「それが貴方の荒唐無稽談の結末ですか」

と、俊作は、その顔面を醜く歪めて、泣き笑いのような表情で丈助を睨んだ。

「荒唐無稽どころか、立派な事実です！」

丈助は、荘重な語調で言って、きっとした面持《おもも》ちを真正面《まとも》に俊作へ向けた。

「肝心要の所を、ある仕掛けとかある操作とか、何かとか言って糊塗《こと》したのでは荒唐無稽の絵空事としか言えないでしょう！」

「それは貴方自身で行《や》った事だから、僕が言わなくともちゃんと判《わか》っているでしょう。また、僕も千里眼ではないから、如何なる仕掛け如何なる操作を貴方がやったかという事までは分らない。が、貴方のその表情は洋子さんと信義さんを殺した犯人が貴方である事を如実に物語っている」

「で、貴方は僕をどうしようと言われるのです」と俊作は奇妙な嗄《しゃが》れ声を振り絞る。

「どうもしません。また、どうする事も出来ないのです。貴方が殺人犯人であるという有形の確証は皆無なのですからね」

「君は、僕をどうする心算《つもり》かね？」

と、俊作は貞子を瞶《みつ》めた。

「私は、貴方の自決をのぞみますわ！」

貞子は冷たく言って、そっぽを向いた。

「鮎子さん、貴女は？」

が、彼女は俯《うつむ》向いたままで答えなかった。

「犯行を認めていられるんだったら、ある仕掛けとある操作の内容をきかせてもらってもいいでしょう？」

丈助は微笑を含んだ面持《おもも》ちでいとも穏やかに言った。俊作は少時《しばらく》黙然として貞子の横顔を瞶めていたが、やがて口を開けて、

「貴女は、僕がどんな仕掛けをし、どんな操作をしたと想像しているんです？」と、硬張った顔面に強いて微笑を漂わせ、震え戦《おのの》く手で煙草を取り出して火を点《つ》けた。

「あの電蓄の電源スイッチは上下点滅式だからそのスイッチのつまみを上に動かせば滅となり、下に動かせば点になる訳でしょう？　だからスイッチのつまみの最端《はし》へ糸でも結びつけ、その糸の端に重量物を結びつけて、その重量物に結びつけた別の糸をレコード棚の横に打ちつけてあった釘にでも引っ掛けておいたのでしょう？　その重量物の重力がスイッチに加わらないように糸をたるませておいてね。そうして釘にかけた別の糸に導火線を結びつけ、それを鍵穴から扉の外側にのぞかせておいたのでしょう。これが電源スイッチに施したある仕掛けだろうと思うのです。その操作は至って簡単ですよ。九時二分にその部屋へ行った時、貴方は煙草の火ででも？　その導火線に火を点けたのでしょう？　そうしておいて貴方はすぐに別館へ行った。その間に導火線は燻《くゆ》ってゆき、約四分の後即ち九時六分に、重量物を釘にかけた糸が焦げ切れて重量物を落下させ、そのためにスイッチを下方に動かせた訳です。当然廻転盤は廻り始め、掛けてあったレコードの音を響かせてきたのです」

「導火線とはどんなものと思うのです？」

「油でもしませた細い糸でしょう？　多分、五十番位のミシン糸じゃないかと思います」

「しかしあの時、電蓄を調べてみたのでしょう？　糸がスイッチに結びつけてあったですか、その下方に何か重量物が落ちていたですか？　レコード棚の釘に糸が引っかけてあったですか？　全然無かったじゃないですか！　だから荒唐無稽の想像と言うのです」

「部屋にはいるとすぐに、僕達が屍体に気をとられている間に貴方がそれらのものをそっと取りのけてしまったのでしょう！」

「僕は絶対にそんな事はしない。第一そんな証拠を遺留するような拙劣な方法を、僕はやりもしなかった。じゃどうしたかと言われるんでしょう！　宜しい、ぶちまけてお話しよう。今更隠したってしようがないから……僕は電源スイッチは入れたままにしておいたあのレコードをかけてピック・アップの針を最初の溝に置き、すぐには廻転しないように廻転盤の軸と切換スイッチのつまみに結びつけた糸で強く抑えつけたのです。結びつけたと言っても切換スイッチの方は糸を輪にして引っかけておいただけです。そしてその糸の輪を作っている所に、貴女の言った油をしませたミシン糸の導火線を結びつけ、その端を鍵穴から扉の外側へ覗かせておいたのです。それから先は貴方の想像の通り。僕はその導火線のミシン糸に咥《くわ》えていた煙草で火を点《つ》けたのです。それが燻《くゆ》って行って廻転を抑制してピック・アップを強く押えている糸に達すると、その糸が焦げ切れて抑制を解き、廻転盤は廻り始めてレコードを鳴らした訳です」

「なるほど！」と丈助は感心したように言ったが「しかし、それでもやはりその糸が残る訳じゃないですか？」と、不審を打った。

「残る事は残るが目に見える所へは残らない。先刻言ったようにその糸は廻転盤の軸に結びつけてあるのだから廻転が始まると、その糸を廻転盤の下部へ巻き込んでしまったのです。だから目には見えない。誰も廻転盤を取り外してまで調べてみる者は居なかったので、このトリックは成功した。その翌日、僕はその廻転盤に巻きついた糸を取りのけてしまったのです」そう言って俊作はニヤリと不敵な嘲笑《わら》いを泛べ、丈助の面《おもて》を小馬鹿にしたようにジロジロと打ち見守った。

「まさかそんなトリックを使ってまでレコードを鳴らせたとは思ってもみなかったので、僕は電蓄を仔細に改めてみる事をしなかった。また、床の上に残っていたはずのミシン糸が焼けた灰にも気附かなかった。あのレコードの音が聞えてきた時、信義さんは生きていると信じてしまったのです」

「これが四次元の密室トリックですよ」

と苦笑し、それから俊作は貞子の方を睨んで「そうだろう」と憎々しげに言った。

「そうよ。良く知っていらっしゃるのね」

と、貞子は俊作を睨み返して「洋子が犯人とすれば完全とは言えないけど、貴方が犯人なら完全な四次元の密室殺人と言えますわ。洋子にはアリバイもなく時間のズレも曖昧《あいまい》だけど、貴方には完全なアリバイがあり、しかも時間のズレが明確だった！」

丈助が不意に気附いたふうに「貴方は、窓に人影を映すようなトリックも施しておいたのですか？　貞子さんが本館へ戻ってくる途中、その窓にちらッと人の影が映ったのを見たというんだったと思うけど……」

「そんな事はしない。あれは出鱈目にきまってますよ」と俊作は横目で貞子を睨んだ。

「私は確かに見たわ！　カーテンに薄ぼんやりと映った人の影を……確かに見たわ」

「信義さんの幽霊だったんだろう！」

と、丈助が低く言うと、俊作はゾクッとしたように軀をふるわせて、吃《ども》りながら、

「ぼ、僕は、人影なんか見なかった……」

「君の気の所為《せい》だったんでしょう?」

と、丈助は苦笑しながら貞子を見る。

「そうでしょうか……」貞子は低く呟いて、掌にのせた白板《パイパン》を虚ろなまなざしでぼんやりと見ていた。沈黙の数分――。

「僕はもう失礼します……」と、やがて俊作は呻くように言って椅子から立ち上り、少時《しばらく》の間貞子の横顔を喰い入るように瞶《みつ》めていたが、急に泣き笑いみたいな表情になり、

「貞子! 昨夜、君の言った事がどうやら事実になってきたようだね……僕は、君を困らせるような事はしないから安心しておいで、僕は、君を、愛しているんだからね……」

悲痛な声音で訴えるように言って、蹣跚《よろめ》きながら部屋を出て行く。その悄然たる後姿を見送る貞子の眼に光るものが泛《うか》んで頰に流れた。彼女は椅子から立上って扉の方へ二三歩足を運んだ。が、そのまま立ち竦《すく》んで、両掌《りょうて》で顔を掩《おお》った。その肩が微かに揺れ、クッ、クッ……と嗚咽の音が洩れ始めた。痛ましく、悲しく、そして哀れな彼女の様子を、じっと瞶《みつ》める丈助と鮎子。二人の眼にも惻隠《そくいん》の泪《なみだ》がしっとりと湛《たた》えられていた。

その晩、女中が夕食を告げるために俊作の部屋をノックしたが、返事はなかった。扉には鍵が掛って錠が嵌《は》められていた。外部へ通ずる一分の隙もない完全な密室。その書斎の中で衣服かけに紐をかけて、俊作は冷たく吊り下っていた。机の上に置かれた遺書には、次の如き簡単な文言《ぶんげん》が認《したた》められていた。

洋子の後を追って死ぬ……遺産は全部、貞子に譲る……愛情だけは清かった――

「俊作さんも、心からの悪人じゃなかった！　君は、俊作さんの犯した罪を許して、清い愛情を受け容れてあげるべきだ……」

丈助にそう言われて、貞子は、静かに屍体の傍に歩み寄ると、その眼をそっと閉《とざ》してやり、その冷たい唇に、聊《いささ》かの逡巡《ためら》いもなく我が唇を犇《ひし》と押しあてた。

「貴方！　私を許して頂戴！　私は貴方をだましていたの、洋子の復讐をする心算《つもり》で、心にもない結婚をしたの……貴方を殺して財産を奪い取ってやろうと思っていたの。私の復讐はこれで完遂した訳よ、それを喜ばなければならないはずだのに、私は何故こんなにも悲しいのかしら、洋子を殺した貴方を強く憎悪していた私も、心の底ではやはり貴方を愛していたのね。その貴方に冷酷にも自決を勧めた私を、貴方、許して下さい！　どうぞ私の心の犯罪《つみ》を許して頂戴！」

今は冷たき屍《しかばね》と変り果てた夫俊作を、しっかりと抱き締めて、その色褪せた唇を強く吸いながら、貞子は、心の中で激しく慟哭し、諄々《くどくど》と詫び呟くのであった……。

長兄秀夫の死を発端として、その義妹の正子、その夫の信義、その義妹の洋子と、相次ぐ四つの死を数えてきたこの河内家の悲劇も、末弟俊作の死をもって、その悲惨な結末を告げ、再び未亡人となった貞子は広荘な本館の中に一人寂しく取り残された。

悲しく痛ましく、そして淋しく遣る瀬ない思いに打ち悩んでいる彼女の居間へ、丈助が繁々と訪れてくるようになったが、ある晩、彼は彼女を抱き締めて低く囁いた。

「僕は近い内に鮎子と別れて君と結婚しようと思っている。君だっていやじゃないね」

「私、嬉しいわ！　鮎子さんにはお気の毒だけど。でも、貴方は元々私のものだったんですものね。

早く、そうなりたいわ！」

丈助の胸に顔を埋《うず》めて、甘ったるく囁き返す貞子の胸は娯《たの》しい期待に大きく膨らんで、どきどきと激しく脈打っている。

「君は、俊作さんの事を忘れる事ができるかね？」と、丈助はしんみり言った。

「忘れられないでしょう。……でも、それとこれとは別問題ですものね。それより、貴方こそ、鮎子さんを思い切る事ができて？　私よりも若くて美しい鮎子さんを……」

「鮎子の若さと美しさにはもう堪能した。この頃ではむしろウンザリしている。僕が本当に愛しているのは、やはり君だったと分った……」

「じゃ、あれはちょっとした浮気でしたのね」

「うん。君が俊作さんを可愛がってやったと同じようにね。一時の気紛れだったのかも知れないよ」

「鮎子さんがお可哀想ね。貴方を簡単に手放すことができるかしら？」

「鮎子は至ってあっさりした気性の女だからすぐに諦める事が出来るよ。何も僕だけが男ときまってる訳じゃないんだからね」

「貴方って、本当に薄情なんだわ」

「それも、君のためだから仕方がないよ」

「嬉しいわ、私。……本当に幸福だわ！」

「そう言ってくれれば僕も嬉しい。できるだけ早く実現させよう。そうして、僕は再びこの本館に戻ってくるのだ」

「そうなったら、私もう貴方を放さなくってよ！」と貞子は丈助の軀を強く抱いた。

「僕だって、君を放しはしない！」丈助は呼吸を弾ませて言い、彼女の嫋《なよ》やかな軀を軽く抱き上げて長椅子《ソファー》の方へ運んだ。

「私を、いつまでも愛してくださる？」

「うん、いつまででも！」丈助は強く言って彼女の唇に熱情的な激しい接吻を捺《お》し、微笑《わら》いながら
「君は鮎子よりも遥かにお金持ちなんだからね、そうせざるを得ないだろう」

「俊作と結婚する事を執拗《しつこ》く勧めた貴方の意図が今になって良く判《わか》ったわ」貞子も、口許に仄かな微笑を湛《たた》えて言った。

×

ある日曜日の午後、貞子を囲んで、食後の歓談が賑やかに取り交された後で——

「僕が正子さんを手籠《てごめ》にしたなんて、非道《ひど》いですなあ、手を握った事もないのに」

「私、エスの背中に乗った事なんか一度もないわ。それに、お尻を舐められたなんていやらしい姉さん！」

「僕は洋子さんよりも正子の方が好きです……ねえ、正子、君が一番可愛らしいよ」

「私、どんなに暗くっても、俊作さんと義兄《にい》さんを間違えるほど鈍感じゃないわ……あんな、変《へん》なこと書いちゃいやよ！」

「私、未亡人になったら、貴方の位牌を抱いて寝るわ。私が先に死んだら貴方はどうなさる？　す

ぐに奥さんをお貰いになる？」

「僕を残して死んでもらっちゃ困る！　万一そうなったら、僕は君の後を追って死ぬよ」

「僕が一番悪人扱いにされていますね？　僕には兄さんを殺すような勇気はとてもありませんよ。……ね、洋子、そうだろう？」

「ええ、貴方が一番温順《おとな》しくて優しい方だわ。姉さん奪《と》っちゃいやよ。私の大切な夫《ひと》」

「僕は小説の通りになる事を希《のぞ》みますね。そうしたら、警察なんか罷《や》めて呑気に暮す事が出来ますから……はっはっはっ」

「恐ろしい警部補さんだこと。ほほほほ」

「貴方は僕がお好きですか？」

「主人《たく》の次にね。ほほほ御立派ですもの」

「僕は家内《かない》よりも貴女の方が……」

「あなたッ！　許しませんわよッ！」

「うん、いや、なに、冗談だよ、ははは」

「お互いに小説のような事にならないように気をつける事だな、その意味で、四つの死の部屋は僕達にとって良い修身書でした」

「そう仰言《おっしゃ》られると大変恐縮しますわ」

「僕はあれを読んで、密室作品《みっしつもの》の最傑作だと思いました。実に素晴らしい作品です」

「あら、まあ、どうしましょう？」

「小説のように、僕を愛して下さい！」

「おほほほほ、いやな俊作さん……」

「はははは、僕は義姉《ねえ》さんより洋子の方がずっと好きです。僕を、とても愛してくれるので、浮気なんか出来っこありませんよ」

「私、あれを発表しても構いませんかしら、御迷惑でしたら名前を書き変えますけど」

「構いませんよ。小説なんですからね」

秀夫が皆に代ってそう応えて「僕は、あれを読む間、競馬の事も、競輪の事も、そして麻雀《マージャン》の事さえ、すっかり忘れていました。どうです？　一張《イーチャン》やりましょう！」

幽霊に非ず。――野上貞子の創作〝四ヽつヽのヽ死ヽのヽ部ヽ屋ヽ〟が、そっくり、そのまま、この〝八ヽ角ヽ関ヽ係ヽ〟なのである。

カストリ雑誌に埋もれていた幻の本格探偵小説

横井　司

1

本書『八角関係』は最初、月刊雑誌『オール・ロマンス』一九五一（昭和二十六）年六月号（四巻六号、通巻三十九号）から同年十二月号（四巻十二号、通巻四十五号）まで、七回にわたって連載された。作者名は「覆面冠者」、挿絵画家は中島喜美。[1] 第一回から第四回までは本文扉に「愛慾推理小説」（第四回のみ「連載愛慾推理小説」）、第五回以降は「愛慾変態推理小説」（第七回のみ「愛慾・変態推理小説」）と、挿絵画家によって角書きが付されていた。各章はアルファベットで示されており、以下に連載回と各章の対応を示すとともに、各回の扉に付されたリード文を参考までに付しておく（リード文の中黒は読点の誤植と思われるが原文のままとした）。

第一回　A、B、C、D、E
　八人の男女を繞って展開される愛慾と戦慄と昂奮のパノラマ！
第二回　F、G、H

突如！　愛慾の家に世にも奇怪なる怪死事件！　自殺か！　はた他殺か！
第三回　I、K、L、M
四組の夫婦の間にもつれる・息詰るような愛慾と猟奇と殺人の綾！
第四回　N、O、P、Q
四組の夫婦・八人の男女の間に限りなく縺れゆく愛慾と猟奇の渦巻！　そして殺人！
第五回　R、S、T、U
心臓部にグサリと突き刺されたジヤツク・ナイフ！愛慾の家に又も起る血腥き旋風!!
第六回　V、W、X
吹き荒ぶ愛慾と戦慄と恐怖の旋風の中に・またしても疑念を孕む洋子の死！
第七回　Y、Z
猛り狂う愛慾と猟奇の血腥き暴風も・漸くおさまって・凡ての謎が解かれる時が来た！

連載第一回の編集後記「編集室の屑籠」には以下のように紹介されていた。

★異色作「八角関係」は本号より七ケ月に亘つて連載される。息づまる愛慾の曼陀羅華・スリルとエロテイツクとが渾然一つに溶け合つた問題作だ！乞ふ御愛読を！

第二回以降は毎回、「前号梗概」または「前号までの梗概」が掲載されており、第六回の末尾には「事件は一応解決したかに見えた？が、真相は二転し、三転し、四転して、作者の巧妙なトリツクは、読者を奇想天外の結末へ、息もつかせず誘ひ込む！」というリード文が付されていた。

雑誌『オール・ロマンス』の発行元は、探偵雑誌『妖奇』（一九四七〜一九五三）の発行元でもあるオール・ロマンス社で、『妖奇』の「姉妹誌」[2]として一九四八年四月に創刊された。論創社編集部から提供を受けた初出誌を瞥見してみたところ、「八角関係」第一回が掲載された同誌の次号予告には「世相と娯楽と諷刺の異色雑誌」というふうに雑誌の性格が自称されており、探訪記事、世相記事、夫婦・性愛・青春をめぐる読物記事のほか、世相小説の特集が組まれている。また第二回に掲載された予告では世相小説の他、推理小説・時代小説・ロマン講談と角書きのついた、四編の小説タイトルが並んでいる。

石川巧は、『妖奇』復刻版（三人社、二〇一六〜二〇一九）の別冊に寄せた解題「カストリ雑誌としての『妖奇』」（二〇一七・十二）の中で『オール・ロマンス』についてふれ、「探偵小説を主軸とする『妖奇』に比べて雑多な記事が収録されており、カストリ雑誌そのものという内容になっている」と書いている。[3]カストリ雑誌がどういうものか、敗戦直後の出版事情に詳しい読者であれば、ご存知のことかと思われるが、念のため石川の説明を以下に引いておく。

カストリ雑誌とは、敗戦後の一九四六年から一九五〇年にかけてブームとなった大衆娯楽雑誌のなかでも、特に戦時中に抑圧されていた性愛を描いた作品を中心とした読物雑誌の総称である。多くは四六倍判（B5判）であり、GHQの統制を受けないザラ紙やセンカ紙で作られていた。一攫千金をめざして出版事業に参入した発行者もおり、雑誌の水準は玉石混淆だった。ページ数は四〇頁前後で、装幀は表紙に女性の裸体や奇抜な姿態を描いたものが多かった。内容は読物、娯楽、風俗、実話、話題、犯罪、探偵など多岐に亙っているが、いずれも原則として読切りのスタイルを取っている。なかには著名作家の作品を掲載して娯楽雑誌としての魅力を追求した雑誌もあったが、実際の取材に基づいたニュースや記事はほとんどなく、編集者やライターが面白おかしく読物を書きたてた小説や記事が大半を占めている。

補足しておくと、「カストリ」と冠せられるのは、粕取り焼酎を三合飲めば酔い潰れることから、三号で廃刊となるような安直な雑誌という意味合いだといわれる。戦後の闇市に出回った、サツマイモや米から造られた密造アルコールも「カストリ」と呼ばれており、そうした粗悪なアルコール飲料からの連想もあったかもしれない。

石川によれば、『妖奇』は一九四九年六月発行の別冊を皮切りに「探偵小説雑誌からの脱皮を図り、エロ・グロ・ナンセンスに関わる創作、実録もの、ルポルタージュ、実話などを幅広く掲載するようになる」というから、「八角関係」が掲載される頃には、ほとんど区別がつかなくなっていたのではないか、と推察されたものの、実際に『オール・ロマンス』の誌面を瞥見すると、小説の掲載よりも世相に関する読物記事が中心であり、『妖奇』との差別化が図られていたことは明確だ。その一方、石川が紹介している読者欄の投稿では、『妖奇』と『オール・ロマンス』が「僚誌」と見なされており、当時の読者には両誌の均質性が実感されていたことが窺えるのである。

『妖奇』と『オール・ロマンス』が「僚誌」と目されていた以上、寄稿者が重なっていたであろうこと、作品傾向が似通っていたであろうことは、容易に想像がつく。『妖奇』の場合、「覆面作家」という筆名での掲載作品が多かったことでも知られるが、石川は前掲のエッセイにおいて「それは書き手の知名度や過去の名声に頼らず作品本位で誌面を構成しようとする意欲ともとれるし、ひとつのハウスネームを複数の書き手が共有することで新人作家のデビューを助けたともいえる」と述べている。「覆面冠者」も「覆面作家」と同じ類いだと考えてもいいだろう。[4] オール・ロマンス社主の本多喜久夫は、その氏名をひっくり返した筆名・尾久木弾歩で『妖奇』に創作を寄せていたと目されていたが、[5] 現在では、尾久木名義で創作を発表したのは本多だけではなく、新人作家も含めたハウスネームであったと認識されている。その尾久木名義で『妖奇』に小説を発表していた書き手の誰かが「覆面冠者」の名の下に発表したことは充分に考えられる。[6]「八角関係」の扉ページに「愛欲推理小説」のちには「愛欲変態推理小説」という角書きが付されているのは先に記したとおりだが、その言葉から受けるイメージ以上に、探偵小説としての結構がしっかりしているため、なおさら『妖奇』で書き慣れた執筆者の一人ではないかと想像されるのである。

「八角関係」は、日本推理作家協会の機関誌『推理小説研究』第十二号（一九七五）として上梓された中島河太郎編「戦後推理小説総目録」にもタイトルが見出せず、後述する鮎川哲也・若狭邦男「幻の探偵作家を求めて　番外編／歯科医がとらえた輪堂寺耀《りんどうじよう》の正体」というエッセイ以外、言及された文献を寡聞にして知らない。中島の総目録には「覆面作家」という項目すらあるのだが、掲載誌がカストリ雑誌であったことに加え探偵小説専門誌ではなかったこと、作者名が「覆面冠者」となっていたことから、その目から免れたものだろうか。

いずれにせよ、中島河太郎の労作にも載っていない珍品が、発表されてから七十六年ぶりに単行本化されるのは奇跡に等しい。幻の作品と呼ばれるものの多くは、幻になるだけのことはあると頷ける作品が多いものだが、では『八角関係』はどうなのか。以下の章では、その点についてみていくことにする。

2

前章にあげた各回のリード文から、「八角関係」がどんな話なのか、この解説を先に目を通している未読の方であれば、いろいろとイメージが湧いてくることと思われるが、愛慾描写などを除けば、実際のあらすじは以下の通り、いたってまともなものである。

父親から財産と別館付きの洋館を受け継いだ河内家の三兄弟は、財産を投資した金利によって、生活のために働くこともなく、怠惰で放埒な生活を送っていた。三兄弟の妻はそれぞれの夫を愛しており、特に波乱もなく、日々平穏に暮らしていたところへ、三男・俊作の妻・洋子の姉で、女性探偵作家の野上貞子と、その夫で捜査課の警部補・丈助が同居するようになってから、それぞれの夫婦関係に揺らぎが見え始めてくる。長男・秀夫は次男の妻・正子の気を、次男・信義は三男の妻・洋子の気を引くようになり、三男・俊作は野上貞子を慕うようになり、野上丈助は長男の妻・愛子に慕われるようになったのだ。そしてある夜、秀夫が酔った勢いで無理やり正子と関係を持ってしまう。それから数日後の雪の夜、別館で秀夫が死んでいるのが発見された。別館の周囲に積もった雪の上には、発見者である妻・愛子が本館へ知らせに来た足跡しか残っていなかったため、自殺として処理されたものの、この事件を皮切りに、河内家では次々と人死にが起こり始める……。

連載第一回・A章で語り手は「秀雄、信義、俊作、丈助の四人の夫達、それに配する、鮎子、正子、洋子、貞子の四人の妻達、外見上は飽く迄も四組の夫婦であつたが、内面的には寧ろ四組の恋人同志」、ただし「それが相思相愛の仲であるかどうかは別問題」だと述べている。「妻達は兎も角として、夫達は夫々《それぞれ》違つた相手を求めて精神的に狂奔して」おり、「丈助は兎も角として、秀夫、信義、俊作の三人が、夫々自分の妻を嫌悪して、他人の妻を愛し、それだけならまだい丶が、その肉体をまで慾求する様になつて」いた。丈助にしても秀夫の妻・愛子から秋波を送られて満更ではない様子が描かれており、こうした人間関係の中からトラブルが生じるのは時間の問題であった。タイトルの「八角関係」は、第一の事件の際に、捜査主任の島貫警部が、部下の丈助から、右のような人間関係の説明を聞いて「三角関係が四つ組み合つた八角関係だ」と述べたことに由来する。

金利生活者が暮らす洋館で連続して起きる人死にはもちろん、いずれも自殺に見せかけた殺人ということになるのだが、第一の事件は周囲に足跡のない洋館（本館の離れ）で起きているだけでなく、続いて本館で起きる事件でも、死んでいる人間のいた部屋は内部から鍵がかかっていたり、閂が降りていたりするというように、どの現場も密室状況を呈しており、だからこそ捜査陣は自殺だと判断せざるを得なかったのであった。

連続して起きる四つの密室殺人事件という趣向は、本格ミステリ愛好家の注目を引かずにはいられないだろう。連載第三回・J章では野上貞子が俊作に対して次のように述べる場面がある。

「扉は開け放されていても、その周囲に犯人の足跡が無ければこれを密室と言ふのです。二次元の密室とでも言ひませうか。降り積つた雪の上に、犯人の足跡が無いと言ふ事が、内部から施錠された扉《ドア》に相当するのです。所謂、密室は、内部から完全に施錠された部屋のことで、三次元の密室と言ふのですわ」

さらに最終回のＹ章では、野上貞子が今執筆している探偵小説には四つの異なる密室トリックが出てくると言い、それぞれ二次元の密室、三次元の密室、四次元の密室、逆密室と名付けている。いわゆる密室というのは「縦、横、高さで囲まれた空間を密閉したもの」と考えると、二次元の密室というのは「その中の一つが欠けているものを意味する」のだといい「扉はあいていてもその周囲に足跡がない様な場合」がそれに当たる。四次元の密室というのは「三次元の密室に、時間と言ふ第四次の要素を導入したもの」で「殺人時刻とその推定時刻に時間的のズレがある場合の密室」だといい、逆密室とは「密室外の殺人を密室内のそれ、つまり自殺と見せかける為に、犯人が被害者の屍体を部屋の中に閉じ込める」ことによって「自己のアリバイを作る」トリックを指すのだと話す。

こうした物言いは一種の密室分類であり、江戸川乱歩が「類別トリック集成」で試みたそれとは視点が異なるのが興味深い。乱歩が「類別トリック集成」を『宝石』に公開したのは一九五三（昭和二十八）年のことであり、『続・幻影城』に収録したのが一九五四年になってからのことであってみれば、「八角関係」の作者による密室分類の発想はそれよりも早いことになる。

もっともこれらの用語については、「八角関係」の作者によるオリジナルではなく、「八角関係」が雑誌に連載された前年の一九五〇（昭和二十五）年七月から十二月にかけて『科学朝日』に高木彬光が連載した長編エッセイ「密室殺人の推理」によるものであった。高木は、ガストン・ルルー『黄色い部屋の秘密』のトリックにふれた章で「四次元の密室」という表現を使っているほか、「二次元の密室」という題名の章ではカーター・ディクスンの『白い僧院の殺人』に言及している。さらに早いうちから「逆密室」という言葉をあげており、結びの言葉の後に「逆密室の殺人」と題した章を設けているのだ。「八角関係」の作者が高木の術語をそのまま援用していることは明らかである。当時の本格探偵小説マニアであれば当然目にしているであろうエッセイなので、いわば共有アイデア《コモンズ》だと考えるなら、流用すること自体は問題はないものの、今となっては、誰が最初に言い出したのか、作品の評価にも関わることゆえ、出典について詳述しておく次第である。

　その他、野上貞子が自らの小説で用いたメイン・プロット（すなわち「八角関係」のメイン・プロットにもつながるそれ）は、笹沢左保の某長編や泡坂妻夫の某長編を連想せずにはいられないアイデアだが、これについても実は、高木彬光の前掲のエッセイにインスパイアされたものだった。高木は自作の短編「影なき女」（一九五〇）を紹介したあと「探偵小説の犯人の意外性」について話題を転じているのだが、その際に章題にまでなっているアイデアが、そのまま「八角関係」に援用されているのだ。ただし、実際に「影なき女」を読んでみると、「八角関係」とは随分と印象が異なる。「八角関係」を読んですぐに連想させられるのは、右にあげた笹沢や泡坂の長編の方なのである。「八角関係」の作者が「影なき女」も読んでいて、メイン・アイデアを微調整したのかどうか、分からないのだが、高木のエッセイの言葉のみにインスパイアされ、構想を立てたために、「影なき女」とは違う方向へと発展したと考えるのが妥当ではないか、とここでは指摘しておきたい。それによって、偶然とはいえ、笹沢や泡坂のアイデアに先鞭をつけた格好になったという意味では評価に値するといえよう。

　第一回・C章で野上貞子は河内俊作から、いま執筆している作品は探偵小説なのかと問われて「興が湧いてくると、構想を無視して、とんだ横道に外《そ》れることがありますから」「探偵小説になるか、愛慾小説に終るか、書いてみなければ分りませんわ」と答えつつも、「今度は本格物を書いてみようと思つているのですから、情熱の赴くまゝに勝手な横道にそれる事を防止しなければ、とんでもない作品《もの》になるでせう」と言っている。題名は探偵小説寄りの「四つの死の部屋」となる予定で、「一家の内部に起る連続殺人」を扱い「当局では自殺と推定する」ように「四つの殺人に四つの異なる密室トリックを使つてみよう」という構想だとなれば、読者は連載を読み進めるうちに、まさに今読んでいる「八角関係」という作品こそ、貞子の執筆している小説ではないか、と思い込まずにはいられないだろう。さらに第一回・E章では正子から秀夫に凌辱されたことを聞いた貞子が、それをそのまま執筆中の小説に盛り込んで、正子に読ませるという場面も出てくる。執筆中の小説に書かれたことが、登場人物に影響を及ぼし、後の悲劇を惹起したり、犯人にある行動を取らせるようにしたりするという展開を見せていく。最終回・Y章で貞子は「本格的倒叙探偵小説」なのだとも言っているのだが、これは、本格探偵小説に出てくるようなトリックを扱った倒叙探偵小説の謂だと思われる。

　現実に河内家で起きている事件を踏まえたものでありながら、そこからズレるところも見受けられ、作中の登場人物が自分たちを描いた小説を読むというメタフィクショナルな趣向を取り入れつつ、メタフィクションになりきれないようなところは、狙っているようで狙い通りにいっていないという構想の未熟さを感じさせると同時に、不思議な魅力を醸し出してもいる。小説の外部が重層的に設けられ、そこに仕掛けが施されているという趣向は、中井英夫の『虚無への供物』（一九六四）や竹本健治の『匣の中の失楽』（一九七八）を思わせなくもない。もちろん「八角関係」ではアンチ・ミステリ的な深みにまでは及んでおらず、最終的な落とし所は噴飯物とはいえ、近年の現代作品にも似たような趣向が散見されるだけに、先駆的な試みとして注目に値しよう。
これが『オール・ロマンス』という「カストリ雑誌そのもの」(石川、前掲)といわれるような雑誌に連載されたことが驚きであって、河内家の愛欲が絡む人間関係やその描写に意識を向かわされると、意外と本格ミステリしていることに驚かされる羽目となる。そういう驚きは、坂口安吾の『不連続殺人事件』が雑誌『日本小説』に連載されていた時(一九四七［昭和二十二］年九月号から翌年八月号まで)、江戸川乱歩が「私はこの小説の第一回を可なりの期待を以て読んだが、何となく肩すかしを喰ったような、予期に反するような感じを受けた(7)」と書いている経験と、よく似ているところがある。続けて乱歩は、『不連続殺人事件』の読書体験を、以下のようにトリックとして捉え直すのだ。

冒頭第一章「俗悪千万な人間関係」に記されている性的乱脈状態、好色漢歌川多門のお余りを頂戴に及んだ文人連中、それが又お互に掠奪、譲渡を物の数ともせぬ超常識の世界、近親相姦肯定の思想にまで及んでいる世界、私は最初これを単なる作者の悪趣味、目下流行のエロ文学の一類と考え、そのあくどさに少々辟易したのであるが、そこに私の盲点があった。若し探偵作家がこういう世界を冒頭に持出したならば、ハハア作者の手だなと、忽ちトリックを看破したに相違ない。それが出来なかったのは坂口安吾という作家の立場、傾向に、トリックでなくても好んでこういう世界を書きそうな所があり、それがトリック以外のトリックとなって、私の目をくらましたのである。

乱歩はこの「トリック以外のトリック」を「作品全体の雰囲気という大きなトリック」と名づけているが、現在の読者にとっては、乱歩のいう雰囲気のトリックと同じような効果が、「八角関係」にも見出せるように思われるのだ。「八角関係」は犯人当てを狙った作品というよりも、トリック趣味の面白さで読ませようとした作品だと見るべきだろうが、「カストリ雑誌そのもの」といわれるような媒体に連載され、「愛慾推理小説」とか「愛慾変態推理小説」という角書きがつけられているのみならず、匿名で発表されているというだけで、いかがわしさが炸裂し、まともな本格ミステリではあるまいと、眉に唾つけて読んでしまいそうになるのではないか。だからこそ、最終回になって、密室の分類が出てきたり、笹沢や泡坂といった作家が考案するようなプロットを示されて、驚愕してしまうのである。もっとも、当時の『オール・ロマンス』の読者は、せっかくの肉体文学的な興味が本格探偵小説的趣向によって中断されることに、拒否感を覚えていたのかもしれないのだが。

本書のように単行本化されたものを読むことによって、右のような効果は減殺されるかもしれないし、今日の読者であってみれば、笹沢左保の官能味の強い作品で慣れているとはいえ、『八角関係』は、芦辺拓のいわゆる「絶滅種探偵小説(8)」、「一流でも二流でもないけれど、異様な存在感に満ちた作品」の流れに属する特異な長編として、現代のミステリ読者の鑑賞に値する出来栄えを示しているといえるかもしれない。

3

前章の最後に引いた芦辺の文章は、輪堂寺耀『十二人の抹殺者』（一九六〇）が二〇一三年になって、戎光祥出版から刊行されていた『ミステリ珍本全集』第二巻に収められた際の、同書の月報に寄せられたものだが、不思議なことに輪堂寺の同作品に見られるミステリ用語、すなわち密室トリックの四分類が「八角関係」にもそのまま使われている。輪堂寺もまた高木彬光が『科学朝日』に連載したエッセイ（あるいは同エッセイを収録した『随筆・探偵小説』〔鱒書房、一九五六〕）を読んでいたということに過ぎないのかもしれないが、両作品の類似点はそれだけではない。「八角関係」では四つの殺人事件が起きるのだが、その「四つの殺人に四つの異なる密室トリック」（第一回・C）を使ってみるという趣向が、『十二人の抹殺者』の都合九件起きる「各殺人にそれぞれ異なるトリック」（第三十九章）を配するという趣向と同じなのである。他にも、登場人物に一人、小説家がいたり、登場人物が麻雀を打つシーンがあったりと、共通点は多い。[9] これらのことから、覆面冠者の正体が輪堂寺耀ではないか、という問題が浮上してくるのだ。

『ミステリ珍本全集』第二巻には、「幻の探偵作家を求めて　番外編」として鮎川哲也と若狭邦男の連名で発表された「歯科医がとらえた輪堂寺耀の正体」（『ＥＱ』一九九七・五）が、「輪堂寺耀の経歴に触れたほとんど唯一の文献[10]」として再録されている。そのエッセイには若狭によって作成された『妖奇』および『オール・ロマンス』に掲載された「覆面作家」名義の探偵小説をまとめたリストが表4として掲げられており、若狭が輪堂寺にインタビューした際[11]、そのリストを見せて、輪堂寺の執筆かどうかを確認する場面が次のように描かれている。

「では、〈表4〉の作品はどうです」

今度は即座に「ちがいます」と、短く答える。そこで、私は種明かしをした。

「実はこれらの作品は覆面作家名義のものでして、のちに、本人の証言によって、杉山清詩の作品と知られているのです」

「へえー」

と、彼はひと言つぶやいた。


このとき示された表4の中には「八角関係」も含まれており、右のやりとりを読む限りでは、覆面冠者の正体は杉山清詩だということになる。だが、若狭の著書『探偵作家追跡』（日本古書通信社、二〇〇七）および『探偵作家発見100』（同、二〇一三）に掲げられた杉山の作品リストには、いずれも「八角関係」という作品名は見出せない。その一方で、輪堂寺耀が一九六〇年に上梓した『十二人の抹殺者』には、先にも述べた通り、「八角関係」にも出てくる「二次元の密室」「三次元の密室」「四次元の密室」「逆密室」という表現が見出されるため、杉山ではなく輪堂寺がその正体ではないかと疑われもするのだ。

なお、「歯科医がとらえた輪堂寺耀の正体」には次のようなやりとりも見られる。

「私［若狭・横井註］の興味あるのは、この未完の『狼家の恐怖』です。この点はいかがです」

「……これがあなたの持ってこられた『十二人の抹殺者』（小壺天書房刊、昭和三十五年二月二十日発行）につながったんですよ。はじめ千枚の原稿でしたから、途中で切られてしまったんで……。全面的に改稿して、連続殺人の形だけは残したんです」

「狼家の恐怖」は『妖奇』一九五二（昭和二十七）年七月号から十二月号まで連載された後、『妖奇』の改題誌『トリック』一九五三年一月号から三月号まで継続連載されている。その三月号で『トリック』の新誌名が募集されていたものの、続いて別冊を出したのみで雑誌が終刊となったために、中絶の憂き目を見ることになった長編である。右のインタビューを虚心坦懐に読むと、『十二人の抹殺者』は「狼家の恐怖」をリニューアルした作品のように理解されるのだが、実際に「狼家の恐怖」に目を通してみたところ、まさに「連続殺人の形」は残されていたものの、共通するのはそれくらいで、作品の性格はまったく異なるものとしか思えなかった。「狼家の恐怖」は明らかにイーデン・フィルポッツの『赤毛のレドメイン家』、あるいは同作品をリメイクした江戸川乱歩の某通俗長編を、さらにリメイクしたものであるという印象を受けるのだ[12]。したがって未完とはいいながら、連載第九回で真の名探偵である白松茂が登場した時点で、犯人の正体はほぼ見当がついてしまう。また、『十二人の抹殺者』に見られる、「二次元の密室」「三次元の密室」「四次元の密室」「逆密室」のような、ケレン味のある用語は出てこないし、そもそも密室殺人すら起きていない。事件の舞台が下関（山口県）を皮切りに、岡山、高松（愛媛県）と広域にわたるため、また連載第九回目にして、退職官吏で犯罪心理学の泰斗である白坂茂が、頭脳派の探偵として登場するので、『十二人の抹殺者』や尾久木弾歩名義の作品で登場している私立探偵・江良利久一が登場する余地もなさそうである。「全面的に改稿」したことは確かだろうが、作品の性格からすれば、「八角関係」の方が『十二人の抹殺者』の原型長編といってもいいように思われるのだ。

以上のように考えると、「八角関係」の作者・覆面冠者の正体は輪堂寺耀であり、「狼家の恐怖」は尾久木弾歩というハウスネームの下に作品を発表した書き手の一人ではないか、とも思われるのだが⑬、今となっては真相は藪の中だといわざるをえない。

4

ちなみに、「八角関係」の作者が、輪堂寺耀であるかどうかはともかく、おそらくは男性であろうと示唆する場面がないでもない。連載第五回のU章に、三男・俊作の妻・洋子が妊娠しているのではないかと疑った貞子が洋子を産婦人科に連れて行く場面がある。そこで「レントゲンで診て貰つた結果、妊娠一ケ月と言ふ事が分つた」と書かれている。妊娠検査薬が開発される以前とはいえ、妊娠を判断するためにレントゲンを照射するということが、現在はもちろん行なわれていないにしても、当時は一般的に行なわれていたのかどうか。

本作品と題名がよく似ている山田風太郎の『十三角関係』（一九五六）にも妊娠検査の話題が出てくる。そこではツォンデク・アシュハイム反応によって、妊娠しているかどうかが判断されるというふうに書かれている。ツォンデク・アシュハイム反応（アシュハイム・ツォンデク反応ともいう）は、一九二七年にドイツのベルンハルト・ツォンデクとセルマ・アシュハイムによって開発された、マウスを利用した検査法である。その後も、一九二九年にモーリス・H・フリードマンとマクスウェル・E・ラファムによる雌ウサギを使った検査法が、一九三〇年にランスロット・ホグベンによるアフリカツノガエルを使った検査法が、一九四七年にはC・G・マニーニによる雄ガエルを使う検査法が、それぞれ開発されている。ただしこれらは「小病院や開業医にとってほとんど実施が不可能」としている資料[14]もあり、『十三角関係』はともかく「八角関係」では検査自体は不可能だったかもしれない。

ただ『十三角関係』では探偵役の荊木歓喜が、「産科専門の医者として、これでも二、三十年の経験をもつ」「カン」[15]によって、ある女性が妊娠して「ほとんど一ヵ月かそこら」だろうと判断したと語る場面がある。大森病院産婦人科サイトの記事「雅の徒然日記〜教授室（中田雅彦）から綴るよもやま話です」[16]によれば、三十数年前に使われていた医学書には「母体の妊娠後の徴候」として、無月経（生理が遅れること）、外陰部や子宮口付近の色素沈着、顔面の雀卵斑、下腹部の膨隆、内診で触った子宮のピスカチェック Piskacek 徴候といった項目が並んでいたという。荊木歓喜の場合、観察によって直感した上で大学病院あたりに依頼してツォンデク・アシュハイム反応を行なってもらったのであろうが、実際には触診などを通して右の徴候を確認して判断されたというのが実情ではなかったか。

筆者（横井）のような現在の読み手は、妊娠検査薬などが普及していることを知っているから、一読してすぐレントゲンによる検査に違和感を覚えるだろうが、当時はどうだったのか。正確なところはさらに調査が必要であろうが、ひとつ参考になると思われるのは『オール・ロマンス』一九五一（昭和二十六）年一月号に掲載された栗田静代「泌尿器科婦人科医院　見習い看護婦の手記」という読物記事である。生理不調で別の病院で妊娠だと診断され、セカンド・オピニオンを求めて訪れた「洋装の娘」に対し、医師が次のように言う場面がある。

「あゝそう、すると泊まつてから未だ四十日ばかりだね、前の医者へ行つた時は三十日くらいだつたわけだ。診察だけぢや分からないよ。おどかされたんだ。診察だけで分かるようになるのは妊娠三ケ月近くだからね。一ケ月くらいで確かめようと云ふにはお小水、尿だね、尿をモルモツトに注射してみれば、ハツキリする。念のため明日の朝の第一回のお小水を持つて来てみ給へ。君はね妊娠ぢやねいよ《ママ》。六日のメンスが四日で終はつても、いつもより一週間おそくても、心配ない。君が余り妊娠を恐れたものだからその精神的な影響で、メンスが狂つただけだ。安心していいよ、清々した気分で映画でも見て帰えりなさい」

ここで医師が話しているモルモットに注射する方法は、先にもあげたツォンデク・アシュハイム反応だろう。カストリ雑誌に載った記事である以上、執筆者の栗田静代が実際に「見習い看護婦」であったかどうかは疑わしいし、男性記者であった可能性もある。男性記者がインタビューしたものをまとめた可能性もありえよう。しかしながら、右の記事の半年後に「八角関係」の連載が始まったのは、皮肉としかいいようがなく、当時の読者の中には、男性であっても、レントゲン検査で妊娠一ヶ月であることが分かったというような記述に違和感を覚えたかもしれない。

「見習い看護婦」の手記が載っていたにも関わらず、レントゲン検査をしたと平気で書けるのは、妊娠検査などの知識に関心が乏しい男性ではないか、と推察されるのである。男性であっても、山田風太郎のように医学を学んだ人間であれば、レントゲン検査で妊娠一ヶ月と判明したなどとは書かなかっただろう。その意味でも、書き手だと思われる輪堂寺耀の経歴、職歴などがはっきりしていないのは、かえすがえすも惜しまれてならない。

5

「八角関係」連載第一回・C章に、小説家・野上貞子と河内家の三男・俊作との間で交わされた、次のようなやりとりが描かれている。


「貴女はどうして男性のペン・ネームを使つて居られるんです？　筆名を二つもつている作家は沢山ありますが、貴女の様に男女両様の筆名《ペン・ネーム》を使つている作家は、珍しい事だと僕は思ふんですけど……」

「別に理由はありませんの」

と、貞子は火掻きを弄び乍ら「たゞ、本格物は男性の筆名の方が貫禄があつていゝと思つて使つているだけの事ですわ」

「成る程」と、俊作は苦笑しながら「女性では読者がバカにして掛りますからね。女探偵では犯人が甘くみて掛ると同じ様にね……成る程、そう言ふ訳なんですか」

「それから、女性としては書き難《にく》い様な事を、男性になつた気持ちで思ふ存分書いてみたいと言ふ気持もありましたの」

現代の視点からすれば、ジェンダーの観点からいろいろと問題をはらんでいるやりとりではあるが、当時の女性作家観をある程度は反映したものとして興味深い箇所でもある。もしかしたら、作者名が「覆面冠者」となったのは、女性作家名では「読者がバカにして掛」ると判断されたからかもしれない。もしそうなら作者は女性ということになる。そして作者が女性だとしたら、「女性としては書き難い様な事を、男性になつた気持ちで思ふ存分書いてみたい」と思って、覆面の陰に隠れたのかもしれない。だが、「女性としては書き難い様な事」という認識そのものが、ジェンダー・バイアスに左右された男性のものだといえなくもない。

読者はさまざまな予断を持って作品に接し、その予断に則して作品を評価することもあれば、予断が裏切られることによって過剰に作品を評価する場合もあるだろう。そうした予断を排し、純粋に作品そのものを読み、評価してもらうために、名前を秘したのだとも考えられなくもない。

愛慾を謳い、肉体文学に影響されたような描写を有しながら、書き手の肉体性は見事に払拭されているのが「八角関係」という作品なのである。『妖奇』や『オール・ロマンス』に掲載された覆面作家の作品にすべて目を通しているわけではないが、おそらく「八角関係」のような、作者の肉体の払拭に成功しているものは少ないのではないだろうか。本格探偵小説というプロットと、メタフィクショナルな趣向によって、かろうじて「八角関係」のみが、払拭に成功したように思われてならない。その意味では、「八角関係」の作者が輪堂寺耀であるかどうかは、もはや問題ではないともいえる。輪堂寺耀かもしれないし、そうでないかもしれない。男性作家かもしれないし、そうでないかもしれない。そうした揺らぎの中にあることで、作品としての魅力が、いや増している。

本書『八角関係』は、七十六年の時を超えた今だからこそ、燻し銀のような魅力に満ちた、幻の本格探偵小説なのである。

註

（1）中島喜美は雑誌『裏窓』にも挿絵を担当している。『裏窓』の編集者であり文筆家、絵師、緊縛師でもある飯田豊一への黒田明による聞き取りをまとめた「飯田豊一インタビュー（2009～2013）」（『股旅堂古書目録』第二十五号、二〇二一・一二）によれば、「きよし」が正しい読みで、男性だそうである。黒田によれば『サスペンスマガジン』一九七四年八月号では「kiyo」とサインされていたようで、それを聞いて飯田は「案外、中島さんも読み方は『きみ』でもいいと思っていたのかもしれないなあ」と答えている。『妖奇』には「中じま喜み」という表記もあり、カストリ雑誌ならではのいい加減さといえようか。ちなみに「八角関係」の挿絵で確認できるサインはすべて「kimi」となっている。本解説の第五章で述べたように、「覆面冠者」のジェンダーが揺らぐような読み込みもできることを鑑みれば、女性画家のようにも受け取られるサインによって、記名者の意図とは別に、奇しくもジェンダーの揺らぎに寄与することになったといえようか。

（2）『オール・ロマンス』一九四八年四月創刊号の「編集者のノート」に「本誌の姉妹誌妖奇」という表現が見られる。引用は、石川巧「解題　カストリ雑誌としての『妖奇』」（『『妖奇』復刻版／別冊解題・解説・総目次・執筆者索引』三人社、二〇一七・一二）注5による。

（3）石川は『オール・ロマンス』の刊行年について以下のように書いている。

一九四八年四月―一九五二年二月、同年三月より『話題と読物』と改題。『話題と読物』に関しては『妖奇』誌上に同年三月号、四月号の広告が掲載されているが、現物は確認できていない

右の改題誌については黒田明「終刊直前の『オール・ロマンス』書誌」(『SR Monthly』四四三号、二〇二二・八)に詳しい。それによれば一九五三(昭和二十八)年二月号までは誌名が『オール・ロマンス』で、以後

三月号(六巻三号、通巻五八号)『話題と読物《ママ》(オール・ロマンス増刊)』
四月号(六巻四号、通巻五九号)『話題と讀物(オール・ロマンス改題)』
六月号(六巻六号、通巻六一号)『オール・ロマンス(話題と讀物)』

というふうに、いずれも表紙(いわゆる表1)に記載された誌名が変転している。六月号の巻末には「誌名は今まで通り……**オール・ロマンス**で」という告知が載っており、編集後記「編集者のメモ」でも『オール・ロマンス』に復題したことが記されている。右のリストで誌名のあとにカッコ付きで示したのは、表紙では「オール・ロマンス」という誌名の下に小さく併記されている副題で、背表紙と奥付は四月号以外、一貫して『オール・ロマンス』のみだった。黒田は一九五三年五月号を未入手であるため、同号のみ誌名は不詳ながら、六月号の巻末の告知および巻号数・通巻数から『話題と讀物』であったと判断される。

一九五四年一月号から表紙の副題「話題と讀物」がなくなり、判型もA5判に変わったが、二月号を出してから間をおいて、八月に判型が従来と同じB5判の『オール・ロマンス特別増刊　振袖小姓

捕物控』を出して終刊したようだ。同誌の背表紙には七巻三号とあるが、奥付では巻号数・通号数とも未記載で、奥付の誌名は「オール・ロマンス増刊」とあるのみだった。

（4）「冠者」は「かんじゃ」あるいは「かじゃ」と読むが、後者は狂言の役柄「太郎冠者」の場合に限られるようだ。冠者は元服して冠をつけた成人男子に由来し、そこから若者、若輩という意味が生まれた。元々は武士に使える従者・使用人の筆頭人を意味し、狂言の役柄として知られる「太郎冠者」の場合、「太郎」が一番目を意味し、召使（若い者）の筆頭を指す。

（5）黒田明氏の御教示によれば、本多はアジア・太平洋戦争前から尾久木名義を使用していたそうである。

（6）ちなみに尾久木弾歩名義の作品は『オール・ロマンス』にも掲載されている。

（7）「「不連続殺人事件」を評す」『宝石』一九四八年十二月。引用は『江戸川乱歩全集　第26巻／幻影城』（光文社文庫、二〇〇三）から。

（8）「絶滅種探偵小説――輪堂寺耀『十二人の抹殺者』再刊に際して」『ミステリ珍本全集月報2』戎光祥出版、二〇一三・一一。

（9）ミステリー文学資料館編『甦る推理雑誌④／「妖奇」傑作選』（光文社文庫、二〇〇三）に一挙掲載された尾久木弾歩名義の長編「生首殺人事件」（一九五一年一～九月号）も同様に、登場人物に小説家がおり、麻雀を打つ場面があることも付け加えておこう。

（10）日下三蔵「編者解題」『ミステリ珍本全集2』戎光祥出版、二〇一三・一一。

（11）鮎川哲也と若狭邦男の共同名義で発表されたエッセイ「幻の探偵作家を求めて　番外編／歯科医がとらえた輪堂寺耀の正体」は、前半が鮎川哲也による執筆で、輪堂寺のインタビューが『EQ』に掲載されることになった経緯が書かれている。そこで鮎川は、作中の主人公が輪堂寺耀の兄にインタビューする場面が描かれた創作に目を通す機会があり、一読して驚いたこと、後日、当の作者に聞いて、インタビュー自体は実際に本人にしたと知らされたことを書き記している。その創作の作者こそ若狭邦男であった。鮎川が若狭の創作を読む機会を得たのは、自身が選考委員の一人を務める新人作家発掘プロジェクト〈十三人目の椅子〉（東京創元社主宰）に若狭が投稿したからである。鮎川は、いつか輪堂寺耀について取り上げたいと思っていたこともあり、「幸いなことに若狭氏はインタビューの際の録音テープを保存しておいでで、今回それを起こすという形で〈番外編〉の原稿にまとめてくださった」と書いており、この経緯を読むと、若狭が執筆した後半パートは録音テープを起こしたままだと考えざるを得ない。ところが『ミステリ珍本全集月報2』に寄稿された若狭邦男「私立探偵　江良利久一」には次のように書かれている。

この小説［若狭の投稿作・横井註］を読んだ鮎川氏が私に連絡、何度目かの電話の後、輪堂寺耀の記事の掲載を検討中である旨が伝えられた。随分時間が経過して互いに忘れた頃、鮎川氏の考えで、小説中の「私」と輪堂寺耀の対話を抜粋して、それをもともとのインタビューの形にすることになった。

その結果、ここに収録された「巻末資料」が雑誌「EQ」に掲載された。

これによって見るに、若狭が執筆した記事の後半パートは、若狭の創作から抜粋したものをインタビュー形式に書き直したものだということになる。実際にインタビューした結果を踏まえて創作に盛り込まれたのだから、情報ソースに問題はないとしても、録音テープに基づいて実際の発言をそのまま起こしたとはいえないと判断せざるを得まい。「歯科医がとらえた輪堂寺耀の正体」は、その点を踏まえて読む必要がある。

(12)『十二人の抹殺者』における真犯人の正体は江戸川乱歩の通俗長編でお馴染みの趣向で、管見に入った限りでは遠くエミール・ガボリオの長編にまで遡る。「狼家の恐怖」が輪堂寺耀の手になるものだとしたら、フィルポッツ作品よりもむしろ乱歩作品を踏まえたものかもしれない。

「狼家の恐怖」の冒頭、狼家の現当主が亡くなり、その遺産をめぐって不可解な条件が付された遺書が公開されるシーンは、横溝正史の『犬神家の一族』(一九五〇～五一年初出)を連想させもする。浜田雄介は、前掲『『妖奇』復刻版/別冊 解題・解説・総目次・執筆者索引』収録の「解説 非主流派探偵小説の倉庫検分」において、尾久木弾歩の「人間掛軸」(一九五二年初出)について「横溝正史『獄門島』『八つ墓村』の影響も色濃い」と指摘しており、尾久木作品における横溝の影響も見逃せない(『八つ墓村』の初出は一九四九年から五一年にかけて)。

「八角関係」には乱歩や横溝からの際立った影響が感じられず、高木彬光からの影響が強く感じられるだけに、輪堂寺作品として、あるいは尾久木作品としてみた場合、異色作といえるかもしれない。あえていえば尾久木弾歩「生首殺人事件」(一九五一年初出)の雰囲気に近いといえようか。その「生首殺人事件」は『十二人の抹殺者』と雰囲気が似ており、その意味でも「八角関係」の作者は尾久木弾歩こと輪堂寺耀ではないかと思われてならない。

(13)『十二人の抹殺者』において江良利久一は盲腸の手術のため事件に最初から関与しないという設定になっている。「狼家の恐怖」でも、白坂茂は腎臓摘出手術のために入院しており、第六の事件が起きて後ようやく、下関署の野呂警部補から話を聞いている。ともに病後であるという点が共通している。

この他にも、事件の中心人物である狼吾郎が若い頃に叔母の一人と情を通じたという設定など、『十二人の抹殺者』の事件関係者における年齢差カップルを彷彿させる。細かいことを言い出せばキリがないものの、『十二人の抹殺者』が「狼家の恐怖」を「全面的に改稿」したものであることを完全に否定しさることもできないように思われることは、やはり付け加えておく必要があろうか。ちなみに「歯科医がとらえた輪堂寺耀の正体」によれば、輪堂寺は「昭和二十七年春、それまで一時住んでいた岡山から、両親の暮らす『広島県佐伯郡廿日市町平良』（当時）に帰郷した」というから、作品の舞台に対して、いわゆる土地鑑はあったことになる。

（14）相沢登・上山茂夫「妊娠診断試薬について」https://www.jstage.jst.go.jp/article/faruawpsj/17/7/17_KJ00001723780/_pdf/-char/ja を参照。

（15）引用は『十三角関係／山田風太郎傑作選　推理篇』（河出文庫、二〇一一・七）から。

（16）「＃5　妊娠検査薬―今昔物語」（２０２２年６月25日）https://www.lab.toho-u.ac.jp/med/omori/gyne/blog/2022/copy_of_hcg.html

◎論創ノベルスの刊行に際して

本シリーズは、弊社の創業五〇周年を記念して公募した「論創ミステリ大賞」を発火点として刊行を開始するものである。

公募したのは広義の長編ミステリであった。実際に応募して下さった数は私たち選考委員会の予想を超え、内容も広範なジャンルに及んだ。数多くの作品群に囲まれながら、力ある書き手はまだまだ多いと改めて実感した。

私たちは物語の力を信じる者である。物語こそ人間の苦悩と歓喜を描き出し、人間の再生を肯定する力があるのではないか。世界的なパンデミックや政情不安に覆われている時代だからこそ、物語を通して人間の尊厳に立ち返る必要があるのではないか。

「論創ノベルス」と命名したのは、狭義のミステリだけではなく、広義の小説世界を受け入れる私たちの覚悟である。人間の物語に耽溺する喜びを再確認し、次なるステージに立つ覚悟である。作品の刊行に際しては野心的であること、面白いこと、感動できることを虚心に追い求めたい。

読者諸兄には新しい時代の新しい才能を共有していただきたいと切望し、刊行の辞に代える次第である。

二〇二二年一一月

覆面冠者（ふくめんかんじゃ）

匿名作家。本名や略歴は不明。

覆面冠者の素性、著作権者をご存じの方は、編集部までご一報ください。

八角関係《はっかくかんけい》

〔**論創ノベルス004**〕

2023年8月30日　初版第1刷発行

著者　覆面冠者
発行者　森下紀夫
発行所　論創社
〒101-0051　東京都千代田区神田神保町2-23　北井ビル
tel. 03（3264）5254　fax. 03（3264）5232　https://ronso.co.jp
振替口座　00160-1-155266

装釘　宗利淳一
組版　加藤靖司
印刷・製本　中央精版印刷

ISBN978-4-8460-2150-4

落丁・乱丁本はお取り替えいたします。